HEYNE ‹

Amelie Fried

Immer ist gerade jetzt

Roman

WILHELM HEYNE VERLAG
MÜNCHEN

FSC

Mix
Produktgruppe aus vorbildlich
bewirtschafteten Wäldern und
anderen kontrollierten Herkünften

Zert.-Nr.SGS-COC-001940
www.fsc.org
© 1996 Forest Stewardship Council

Verlagsgruppe Random House FSC-DEU-0100
Das für dieses Buch verwendete FSC-zertifizierte Papier
München Super liefert Arctic Paper Mochenwangen GmbH.

*Jeder Mensch hat ein Recht auf Nahrung, Kleidung,
Wohnung und ärztliche Versorgung, außerdem
ein Recht auf Bildung und Freiheit – so steht es in der
Allgemeinen Erklärung der Menschenrechte.*

*Für Millionen Kinder auf der Welt sieht
die Wirklichkeit anders aus:
Sie wachsen unter menschenunwürdigen
Bedingungen auf, die wir nicht hinnehmen dürfen.
Diesen Kindern widme ich mein Buch.*

Sie versuchte zu erkennen, wo sie lag, aber es war dunkel. Sie konnte nicht sehen, wie groß der Raum war, in dem sie sich befand. Sie konnte nicht sehen, ob sie allein war oder ob im Dunkeln jemand lauerte. Diese Dunkelheit war das Schlimmste. Panik kroch in ihr hoch.

Dann drang ein wenig Mondlicht durch schmale Ritzen in den Wänden, die offenbar nur aus Brettern bestanden. Die Umrisse eines Karrens und irgendwelcher Maschinen zeichneten sich ab, vermutlich landwirtschaftliche Geräte. Ein Auto näherte sich. Der Motor wurde ausgeschaltet, Autotüren schlugen zu, Schritte näherten sich dem Schuppen. Stimmengemurmel. Sie begann zu zittern.

1

Noch bevor Freda ganz wach war, fiel ihr ein, welcher Tag heute war. Mit geschlossenen Augen blieb sie liegen und versuchte, sich an den Gedanken zu gewöhnen, dass ihr Kind nun erwachsen war.

Vor achtzehn Jahren: Der Arzt zeigt ihr das Neugeborene, das von einer cremigen Schicht bedeckt ist und den unwiderstehlichen Wunsch in ihr auslöst, es sauberzulecken. Auch später, als ihr das Baby gewaschen und angezogen in die Arme gelegt wird, kann sie kaum dem Drang widerstehen, ihm mit der Zunge übers Gesicht zu fahren wie eine Katzenmutter.

Den ganzen ersten Tag über sieht sie es an und versucht, etwas Vertrautes an ihm zu entdecken. Nichts. Dieses Kind ist kein Teil von ihr, wie sie es sich vorgestellt hat. Es ist ein völlig eigenständiges Wesen, und es ist ihr fremd. Sie würden sich erst kennenlernen müssen, begreift Freda und ist überrascht.

Am nächsten Tag hört sie die Stimme ihrer Tochter aus einem Konzert von zwanzig Babystimmen auf der Säuglingsstation heraus. Und am übernächsten Tag blickt sie in das Gesicht der Kleinen, das sich im Schlaf unwillig verzieht, und bricht in Tränen aus bei dem Gedanken, dass dieses hilflose Baby eines Tages erwachsen sein und sie nicht mehr brauchen wird.

Als Josy größer wurde, entdeckte Freda, wie viel Spaß man mit einem Kind haben kann. Sie lag mit Josy auf dem Boden und untersuchte Staubflocken, stapelte Klötzchen zu Türmen und zeichnete Prinzessinnen, deren Kleider das Kind bunt ausmalte. Kein Spiel war Freda zu monoton, keine Unternehmung zu anstrengend. Sie organisierte Schnitzeljagden oder Mondscheinwanderungen im nahe gelegenen Park und sammelte einen Koffer voller Kleider und Kostüme zum Verkleiden bei schlechtem Wetter. Oft zog der Duft von frisch gebackenen Muffins oder Waffeln durch die Wohnung; sie konnte zwar nicht besonders gut kochen, buk aber gern. Die Nachbarskinder kamen in Scharen und waren willkommen, denn Freda fand es wichtig, dass ihr Einzelkind viele Spielkameraden hatte. Sie hatte es geliebt, Kinder um sich zu haben und selbst ein bisschen Kind sein zu dürfen.

Sie setzte sich im Bett auf und rieb sich das Gesicht. Ein Blick auf die Uhr zeigte ihr, dass sie gerade mal fünf Stunden geschlafen hatte. Sie zog die hellblauen Silikonstöpsel aus den Ohren, die sie verwendete, wenn es spät geworden war und sie sicher sein wollte, dass kein Geräusch sie wieder aus dem Schlaf riss, in den sie mühsam gefunden hatte. Dann griff sie nach ihrem Handy auf dem Nachttisch. In einem von Josy bemalten Holzrahmen daneben stand ein Foto von Alex. Unwillkürlich tastete ihre Hand auf die andere Bettseite. Als sie die Kühle des unberührten Lakens spürte, zog sie die Hand schnell zurück.

Sie seufzte und schwang ihre Beine aus dem Bett. Ein Pochen in ihrer rechten Schläfe erinnerte sie an die vergangene Nacht. Ein bis zwei Gläser weniger hätten es auch getan, dachte sie. Aber schließlich feiert man nur einmal den achtzehnten Geburtstag seiner einzigen Tochter mit einer großen Party.

Punkt zwölf war Josy zu ihr gekommen, hatte sie umarmt und ihr ins Ohr geflüstert: »Glückwunsch, Mama, du hast es geschafft! Ich danke dir für alles.«

»Ach, meine Süße«, hatte Freda geantwortet und ein paar Tränen der Rührung verschluckt.

Dann hatte ihre Tochter den Kopf schief gelegt und mit ernstem Gesichtsausdruck gesagt: »Zwischen uns ändert sich nichts, okay?«

»Nein, nichts«, hatte Freda gesagt.

Aber gedacht hatte sie: Es hat sich doch schon so vieles geändert. Und beschützen kann ich dich jetzt auch nicht mehr.

Als hätte sie es bisher gekonnt. Als könnte man ein Kind überhaupt beschützen. Sie hatte immer alles getan, um Josy vor Schlimmem zu bewahren, vielleicht hatte sie es manchmal übertrieben. Besonders, seit Alex weg war. Hatte nicht jeder Mensch sein individuelles Schicksal? Sein Lebensdrehbuch, an dem man ein paar Verbesserungen anbringen, dessen Handlung aber niemand wesentlich verändern könnte? Wenn man Glück hatte, drehte man an angenehmen Orten, in schicken Kostümen und mit netten Kollegen. Aber wie der Film sich entwickelte, welche Wendungen und Höhepunkte er enthielt, war die Entscheidung eines unbekannten Regisseurs, der sich von niemandem hereinreden ließ.

Freda stopfte ihr Kissen im Rücken zurecht und zog die Knie an die Brust. Eine frühe Erinnerung kam ihr in den Sinn. Josy musste ungefähr zehn Monate alt gewesen sein, sie übte das Sichhochziehen und Stehen und entwickelte

Interesse an anderen Kindern. Freda begann, regelmäßig mit ihr auf den Spielplatz zu gehen. Eines Tages beobachtete sie einen kleinen Jungen, der den Sitz einer Holzschaukel festhielt und genau in dem Moment losließ, als Josy sich gerade aufgerichtet hatte. Das Holzbrett raste auf ihren Hinterkopf zu, Freda sprang auf, die Schaukel prallte mit einem dumpfen Geräusch gegen den Kleinkindschädel, Josy fiel um. Sie schrie nicht. Sie machte nur ein kleines Geräusch, wie eine Art Japsen oder Aufstoßen, dann rührte sie sich nicht mehr. Fredas Herz blieb stehen. Sie riss Josy in ihre Arme, der kleine Körper fühlte sich schlaff an. Vor Fredas Augen schien ein schwarzer Vorhang herabzufallen. Da zuckte der Körper in ihren Armen, und Josy begann zu schreien.

Im nächsten Moment schrie auch Freda los. Sie schrie den verängstigten Jungen an, schrie sich die Panik aus dem Leib, bis die andere Mutter dazwischenging und Freda wieder zu Bewusstsein kam. Es war ihr peinlich, und sie entschuldigte sich. Der kleine Blödmann hatte es ja wohl nicht mit Absicht getan, und wenn doch, dann hatte er die möglichen Folgen seines Tuns nicht abschätzen können.

Im Krankenhaus wurden eine Prellung und eine Gehirnerschütterung diagnostiziert. Und mit derselben Heftigkeit, mit der Josy von dem Holzbrett getroffen worden war, traf Freda die Erkenntnis, dass sie nie mehr aufhören würde, sich um ihr Kind zu sorgen. Ja, dass die ständige Angst, es könnte ihm etwas zustoßen, der Preis für das Glück war, das sie durch ihr Kind empfand.

Alex war ganz anders, er hatte nie Angst. Er warf das Baby in die Luft, schnallte es auf seinen Rücken, wenn er steile Skiabfahrten runterraste, unternahm später riskante Bergtouren mit seiner Tochter, immer nach dem Motto: »Was sie nicht umbringt, macht sie hart.« Freda nannte es Leichtsinn, er nannte es Gottvertrauen. »Das Leben ist nun mal lebensgefährlich«, erklärte er, »deshalb kannst du dich doch nicht zu Hause einsperren.«

Über die Jahre hatte sich zu Fredas Erleichterung gezeigt, dass viele scheinbar gefährliche Situationen in Wirklichkeit harmlos waren. Sie machte die Erfahrung, dass Kinder erstaunlich viel aushalten und meistens mehr können, als ihre Mütter ihnen zutrauen. Der beste Beweis dafür war schließlich, dass ihre Tochter ohne sichtbare Schäden zu einer jungen Frau herangewachsen war. Eine große Dankbarkeit erfüllte Freda plötzlich. Sie nahm das Foto von Alex in die Hand und betrachtete es.

»Du kannst stolz auf deine Kleine sein«, sagte sie leise. »Und auf mich auch.«

Beim Zähneputzen betrachtete Freda sich im Spiegel. Geschwollene Augen, müder Teint. Sonst war der Anblick nicht so übel, immerhin war sie schon dreiundvierzig. Nicht mehr jung. Noch nicht alt. Irgendwas dazwischen. Irgendwas, von dem sie hoffte, dass es ein »Noch nicht« wäre, und kein »Nicht mehr«.

Sie stellte die elektrische Zahnbürste in die Halterung zurück und zog ihren gemütlichen Hausanzug an, den Josy als »Strampelanzug« bezeichnet hatte. Egal, heute Vormittag würde niemand außer ihrer Tochter ihn zu Gesicht bekommen.

Ihre Gedanken wanderten wieder zurück in die Vergangenheit. Plötzlich blieb sie stehen und suchte angestrengt in ihrer Erinnerung, ging in ihr Zimmer, öffnete nacheinander alle Schubladen einer Kommode, durchwühlte den Inhalt und zog schließlich eine mit bunten Mandalas bedruckte Mappe hervor.

Sie setzte sich an ihren Schreibtisch, schob die Computertastatur zur Seite und schlug die Mappe auf, in der sich einige zusammengeheftete Blätter befanden. »Horoskop« stand in schnörkeliger Handschrift auf der ersten Seite, darunter Josys vollständiger Name und ihr Geburtsdatum.

Es war das Geschenk von Marie gewesen, einer Kollegin aus der Buchhandlung, in der sie damals gearbeitet hatte. Marie hatte sich außer als Handauflegerin, Hellseherin und Mandala-Deuterin auch als Hobby-Astrologin betätigt. Freda hatte diese Neigungen insgeheim belächelt, ihre Zweifel aber für sich behalten, weil sie ihre Kollegin mochte und nicht kränken wollte. Und so ganz genau konnte man ja nie wissen, ob nicht doch etwas dran war an dem Eso-Kram.

»Damit du weißt, was auf euch zukommt«, hatte Marie gesagt, als sie Freda drei Wochen nach Josys Geburt die Mappe überreichte und sphinxhaft dazu lächelte. Vielleicht war es dieser Satz gewesen, der Freda all die Jahre davon abgehalten hatte, das Horoskop zu lesen. Wer wollte schon so genau wissen, was auf ihn zukam?

Heute, achtzehn Jahre danach, könnte sie ja überprüfen, ob Marie mit ihren Prognosen Recht behalten hatte. Neugierig blätterte sie die zweite Seite auf. Sie zeigte die Zeichnung der Sternenkonstellation zum Zeitpunkt von Josys Geburt, ein Gewirr von Punkten und Linien, aus dem sie nicht schlau wurde. Darunter stand: »Zwilling mit Aszendent Widder, Mond im Wassermann.«

Es folgte eine Deutung der Zwillings-Persönlichkeit: »Zwillinge sind immer in Bewegung, sie lieben den Trubel und hassen Langeweile und Routine. Sie wirbeln durchs Leben und sind überall zu finden, wo etwas los ist. Durch ihre gewinnende und spritzige Art finden sie schnell Freunde, obwohl sie nicht gerade durch Zuverlässigkeit glänzen. Sie vergessen schon mal eine Verabredung oder eine Zusage, aufgrund ihres Charmes kann man ihnen aber nicht lange böse sein. Der ständige Wunsch nach Veränderung lässt sie gern Berufe wie Journalist oder Reiseleiter ergreifen. Aufgrund ihres Sprachtalentes sind sie auch gute Lehrer oder Sprachwissenschaftler. Zwillings-Frauen sind flatterhaft und kapriziös, sie wechseln ständig ihre Vorlieben und Interessen – und ihre Männer. Das Zwillings-Kind ist fröhlich und aufgeweckt; neugierig erkundet es die Welt. Zu anderen Kindern findet es leicht Kontakt und ist ein beliebter Spielkamerad. Seine Begeisterungsfähigkeit führt allerdings dazu, dass es sich leicht verzettelt, es fängt vieles an und führt wenig zu Ende.«

Verblüfft ließ Freda die Hand mit dem Blatt sinken. Diese Beschreibung traf so genau zu, als habe jemand Josy charakterisiert, der sie gut kannte. Sie griff nach der Seite, auf der die Kombination des Sternzeichens mit dem Aszendenten gedeutet wurde. »Feuer und Luft passen hier gut zusammen. Das geschickte Denken des Zwillings paart sich mit der Tatkraft des Widders und führt zu schnellen Entschlüssen und starkem Durchsetzungsvermögen. Manchmal aber werden die eigenen Kräfte überschätzt, dadurch entsteht eine gewisse Neigung zur Selbstgefährdung.«

Wie damals, als ihre Tochter noch nicht schwimmen konnte, es aber liebte, vom Beckenrand aus ins tiefe Wasser zu springen. Kaum war sie aufgetaucht, fing Freda sie ein und brachte sie wieder zum Ausstieg. Einmal hatte Josy in ihrem Eifer übersehen, dass Freda nicht im Wasser war, sondern am Beckenrand stand und mit jemandem sprach. Irgendein Instinkt hatte Freda plötzlich dazu gebracht, sich umzudrehen. Als sie Josys roten Badeanzug verschwommen am Grund sah, hechtete sie ins Becken und zog ihr Kind heraus, das bereits das Bewusstsein verloren hatte. Noch heute bekam sie Gänsehaut, wenn sie an die endlosen Sekunden dachte, die vergingen, bis Josy einen Schwall Wasser von sich gab und wieder zu atmen begann.

In der Küche kochte Freda Tee. Sie trug die Tasse ins Wohnzimmer, wo sie Josys Geschenke versteckt hatte, zog die Päckchen unter dem Sofa hervor und drapierte sie auf einem kleinen Tisch. Vom Balkon holte sie einen Strauß mit achtzehn sündhaft teuren, aprikosenfarbenen Rosen, die dort die Nacht verbracht hatten. In der Speisekammer stand die Geburtstagstorte, die sie tags zuvor heimlich gebacken hatte. Sie dekorierte sie mit achtzehn Kerzen und einem Lebenslicht und stellte sie zu den Geschenken. Zufrieden trat sie einen Schritt zurück und betrachtete ihr Arrangement. Es sah wunderschön aus, Josy würde begeistert sein! Sobald sie Geräusche aus ihrem Zimmer hörte, würde sie die Kerzen anzünden. Im CD-Player lag eine Techno-Version von »Happy birthday« bereit. Sie lauschte auf den Flur hinaus, hörte aber nichts. Wahrscheinlich würde Josy heute etwas länger schlafen, es musste sehr spät geworden sein.

Freda ging zurück in die Küche und schenkte sich Tee nach. Während sie trank, hatte sie plötzlich das Gefühl, dass etwas nicht stimmte. Es war ganz still. Nur das Tropfen des

Wasserhahns war zu hören. Nachdem sie das Tropfen abgestellt hatte, blieb sie stehen und versuchte, den Grund für ihre Unruhe zu finden. Sie ging auf den Flur hinaus – und dann begriff sie: Unter Josys Zimmertür schien Licht durch. Das hieß, die Jalousie war oben. Das hieß, Josy schlief nicht in diesem Zimmer. Das hieß, sie war nicht nach Hause gekommen.

Fredas Magen verkrampfte sich. Sofort produzierte ihr Kopf eines der vielen Katastrophenszenarien, die sie seit dem Verschwinden von Alex regelmäßig heimsuchten. Josy war auf dem Heimweg überfallen, vergewaltigt, ermordet worden. Oder sie war vor ein Auto gelaufen, hatte wie immer keinen Ausweis bei sich und lag nun bewusstlos in irgendeinem Krankenhaus. Oder … Hör auf, befahl Freda sich selbst, das bringt doch nichts. Wie oft hast du dich schon mit solchen Fantasien verrückt gemacht, immer grundlos. Bestimmt übernachtet sie bei einer Freundin. Wahrscheinlich hat sie sogar eine SMS geschickt. Josy wusste, dass ihre Mutter schnell nervös wurde, wenn sie nicht war, wo sie sein sollte, und meldete sich deshalb zuverlässig.

Keine Nachricht. Wahrscheinlich war wieder der Akku von Josys Handy leer gewesen. Oder die Prepaid-Karte abtelefoniert. Es war erstaunlich, dass Akkus und Prepaid-Karten immer gerade dann leer waren, wenn man das Handy dringend benötigte.

Freda wählte Josys Nummer. Mailbox. Sie versuchte es bei Naomi, bei Lara. Ebenfalls Mailbox. Sie hinterließ überall Nachrichten, sprach mit betont fröhlicher Stimme, um sich nicht anmerken zu lassen, dass sie besorgt war. Sie mochte sich selbst nicht in der Rolle der Panik-Mom, wie

Josys Freundinnen sie hinter ihrem Rücken nannten. Es war Josy mal rausgerutscht, und zuerst war Freda wütend geworden; insgeheim hatte sie sich aber eingestehen müssen, dass die Bezeichnung durchaus zutreffend war. Andere Mütter waren viel lässiger, machten sich viel weniger Gedanken darüber, was alles passieren könnte. Josy hielt ihr oft vor, sie fühle sich kontrolliert und eingeengt. Trotzdem konnte Freda sich nicht anders verhalten, es war wie ein Zwang.

Endlich, eine weitere halbe Stunde später, klingelte das Telefon. Naomi, total verschlafen.

»Keine Ahnung, wo Josy ist«, nuschelte sie kaum vernehmbar. »Ich bin so gegen drei gegangen, da hat sie noch getanzt.«

»Kein Problem«, sagte Freda munter. »Falls sie sich meldet, sag ihr einfach, sie soll mich anrufen.«

»Geht klar.« Und nach einer Pause: »Und danke für gestern, war 'ne super Party!«

Freda lachte. »Freut mich, wenn's dir gefallen hat!«

Die Party hatte Fredas Budget für den Jahresurlaub aufgefressen. Zum Glück besaß der Vater von Josys Schulfreund Zino eine Brauerei und hatte die Getränke spendiert, aber mit der Saalmiete, dem Essen und dem Discjockey war doch einiges zusammengekommen. Es war ihr egal, Urlaub konnte sie noch oft machen.

Nachdem sie die Spülmaschine ausgeräumt, die Küche gefegt, ihre E-Mails gecheckt und eine weitere Kanne Tee gekocht hatte, konnte sie ihre Unruhe nicht mehr bezähmen und wählte ein zweites, dann ein drittes Mal Josys Handynummer. Immer Mailbox. Inzwischen war es elf. Wo, zum Teufel, steckte ihre Tochter?

Josy erwachte aus einem unruhigen Schlaf. Ihr Kopf fühlte sich an, als wäre sie gegen eine Eisentür gelaufen. Stöhnend versuchte sie, sich auf die andere Seite zu drehen. Verdammt, wie das dröhnte! Das konnten doch nicht die paar Cola-Rum und Wodka-Orange gewesen sein, die sie gestern getrunken hatte? Mühsam öffnete sie die Augen einen Spalt. Sie blickte auf eine gelblich gestrichene Betondecke mit einer Neonröhre. Ihr Blick wanderte abwärts über die verschmutzten Wände, von denen die Farbe abblätterte, und blieb an einer massiven Gittertür aus Eisen hängen. Mit einem Ruck setzte sie sich auf und hielt sich den schmerzenden Kopf.

In diesem Augenblick kehrte ihre Erinnerung zurück. Das hier sah nicht nur aus wie eine Gefängniszelle, es war eine.

Gegen vier hatte Josy sich mit den letzten Partygästen ein Taxi genommen, um nach Hause zu fahren. Kaum saß sie im Wagen, wurde ihr schlecht. Eine Weile gelang es ihr, sich zu beherrschen, dann wurde die Übelkeit so stark, dass sie aussteigen musste. Sie verabschiedete sich hastig von ihren Freunden, und als das Taxi außer Sichtweite war, erbrach sie sich hinter einem Müllcontainer. Obwohl sie kaum stehen konnte, beschloss sie, zu Fuß weiterzugehen, vielleicht würden frische Luft und Bewegung helfen. Die Straßen waren leer, die Stadt schien wie ausgestorben. Josy schlug im Vorübergehen mit der Faust auf die Kühlerhauben und Dächer geparkter Autos; das dumpfe Dröhnen gab ihren schwankenden Schritten einen Rhythmus. Eins ... bumm ... zwei ... bumm ... Sie bemerkte nicht, dass ein Streifenwagen hinter ihr her fuhr. Erst als er sie überholte und vor ihr zum Stehen kam, hielt sie inne und lehnte sich an ein Auto.

»Na, junge Dame, wohin des Wegs?«, fragte der junge Polizeibeamte, der auf der Beifahrerseite ausgestiegen war.

»Nach Hause«, sagte sie mit schwerer Zunge. Sah eigentlich ganz nett aus, der Typ. Wenn er nur nicht diese kackgrüne Uniform anhätte. Sie überlegte, ob sie ihm das sagen sollte, aber es schien ihr zu anstrengend, die Worte zu formen.

»Und, haben wir was getankt?«

»Ich weiß nich, wie's bei Ihnen is«, erwiderte sie schleppend, »ich habn bisschen was getrunken. Deshalb gehe ich auch zu Fuß.«

»Sehr vernünftig«, sagte der nette Bulle. »Hätten Sie denn mal Ihren Ausweis, bitte?«

»Meinn ... Ausweis?«

»Genau.«

Josy wühlte der Form halber in dem Stoffbeutel, der ihr als Handtasche diente. Sie hatte nie einen Ausweis bei sich. Die Gefahr, dass sie ihn verlieren könnte, war zu groß. Sie verlor ständig irgendwas, deshalb nahm sie immer so wenig wie möglich mit.

»Tut mit leid. Vergessen.«

»Wie alt sind wir denn?«

»Ich weiß nich, wie alt Sie sind ...«, fing Josy wieder an, aber plötzlich verstand der Typ keinen Spaß mehr. Vielleicht hatte er selbst gemerkt, wie blöde es war, in diesem Krankenschwestern-Ton zu sprechen.

»Wie alt Sie sind, will ich wissen!«, blaffte er sie an.

»Achtzehn.«

»Achtzehn«, wiederholte er spöttisch. »Und das soll ich Ihnen glauben?«

»Ich hab heute Geburtstag.«

»Na, so ein Zufall! Dann fahren wir jetzt zusammen auf die Wache und stoßen an.«

»Danke, sehr freundlich«, artikulierte Josy mit Mühe, »aber ich bin siemlich müde.«

Sie kniff die Augen zusammen. Der Typ schien irgendwie zu verschwimmen, mal kam er näher, dann waberte er wieder davon. Ihr war schwindelig, sie wollte sich an einem Auto abstützen, griff daneben und fiel gegen den Seitenspiegel, der knirschend aus seiner Halterung brach.

»Oje, oje«, lallte sie, »tut mir leid.«

»Sachbeschädigung«, konstatierte der Polizist und notierte das Nummernschild.

Josy wollte sich gerade in Bewegung setzen, da packte er sie am Arm.

»Lassen Sie mich!«, rief Josy und wollte sich losreißen.

Der Polizist hielt sie eisern fest und sagte: »Schluss jetzt. Sie können sich nicht ausweisen, sind vermutlich minderjährig und randalieren schwer alkoholisiert herum. Sie kommen jetzt bitte mit.«

»Schwer alko... alkollisiert«, wiederholte sie verächtlich, »so ein Quatsch!«

Im nächsten Moment fand Josy sich auf dem Rücksitz des Polizeiwagens wieder. Die Fahrt zur Wache verlief schweigend. Sie landeten in einem ungemütlichen Büro mit abgeschabter Einrichtung und scheußlich greller Beleuchtung.

»Personenfeststellung«, sagte der Polizist, der sie hergebracht hatte, und überließ sie seinem Kollegen. Josy diktierte ihm Namen, Adresse und Telefonnummer. Der Beamte, ein gutmütig wirkender, etwas älterer Mann mit einem Schnauzbart, tippte alles in den Computer. Dann griff er nach dem Telefon. »So, dann wollen wir mal deine Eltern informieren.«

»Bitte nicht ... meine Mutter wecken!«, protestierte Josy vergeblich.

Er ließ es lange klingeln, aber niemand hob ab. Wahrscheinlich hat sie Stöpsel in den Ohren, dachte Josy.

»Handynummer?«, fragte der Polizist.

»Das Handy ist nachts ausgeschaltet.«

Er zuckte die Schultern und stand auf. »Dann fahren wir jetzt hin.«

Willenlos ließ Josy sich zum nächsten Polizeifahrzeug bugsieren. Kaum saß sie, schlief sie ein. Wenig später wurde sie unsanft geweckt.

»Wir sind da«, sagte ihr Begleiter und rüttelte an ihrer Schulter.

Sie griff in ihren Stoffbeutel, wühlte und suchte – kein Hausschlüssel! In ihrer Aufregung vor der Party musste sie vergessen haben, ihn einzustecken.

»Das is jetzt blöd«, nuschelte sie, »ich hab kein Schlüssel dabei.«

»Tja, dann ...« Bedauernd hob der Polizist die Hand und legte den Finger auf die Klingel. Der Ton durchschnitt schrill die nächtliche Ruhe, aber niemand öffnete. »Ihre Mutter hat ja einen gesegneten Schlaf. Beneidenswert geradezu. Sonst ist niemand in der Wohnung?«

Josy schüttelte den Kopf. Ihr Magen rebellierte wieder, sie musste aufstoßen. »'tschuldigung«, murmelte sie. »Und ... was jetzt?«

»Es gibt da ein nettes kleines Hotel«, sagte er, »da ist die Übernachtung kostenlos.«

Josy starrte ihn an. Dann begriff sie. »O nein.«

»O ja«, sagte er und öffnete ihr die Tür des Polizeiwagens.

Sie landete in der letzten der drei kargen Ausnüchterungszellen, die noch frei war. Resigniert rollte sie sich auf der harten Liegefläche zusammen, stopfte sich ihre Jacke als Kissen unter den Kopf und zog die widerliche, kratzige Wolldecke über sich. Inzwischen war sie so müde, dass ihr egal war, wo sie lag. Hauptsache, sie konnte endlich schlafen.

Ihr Rücken schmerzte, sie dehnte und streckte sich stöhnend. Vorsichtig stand sie auf und ging ein paar Schritte in der Zelle auf und ab, um ihren Kreislauf in Schwung zu bringen. Vielleicht würden dann auch die Kopfschmerzen besser werden. Pinkeln musste sie auch. Aber eher würde sie sterben, als die ekelige Kloschüssel zu benutzen.

Sie zog ihr Handy aus dem Beutel und schaltete es ein. Drei Anrufe von Panik-Mom. Josy seufzte. Wann würde Freda endlich aufhören, sich Sorgen um sie zu machen? Wie sollte sie erwachsen werden, wenn ihre eigene Mutter ihr nicht vertraute?

Sie drückte die Kurzwahltaste für zu Hause.

»Josy, endlich!«, meldete sich Freda erleichtert. »Wo warst du denn bloß?«

»Das ... ist eine längere Geschichte. Kannst du mich abholen?«

»Wo denn?«

»In der Hochbrückenstraße.«

»Du meinst, auf dem Polizeirevier?«, fragte Freda ungläubig.

»Genau. Und bring bitte unbedingt meinen Ausweis mit. Der liegt in meiner Schreibtischschublade. Hoffe ich wenigstens.«

Josy drückte schnell den Aus-Knopf. Sie hatte jetzt nicht den Nerv für Diskussionen. Sie schlüpfte in ihre Jacke, dann rüttelte sie an der Eisentür, die zu einem Vorraum mit einem Waschbecken führte.

»Hallo! Sie können mich rauslassen!«

Nichts passierte.

Sie sah sich um und entdeckte einen Knopf an der Wand, den sie drückte. Wenig später wurde die Tür des Vorraums geöffnet, eine Beamtin steckte den Kopf herein.

»Sie können jetzt das Frühstück servieren«, sagte Josy. Die Frau verzog keine Miene.

Freda fuhr aus der Parklücke, kurbelte hektisch am Lenkrad und hätte fast einen Radfahrer umgelegt.

»Reg dich bitte nicht auf, Mama.«

»Ich reg mich ja gar nicht auf.«

»Die hundertfünfzig Euro für den Spiegel zahle ich zurück.«

»Und von welchem Geld?«

»Lass das mal meine Sorge sein.«

Freda schwieg. Sie war heilfroh, dass es ihrer Tochter gutging, aber dieser nächtliche Exzess hatte sie erschreckt. Neulich hatte Josy behauptet, sie würde keinen Alkohol trinken, er schmecke ihr nicht. Und nun sollte sie ›schwer alkoholisiert‹ gewesen sein? Das passte doch nicht zusammen.

»Sag mal, hast du schon öfter so viel getrunken?«

Josy verdrehte die Augen. »Mein Gott, Mama! Das klingt ja, als hätte ich ein Alkoholproblem! Ich gebe ja zu, dass ich es gestern übertrieben habe, aber das war total die Ausnahme, ehrlich.«

Freda warf ihr einen prüfenden Blick zu. Dann fragte sie: »Wie ist es überhaupt in so einer Ausnüchterungszelle?«

Josy schüttelte sich. »Scheußlich! Es stinkt, es ist dreckig, und man liegt auf dem nackten Beton. Da will ich kein zweites Mal rein, das kann ich dir versprechen.«

»Dann nimm nächstes Mal besser einen Hausschlüssel mit«, sagte Freda und lächelte.

Erleichtert lächelte Josy zurück. Sie ertrug es nicht, wenn ihre Mutter sauer auf sie war.

Beim Anblick der Geschenke, der Torte und der Rosen fiel Josy Freda um den Hals. »Du bist so lieb«, murmelte sie. »Tut mir leid, wenn du dir Sorgen gemacht hast.«

»Schon okay«, sagte Freda. »Hast du Hunger? Soll ich dir was zu essen machen?«

»Bloß nicht, danke«, sagte Josy. »Ich glaube, ich leg mich lieber ein bisschen hin.«

Sie ging in ihr Zimmer und blieb den ganzen Nachmittag verschwunden. Freda kämpfte gegen die Enttäuschung an, die sich in ihr breitmachte. Sie hatte es sich so gemütlich vorgestellt, zusammen mit Josy in der Küche zu sitzen, Kaffee zu trinken, Torte zu essen und über die gestrige Party zu reden. Stattdessen wanderte sie allein durch die Wohnung.

Gegen Abend tauchte Josy auf, schob eine Tiefkühlpizza in den Ofen und ging unter die Dusche. Kaum hatte sie aufgegessen, klingelte es. Sie sprang auf und lief zur Wohnungstür.

»Wer ist das?«, rief Freda.

Josy führte Lara und Naomi in die Küche. »Wartet kurz, ich bin gleich wieder da.«

Sie verließ die Küche, ohne ihr Glas, ihr Besteck und den Teller mit dem abgenagten Pizzarand abzuräumen.

Freda kannte die beiden Mädchen seit dem Kindergartenalter. Sie waren, wie Freda es nannte, ihre »Ersatztöchter«, die ganz selbstverständlich bei ihr ein und aus gingen. Naomi war temperamentvoll und impulsiv, Lara eher nachdenklich und vernünftig. Auch äußerlich waren sie unterschiedlich, die eher knabenhafte Naomi trug ihr blondes Haar kurzgeschnitten, die weiblichere Lara hatte eine lange rehbraune Mähne, die ihr ins Gesicht fiel. Nur bei der Kleidung waren sie sich einig. Ihre Röhrenjeans waren so eng, dass Freda sich fragte, wie sie hineingekommen waren, beide trugen schmal geschnittene Pullis und modische Ankle Boots. Ihre Gesichter waren zart geschminkt und zeigten nicht die geringste Spur von Schlafmangel oder Alkoholkonsum, wie Freda mit einem Anflug von Neid feststellte. Bei ihr waren die Tränensäcke den ganzen Tag nicht weggegangen; noch jetzt spürte sie die Schwellung unter den Augen.

»Na, ihr zwei, schon wieder fit?«, fragte sie lächelnd. Die beiden nickten. »Geht so«, sagte Naomi und zog eine Grimasse.

»Wollt ihr was trinken?«

»Gern«, sagte Lara, und Freda stellte Mineralwasser und Apfelsaft auf den Tisch.

»Sicher wollt ihr euch einen gemütlichen Abend machen«, sagte Freda. »Ich habe zwei neue DVDs, ›Beim ersten Mal‹ und ›Fluch der Karibik 2‹.«

»Cool«, sagte Naomi.

»Ja, die sind beide echt gut«, bestätigte Lara.

»Das heißt, ihr kennt sie schon?«

Die Mädchen nickten.

»Ach, da finden wir schon was. Ich hab jede Menge guter Filme.«

Bei ihren letzten Worten kam Josy hereingestürmt. Sie sah aus wie das blühende Leben; die dunklen Locken absichtlich verstrubbelt, die großen, braunen Augen mit Lidschatten und Mascara zum Leuchten gebracht, die zarte Figur wirkungsvoll in Jeans und hohe Stiefel verpackt.

»Los geht's, ich bin so weit.« Sie wedelte auffordernd mit den Armen.

Freda sah sie entgeistert an. »Ihr wollt schon wieder ausgehen?«

»Klar«, sagte Josy, »schließlich muss man diesen Tag angemessen ausklingen lassen.«

Freda biss sich auf die Lippen. »Na dann, viel Spaß.«

Josy sah sie groß an. »Du bist doch nicht sauer?«

»Ach Quatsch! Ich mache mir einen schönen, ruhigen Abend und gehe früh ins Bett.«

Josy warf ihr einen zweifelnden Blick zu. Dann sagte sie entschlossen: »Also bis morgen, Mama!«

Die Freundinnen verabschiedeten sich, und die drei verließen die Küche. Als sie schon an der Wohnungstür waren, rief Freda: »Josy, vergiss deine Jacke nicht!«

Ihre Tochter antwortete nicht. Die Tür fiel zu, und Freda hörte nur noch das gedämpfte Gelächter der Mädchen.

Sie fuhren zum »Kitchenett«, einer ziemlich angesagten Bar, in die Josy bisher nicht reingekommen war, weil am

Eingang die Ausweise kontrollierten wurden. Als sie jetzt mit Lara und Naomi dort ankam, hielt sie dem Türsteher triumphierend ihren Personalausweis unter die Nase und stieg erwartungsvoll die Treppe hinunter. Was wohl an dem Laden so aufregend war, dass sie es mit der Kontrolle so genau nahmen?

Neugierig sah sie sich um. Ach Gott, es gab ein paar Tabletänzerinnen, und die Kellner trugen superenge Lederjeans mit fetten Nietengürteln und diese engen, gerippten Unterhemden. Na, wenn das alles war!

»Wart's ab«, sagte Naomi, die Josys enttäuschten Gesichtsausdruck bemerkt hatte, »es ist echt cool hier!«

Die Mädchen setzten sich in eine Nische, bestellten Mojitos und malten sich ihre Zukunft aus. Wo sie leben wollten (Spanien, Amerika, Deutschland), wie ihre Männer sein sollten (verständnisvoll, gut aussehend, treu), welche Berufe sie ausüben wollten (Ärztin, Managerin, weiß nicht).

»Wollt ihr eigentlich Kinder?«, fragte Naomi.

»Unbedingt«, sagte Josy.

Lara schüttelte energisch den Kopf. »Auf keinen Fall. Kinder bringen dich um den Schlaf, kosten Geld und ruinieren deine Figur und deine Karriere.«

»Und wenn deine Eltern so gedacht hätten?«, fragte Josy.

»Dann wären sie vielleicht nicht geschieden«, sagte Lara. »Meine Mutter hat uns zuliebe ihren Beruf aufgegeben. Und zum Dank hat mein Vater sie sitzenlassen. Das passiert mir nicht, das kannst du mir glauben.«

Ihre Freundinnen schwiegen betreten.

»Irgendwie muss das doch auch anders gehen«, sagte Josy. »Aber ich hab echt noch keinen Plan.«

»Willst du nicht erstmal die Schule weitermachen?« Naomi sah sie fragend an.

Josy verzog das Gesicht. »Och nee, keinen Bock.«

»Aber du wolltest doch studieren!«

»Muss ich ja nicht«, sagte Josy. »Gibt 'ne Menge Jobs, für die man kein Abi braucht.«

Lara blickte zweifelnd. »Aber die meisten davon willst du nicht machen.«

»Wie wär's mit ... Dompteurin?«, fragte Naomi. »Oder Tierpflegerin?«

Josy schüttelte lachend den Kopf. »Lieber was mit Menschen.«

»Sozialarbeiterin?«

»Polizistin?«

»Politikerin?«

»Ich werde ganz einfach reich und berühmt«, sagte Josy grinsend. »Und dann rette ich die Welt.«

»Super Plan«, sagte Lara und stand auf. »Mädels, seid mir nicht böse, ich bin todmüde.« Sie suchte in ihrer Tasche nach dem Portemonnaie, legte Geld für ihre Drinks auf den Tisch und verabschiedete sich.

Ein paar Minuten später kamen zwei junge Typen an ihren Tisch, stellten sich mit einer kleinen Verbeugung als Cornelius und Martin vor und fragten, ob sie sich dazusetzen dürften.

Josy und Naomi wechselten einen schnellen Blick, dann nickten sie.

»Bitte«, sagte Naomi und wies auf die zwei freien Plätze, »macht's euch bequem.«

Josy sah sich den einen, der sich als Cornelius vorgestellt hatte, näher an. Sein halblanges, dunkles Haar fiel ihm lässig ins Gesicht, seine Klamotten waren sicher sauteuer gewesen, aber kein bisschen angeberisch. Er wirkte selbstbewusst, aber nicht arrogant, und sein Lächeln war umwerfend. In Josys Magen kribbelte es. Vielleicht wurde es ja wirklich noch ein cooler Abend.

2

Es war ein frischer Sommermorgen mit klarem, blauem Himmel. Freda genoss den Fahrtwind im Gesicht, als sie mit ihrem Rad die Isar entlangfuhr. Die Kastanien standen in voller Blüte, das Laub der Bäume war von einem satten, intensiven Grün. Das war die Jahreszeit, die sie am meisten liebte; man ahnte die kommende Hitze, aber noch war es angenehm. Abends konnte man an manchen Tagen schon draußen sitzen, und der Winter war weit.

Freda schloss ihr Rad vor der Buchhandlung an einen Laternenpfahl. Der Laden lag in einem Innenstadtviertel mit schönen alten Häusern, vielen Geschäften, aber wenigen Parkplätzen. Nicht nur sie fuhr mit dem Rad oder der U-Bahn, auch die meisten ihrer Kunden sparten sich die lästige Sucherei. Nur Tanja, ihre Partnerin, bestand darauf, mit dem Auto zu kommen.

Freda schloss die Ladentür auf und ärgerte sich über die mit dicken Klebestreifen geflickte Scheibe im unteren Drittel. Seit sechs Wochen schaffte es ihr Vermieter nicht, sie zu ersetzen. Im ganzen Haus wurde seit Monaten saniert, viele der Wohnungen waren bereits leer, weil die Mieter entnervt das Weite gesucht oder sich mit einer Abfindung zum Auszug hatten bewegen lassen. Auch zu ihr und Tanja war mehrere Male ein gewisser Herr Murke, Beauftragter der Firma Immobau, gekommen und hatte ihnen verschiedene Angebote unterbreitet. Anfangs hatte er Geld geboten. Dann mehr Geld. Aber die beiden Frauen dachten nicht daran, auszuziehen. Ihre Buchhandlung existierte seit zwölf Jahren, sie war immer in diesem Haus gewesen, und da sollte sie auch bleiben. Murke hatte ihnen bedauernd mitgeteilt, dass er ihnen die Unannehmlichkeiten einer Baustelle nicht ersparen könne und eine Mietminderung nicht akzeptieren würde. In der Folgezeit fiel immer mal wieder der Strom aus, dann blieb die Heizung kalt, oder es gab es kein Wasser. Der Baulärm im Haus wurde immer schlimmer, und eines Morgens waren mehrere Scheiben im Haus kaputt gewesen, darunter die ihrer Ladentür. Jedes Mal hatte Murke sich wortreich entschuldigt, aber sonst war alles beim Alten geblieben. Schließlich hatten sie sich einen Anwalt genommen, aber auch der hatte bisher nichts erreicht.

Freda schob die grauen Plastikwannen beiseite, in denen die bestellten Bücher geliefert worden waren. Sie zog die fahrbaren Ständer mit den Sonderangeboten und dem modernen Antiquariat vor die Tür und warf einen prüfenden Blick in den Himmel. Nein, heute würde es nicht regnen. Sie kontrollierte die Auslage, stellte einige umgefallene Bücher wieder auf und entfernte zwei tote Fliegen. Sie nahm es sehr genau mit solchen Kleinigkeiten, weil sie überzeugt war, dass Kunden diese Dinge wahrnehmen. Vielleicht nur unterbewusst, aber dennoch. Und schließlich kam es auf den ersten Eindruck an.

Es war genau so, wie wenn man jemanden kennenlernte. In Bruchteilen von Sekunden, in denen das Gehirn zahllose Einzelheiten registriert, bildet sich bereits eine Vorstellung davon, wie der Mensch ist. Wenn nur ein winziges Detail nicht stimmt, kann alles vorbei sein.

Freda blieb stehen, einen Stapel Bücher im Arm, mit einem abwesenden Ausdruck im Gesicht. Bei Alex hatte damals alles gestimmt. Ein gemeinsamer Freund hatte sie einander vorgestellt, sie hatten sich angesehen, und Freda hatte nicht mal eine Sekunde gebraucht, um zu wissen, dass sie diesen Mann wollte. Sie brauchte nie lange, um einen Menschen einzuschätzen, aber nie war sie sich so sicher gewesen.

Das Faszinierende war, dass es Alex ebenso empfunden hatte. Es war, als hätten sie beide unterbewusst miteinander kommuniziert und wären zu dem Schluss gekommen, dass sie zusammengehörten. Und das alles, bevor einer von ihnen ein Wort gesagt hatte. Einen kurzen Moment lang hatte Freda noch gefürchtet, dass seine Stimme alles zerstören könnte. Männer mit hässlichen Stimmen konnten aussehen wie griechische Götter, sie ließen Freda kalt. Aber Alex hatte eine wunderbare Stimme. Dunkel und ein bisschen kratzig, genau wie sie es mochte. Und nun stelle man sich vor, zwischen ihren oder seinen Zähnen hätte ein Stückchen Petersilie gesteckt. Alles wäre versaut gewesen. So ähnlich war es mit toten Fliegen in der Auslage.

Freda ließ die Ladentür offen und schleppte die Wannen zum Kassentresen. Sie ordnete die bestellten Bücher nach Kundennamen ins Abholfach, dann packte sie die Bücher aus, die sie für die Buchhandlung bestellt hatte, sortierte sie nach Genres und stellte sie in die Regale. Den meisten Raum nahmen, neben der Belletristik, die Kochbücher ein, Fredas große Leidenschaft. Auf einer runden Verkaufsfläche mitten im Laden baute sie kunstvoll die Neuerscheinungen auf, nicht ohne schnell darin zu blättern und sich ein paar Fotos anzusehen. Sofort lief ihr das Wasser im Munde zusammen. Gab es etwas Schöneres, als in Rezeptbüchern zu schmökern, sich vorzustellen, wie die Gerichte schmeckten, welchen Duft sie verströmten?

Leider hatte sie selbst kaum Zeit zum Kochen, es fehlte ihr aber auch an Selbstvertrauen, und sie geriet sofort in Stress, wenn sie mehr als zwei Dinge gleichzeitig tun sollte. Während sie Gemüse schnitt, kochte das Nudelwasser über, während sie die Soße rührte, brannte das Fleisch an, kurz, sie hatte einfach kein Talent.

Sie klappte ein Buch mit Quiche-Rezepten zu und lehnte es hochkant gegen einen Stapel. So was könnte sie vielleicht mal ausprobieren. Man legt einfach alles auf den Teig, kippt einen Guss darüber, und der Rest macht sich von allein.

Als sie dabei war, die Buchlaufkarten auszufüllen, die ihr jeden Abend zeigten, wie viele Exemplare eines Buches am Tag verkauft worden waren, stürmte Tanja in den Laden.

»Himmel noch mal«, schimpfte sie, »das wird ja immer schlimmer hier. Müssen diese Idioten denn alle mit dem Auto in die Stadt fahren?«

»Hör mal, wer da spricht!« Freda schüttelte lächelnd den Kopf und hielt ihrer Freundin ein dickes Buch entgegen. »Hier, der neue Grisham. Auf den hast du doch schon sehnsüchtig gewartet.«

»Na ja, sehnsüchtig«, sagte Tanja wegwerfend, »ich schau mal rein.«

Tanjas Leidenschaft waren Krimis und Thriller, was sie aber nicht zugeben wollte. Als Buchhändlerin, so fand sie, müsste man sich für die Verbreitung von ernsthafter Literatur einsetzen, die hätte es ohnehin schwer in diesem Meer von Seichtem, das uns alle umspülte. So neigte sie dazu, den Kunden anspruchsvolle, oft anstrengende Lektüre zu empfehlen, die von den Kritikern gelobt, aber von den wenigsten gelesen wurde. Sie selbst verschlang Geschichten von Serienmördern, Weltverschwörern, mutigen Ermittlern und raffinierten Anwälten, die unter Einsatz ihres Lebens die Gerechtigkeit wiederherstellten.

Freda verkaufte den Kunden einfach, was sie wollten. Das konnten Klassiker sein, anspruchsvolle Neuerscheinungen, Unterhaltungsromane, Autobiografien, Reisebeschreibungen, Krimis oder eben Kochbücher. Ein Buch musste zum Kunden passen, fand Freda. Es war doch sinnlos, jemandem etwas aufzuschwatzen, mit dem der nichts anfangen konnte. Die Geschmäcker waren halt verschieden, und alles, was die Leute gerne lasen, hatte seine Existenzberechtigung.

Tanja hatte ihre Tasche verstaut und begann, die von Freda ausgefüllten Karten in das jeweils obere Buch eines Stapels einzulegen. Die beiden arbeiteten Hand in Hand, nach so vielen Jahren verstanden sie sich ohne Worte.

»Weißt du was«, sagte Tanja unvermittelt, »ich glaube, Winni hat eine Freundin.«

»Winni?« Freda musste lachen. Tanjas Mann wäre der letzte Typ auf Erden, dem sie eine Affäre zutraute. »Wie kommst du denn darauf?«

»Er macht seit neuestem ständig Überstunden.«

»Vielleicht zwingt ihn seine Firma dazu, du weißt doch, wie die Leute heutzutage unter Druck gesetzt werden. Entweder du spielst mit, oder du bist raus.«

»Er hat sich neue Unterwäsche gekauft.«

»Wenn das ein Beweis sein soll, dann hättest du seit Jahren Affären«, sagte Freda grinsend.

Tanja schüttelte den Kopf. »Ich kaufe mir schöne Wäsche nicht, um mehr Sex zu haben, sondern als Ersatz für Sex. Ich werde immer älter, und langsam frage ich mich, ob es das gewesen sein soll.«

»Wem sagst du das«, sagte Freda.

»Entschuldige«, sagte Tanja erschrocken, »das war taktlos von mir.«

»Nein, kein Problem. Es wird ja nicht besser davon, dass man nicht darüber redet.«

Tanja schwieg einen Moment. Dann fragte sie: »Glaubst du, dass du dich jemals wieder verlieben kannst?«

Freda senkte den Kopf. »Keine Ahnung. Eigentlich kann ich es mir nicht vorstellen.«

»Deshalb trägst du auch dieses Schild auf der Stirn: ›Sparen Sie sich die Mühe, bin an keinem Mann interessiert‹, oder?«

»Welches Schild?« Freda lachte. »Ach, so meinst du das. Ja, wahrscheinlich.«

Im Stockwerk über ihnen jaulte ein Bohrer auf, wurde ins Mauerwerk getrieben und verendete mit einem schrillen Kreischen. Das wiederholte sich alle zehn, zwanzig Sekunden.

Tanja verdrehte die Augen. »Und jetzt wird wieder in die Hände gespuckt, wir steigern das Bruttosozialprodukt … Gut, dass noch keine Kunden da sind. Wobei sie uns in letzter Zeit sowieso nicht gerade die Bude einrennen.«

Freda nickte. »Wir müssten vielleicht überlegen, ob wir nicht zusätzlich Non-Book-Produkte ins Sortiment aufnehmen sollen.«

»Du meinst, diesen ganzen Geschenke-Kram? Deko-Dosen, Kuscheltiere, Kinderkoffer, Schokolade?« Tanja schüttelte energisch den Kopf. »Kommt nicht infrage. Wir sind eine Buchhandlung, nicht Tchibo.«

»Aber mit dem ›Kram‹ haben wir eine viel höhere Gewinnspanne als bei den Büchern! Und die Sachen verkaufen sich wie geschnitten Brot. Ich glaube nicht, dass wir auf Dauer darauf verzichten können.«

Tanja legte weiter Karten in Bücher. Freda wusste, dass in ihrer Partnerin mal wieder das Wahre, Schöne und Gute mit der schnöden Wirklichkeit kämpften. Aber ohne den Mut zu Veränderungen würde der Laden auf Dauer nicht überleben.

»Wir haben nicht genug Platz«, sagte Tanja.

»Wir könnten Sprachen und Lernprogramme verkleinern«, schlug Freda vor, »die Sachen laufen nicht mehr. Typische Internet-Ware.«

»Wir könnten auch die Kochbücher rausschmeißen.«

Freda nahm den spitzen Unterton durchaus wahr, aber sie wollte keinen Streit. »Ich meine nur, wir sollten einfach mal drüber nachdenken«, sagte sie sanft.

»Sieh mal, wer da kommt«, sagte Tanja und zeigte zur Tür.

Ein ungefähr dreißigjähriger, glattgesichtiger Mann, der zum grauen Anzug eine hellblaue Krawatte mit Bärchen-Muster trug, betrat den Laden und grüßte betont freundlich.

»Herr Murke, was für eine freudige Überraschung«, sagte Freda, »Sie wollen doch nicht wirklich jetzt schon die Scheibe auswechseln? Sind doch erst sechs Wochen, die wir darauf warten.«

Murke warf einen kurzen Blick auf die geflickte Scheibe und sagte anteilnehmend: »Meine Damen, ich tue, was ich kann, aber so einfach ist das nicht. Sie wissen ja, wie schwerfällig Versicherungen sind. Aber ich verspreche Ihnen, ich werde alles in meiner Macht Stehende tun ...«

»Hören Sie auf mit dem Geschwafel«, sagte Tanja, »das haben Sie uns schon zwanzigmal erzählt.« Freda öffnete die Ladentür, und Tanja schob den Mann hinaus. »Und jetzt bewegen Sie Ihren Hintern und ersetzen Sie die verdammte Scheibe, sonst verklagen wir Sie wegen Geschäftsschädigung ...«

»... illegaler Entmietung ...«

»... seelischer Grausamkeit ...«

»... und fortgesetzter Belästigung ...«

»... in Tateinheit mit versuchter Körperverletzung durch das Tragen von diesen Brechreiz auslösenden Bärchen-Krawatten.«

Murke verlor keinen Moment sein Dauerlächeln, er winkte ihnen zum Abschied zu und entschwand.

»Doktor Murkes gesprungene Scheiben«, witzelte Tanja grimmig. »Der Typ hat mehr Ähnlichkeit mit einem Reptil als mit einem fühlenden Menschen.«

Freda lachte, plötzlich bekam ihr Lachen einen hysterischen Unterton, ihr Gesichtsausdruck veränderte sich, und sie begann zu weinen.

»Was ist los?«, fragte Tanja erschrocken.

»Ich halte das nicht mehr aus! Dieser verdammte Lärm! Und ... diese gesprungene Scheibe ist so ... so hässlich ...«, schluchzte Freda. »Was sollen bloß die Kunden denken?«

Tanja legte tröstend den Arm um die Freundin. »Alles halb so schlimm. Wir müssen bloß die Nerven behalten, dann kann uns nichts passieren.« Sie räumte einen Stapel Bücher an ihren Platz. Plötzlich drehte sie sich um. »O Mann, wie war denn überhaupt Josys Fest?«

»Super«, schniefte Freda, »schade, dass du nicht dabei sein konntest.«

Tanja hatte absagen müssen, weil ihre Schwiegereltern goldene Hochzeit feierten und Winni befürchtete, er würde enterbt werden, wenn er nicht mit Frau und Kindern dort erschiene.

»Weißt du, wo Josy die Nacht verbracht hat?«, fragte Freda mit einem letzten Schlucken. »Auf der Polizeiwache. Ausnüchterungszelle.«

Tanja starrte sie an, dann prustete sie los. Bevor sie etwas sagen konnte, betrat eine alte Dame mit weißem Haar und einem Gehstock den Laden.

»Die Stanicek«, stöhnte Tanja leise auf. »Heute bist du dran.« Und schon war sie im Hinterzimmer verschwunden, wo zwischen leeren Wannen und Verpackungsmaterial ein Kühlschrank und eine Espressomaschine standen.

Freda putzte sich schnell die Nase und hoffte, dass sie nicht verheult aussah. Sie begrüßte die Kundin, die mindestens dreimal in der Woche auftauchte. Hauptsächlich kam sie wohl, um ein bisschen Gesellschaft zu haben. Hin und wieder verlangte sie einen Liebesroman, »in dem's a bisserl prickelt«, wie sie sich ausdrückte. ›Rosamunde Pilcher mit Sex‹ hatte Tanja als Genrebezeichnung eingeführt, und manchmal stellten sie sich kichernd vor, wie die Stanicek in ihrer Wohnung saß, Likör trank und prickelnde Geschichten las.

»Was kann ich für Sie tun, Frau Stanicek?«, fragte Freda und lächelte.

Die Kundin wiegte den Kopf. »Ich such was für mein Enkerl. Für den Großen.«

»Ich wusste gar nicht, dass Sie Enkelkinder haben«, sagte Freda.

Frau Stanicek verlor sich in der Schilderung ihrer undankbaren Verwandtschaft, die nur von sich hören ließ, wenn sie was brauchte, während Freda hie und da nickte und ihre Gedanken abschweifen ließ.

Ob sie auch so enden würde? Ohne Mann, mit einer Tochter und Enkeln, die sich nicht für sie interessierten, inmitten einer Sammlung mittelmäßiger erotischer Romane? Schon jetzt fühlte sie sich manchmal so einsam, dass sie sich Massagen verschreiben ließ, nur damit sie wieder mal von jemandem berührt wurde.

»Sie hören ja gar nicht zu«, beschwerte sich Frau Stanicek, und Freda schreckte auf. »Doch, natürlich.« Sie griff nach einem Bilderbuch. »Wie wär's damit? Wie alt, sagten Sie, ist der Junge?«

»Einundzwanzig.« Frau Stanicek bedachte sie mit einem strafenden Blick.

In diesem Moment setzte der Bohrer wieder ein. Die Frauen zuckten zusammen.

Josy fühlte sich geschmeichelt. Dieser Cornelius behandelte sie wie eine Erwachsene, nicht so herablassend wie andere Männer in seinem Alter. Die dachten immer, sie hätten die Weisheit mit Löffeln gefressen, nur weil sie ein bisschen mehr Lebenserfahrung hatten. Bei Cornelius hatte sie das Gefühl, er hörte wirklich zu und interessierte sich für das, was sie sagte.

Sie saßen zu viert im »Siam«, einem edlen Thai-Restaurant, das sie sich nie hätten leisten können, aber Cornelius und Martin hatten sie eingeladen.

Am Abend zuvor hatten die beiden jede Menge Drinks spendiert, sie hatten getanzt und richtig Spaß gehabt. Und als die Mädchen sich verabschiedeten, hatte Cornelius ein Treffen für den nächsten Abend vorgeschlagen.

»Ich nehme das rote Curry«, verkündete Naomi und ließ die Karte sinken.

»Und ich das grüne«, sagte Josy, »ich mag's gerne scharf.«

»Ich auch«, sagte Cornelius und lächelte. Josy blickte ihn prüfend an. Wie hatte er das gemeint?

»Ich habe in Thailand gelebt, da gewöhnt man sich dran«, sagte er. Erleichtert lächelte sie zurück. »Echt? Wo warst du denn da?«

»Bangkok. Hab für eine amerikanische Firma gearbeitet.«

Josy nickte beeindruckt und rief sich ins Gedächtnis, was sie bisher von ihm wusste. Er war in Amerika zur Schule gegangen, hatte in England eine Ausbildung gemacht, in Thailand gearbeitet und war nun Chef einer Medienagentur. Und das alles mit knapp fünfundzwanzig. Er musste ziemlich smart sein.

»Was macht deine Agentur eigentlich genau?«

»Wir organisieren Veranstaltungen für Firmen oder arbeiten bei Events mit. Also, stell dir vor, es ist Goldene Kamera in Berlin, lauter internationale Stars reisen an und müssen betreut werden, das machen wir dann. Oder wenn ein Hollywood-Regisseur hier drehen will, helfen wir bei der Suche nach Locations.«

Er zog eine Visitenkarte aus der Jackentasche und reichte sie Josy. Stars and Events, las sie. Darunter Adressen in München, Berlin und Los Angeles.

Naomi beugte sich mit ihr über die Karte. »Wow«, sagte sie und grinste. »Kannst du uns zum Film bringen?« Sie klimperte mit den Augenlidern und fuhr sich gespielt lasziv mit der Hand durchs Haar.

Cornelius blieb ernst. »Wenn wir euch für solche Tussis halten würden, säßen wir jetzt nicht hier. Ihr habt ein anderes Niveau, das haben wir gleich gesehen.«

»Genau«, bekräftigte Martin. »Ihr seid viel zu intelligent, um auf irgendeine plumpe Tour hereinzufallen.«

Die Mädchen tauschten einen Blick.

»Was muss man denn können, um in so einer Agentur zu arbeiten?«, erkundigte sich Josy.

»Man kann mit einem Praktikum einsteigen. Danach gibt es viele Wege. Wichtig ist, dass man kommunikativ ist und gut mit Leuten umgehen kann.«

»Braucht man dafür ... Abitur?«, fragte sie weiter.

»Nicht unbedingt«, sagte Cornelius.

»Dann wär das doch was für dich!«, sagte Naomi und stieß Josy an. Die nickte nachdenklich. Seit sie vor einem knappen Jahr die Schule abgebrochen hatte, war es ihr so vorgekommen, als hätte sie überhaupt keine Chance mehr im Leben. Alle hatten auf sie eingeredet, sie müsse unbedingt weitermachen, aber es war einfach nicht gegangen. Nachts hatte sie schlecht geschlafen und war von Alpträumen gequält worden, tagsüber war sie übermüdet und unkonzentriert gewesen. Sie hatte im Unterricht gesessen, ohne zu verstehen, was die Lehrer erzählten, mit den Gedanken war sie immer ganz woanders gewesen. Mit jedem Monat, den ihr Vater verschwunden blieb, war es schlimmer geworden. Sie schrieb nur noch Fünfen und Sechsen in den Schulaufgaben, bei mündlichen Tests brachte sie kein Wort heraus.

Endlich diagnostizierte einer der Ärzte, zu denen ihre Mutter sie geschleppt hatte, eine posttraumatische Belastungsstörung. Sie bekam Medikamente, verließ die Schule und ging ein Jahr lang zu einem Gesprächstherapeuten. Inzwischen fühlte sie sich besser und hatte sogar einen Job in einem Klamottenladen angenommen. Aber die Vorstellung, wieder zur Schule zu gehen, erschien ihr unerträglich. Noch immer machten ihr Prüfungssituationen Angst. Nicht mal den Führerschein hatte sie geschafft, erst kürzlich war sie durch die theoretische Prüfung gefallen.

Josy war überzeugt, dass ihr Vater tot war. Es konnte gar nicht anders sein, denn nie hätte er sie und ihre Mutter einfach verlassen, ohne ein Wort zu sagen, ohne einen Abschiedsbrief. Es war ein grässliches Gefühl, nicht zu wissen, was ihm zugestoßen war und ob man ihn jemals finden würde. Sie stellte ihn sich in einem großen Park vor, in dem er sich verlaufen hatte und darauf wartete, dass ihn jemand suchte. Aber immer, wenn jemand kam, den er kannte, war er zufällig hinter einem Baum verborgen. So war er da und gleichzeitig unsichtbar, und immer wieder träumte Josy, dass sie durch den Park irrte und nach ihm rief.

Wieder stieß Naomi sie an. »Hast du gehört?«

»Ja«, sagte Josy, »vielleicht wäre das wirklich was für mich.«

»Und was ist mit dir?«, fragte Cornelius und wandte sich Naomi zu.

Die schüttelte lachend den Kopf. »Ich will Medizin studieren, das wollte ich schon, als ich ein Kind war. Mein Opa war Arzt, und ich fand es toll, dass er anderen wirklich helfen konnte.«

»Schön, dass es noch Menschen gibt, die soziale Verant-wortung empfinden«, sagte Cornelius und hob die Hand, um dem Kellner zu winken.

»Könnten wir bitte noch ein Flasche von diesem köstli-chen Sancerre bekommen?«

Als Freda am nächsten Morgen aufstand, hatte sie einen Entschluss gefasst. Es kostete sie zwar Überwindung, aber sie öffnete die Tür zu Josys Zimmer.

Josy fuhr erschrocken im Bett hoch. »Was ist los? Ist was passiert?«

»Ich möchte mit dir reden. Würdest du bitte aufstehen und mit mir frühstücken?«

Josy ließ sich zurückfallen, zog das Kissen über ihren Kopf und murmelte dumpf: »Das ist nicht fair. Ich muss erst heute Nachmittag arbeiten, ich hätte ausschlafen können.«

»Du hast oft genug ausgeschlafen«, sagte Freda und ließ Josys Zimmertür offen.

In der Küche machte sie extra viel Lärm, damit Josy nicht wieder wegdämmerte. Nach zehn Minuten kam ihre Tochter im Schlafanzug in die Küche geschlichen, blass, übernächtigt und äußerst schlecht gelaunt. Sie lümmelte sich an den Tisch und starrte Freda vorwurfsvoll an. Die stellte ihr eine Tasse Tee vor die Nase, die Josy unberührt ließ.

Freda holte Luft. »Ich mache mir wirklich Sorgen, Josy. Alle deine Freundinnen haben ihr Abitur gemacht und fan-gen jetzt an zu studieren, und du jobbst in diesem dämli-chen Laden und lebst total in den Tag hinein. Ich habe nicht den Eindruck, dass du auch nur den kleinsten Gedanken an deine Zukunft verschwendest. So kann es einfach nicht weitergehen.«

Josy verdrehte die Augen. »Und das musst du mir ausgerechnet jetzt erzählen, um halb acht Uhr morgens?«

»Abends bist du ja ständig unterwegs, da ist nie Zeit zum Reden.«

»Was soll ich denn deiner Meinung nach machen? Ich kann eben nicht studieren. Ist schließlich nicht meine Schuld.«

Freda rührte abwesend in ihrem gesunden Weizenbrei. Natürlich war es nicht Josys Schuld, dass sie in der Schule versagt hatte. Den Vater auf diese Weise zu verlieren, ist ein Drama, das ein junges Mädchen nicht einfach so wegstecken kann. Trotzdem durfte Freda nicht zulassen, dass Josy den Rest ihres Lebens von Aushilfsjobs lebte. Als Mutter fühlte sie die Verpflichtung, ihr ins Gewissen zu reden. Josy hatte die sechste Klasse übersprungen, war also jünger als ihre früheren Klassenkameraden. Wenn sie in die Schule zurückkehren würde, wäre sie am Ende der Dreizehnten so alt wie der Durchschnitt.

»Das Beste wäre, du würdest doch noch Abi machen. Danach steht dir alles offen.«

Erschrocken sah Josy sie an. »Ich kann nicht, Mama. Bitte zwing mich nicht dazu.«

»Zwingen kann ich dich nicht, du bist volljährig«, erinnerte sie Freda, »aber ermutigen muss ich dich. Es geht um deine Zukunft, ganz egal ...« Sie brach ab und fuhr sich nervös mit der Hand durchs Gesicht.

»Ganz egal, was mit Papa passiert ist«, ergänzte Josy. »Ich weiß, Mama. Aber ich will nicht zurück in die Schule.«

»Aber was willst du denn sonst machen?«

»Ich zeig dir was«, sagte Josy, ging in ihr Zimmer und holte Cornelius' Visitenkarte.

»Stars and Events«, las Freda. »Was soll das sein?«

»Eine Art Veranstaltungsagentur. Der Chef hat mir ein Praktikum angeboten.«

»Und was lernst du da?«

»Event-Management«, sagte Josy. »Damit kann ich eine Menge machen.«

»Event-Management«, wiederholte Freda. »Sagt mir nicht viel, aber ehrlich gesagt klingt es nicht so richtig seriös.«

»Cornelius ist der seriöseste Typ, den du dir vorstellen kannst! Ich bin sicher, er würde dir gefallen.«

Freda blickte wieder auf die Karte und las die Firmenadressen. »Und wo soll dieses Praktikum stattfinden?«

»Erst in Berlin, und dann vielleicht in Los Angeles.«

Freda blickte skeptisch. »Überleg dir doch erstmal, was du wirklich willst, anstatt einfach das erstbeste Angebot anzunehmen.«

Josy stand auf, ging um den Tisch herum und legte ihrer Mutter die Arme um den Hals. »Ach, komm. Du willst bloß nicht, dass ich von München weggehe.«

Freda machte eine unwillige Kopfbewegung. »Das ist doch Quatsch, Josy. Ich will nur nicht, dass du noch mehr Zeit verschwendest. Du solltest zuerst herausfinden, was dir Spaß machen würde und wofür du eine Begabung hast. Erst dann kannst du den nächsten Schritt gehen.«

»Und wenn dieser Schritt von hier wegführen würde? Dann würdest du wieder was finden, das dagegen spricht. Am liebsten würdest du mich doch hier einsperren.«

»So empfindest du das?«, fragte Freda betroffen. »Aber das stimmt überhaupt nicht. Ich wünsche mir nur, dass du das Richtige für dich findest, dass du glücklich wirst. Nur deshalb mische ich mich in dein Leben ein.«

»Das weiß ich doch, Mama. Aber es ist m e i n Leben. Ich muss meine eigenen Erfahrungen machen, und meine eigenen Fehler. Du kannst mich nicht davor bewahren.«

»Das werden wir ja sehen«, sagte Freda in scherzhaftem Ton.

»Weißt du was, Mama?«, sagte Josy, »ich stelle dir Cornelius einfach mal vor, dann machst du dir selbst ein Bild.«

Freda war alleine in der Buchhandlung. Einmal in der Woche hatte jede von ihnen einen freien Nachmittag, für Arzttermine, Einkäufe und alles, was sonst noch zu erledigen war; heute war Tanja dran. Es war nicht viel los, nur gelegentlich betrat jemand den Laden, holte ein bestelltes Buch ab oder sah sich um.

Das wütende Brummen einer Maschine zerriss ganz plötzlich die Stille, die immerhin schon eine Stunde angedauert hatte. Freda zuckte zusammen. Ging das schon wieder los! Sie stellte fest, dass sie den Lärm zunehmend schlechter ertrug. Inzwischen lauschte sie ängstlich auf jedes Geräusch, weil sie fürchtete, es könnte der Beginn einer neuerlichen langen Lärmattacke sein.

Die Ladentür ging. Herr Petereit, einer ihrer merkwürdigsten Kunden, trat ein. Er sah immer aus, als käme er gerade aus dem Bett, das Haar wirr, die Brille leicht schief im Gesicht. Er trug Jogginghosen, dazu aber akkurat zugeknöpfte Hemden, als habe er nur vergessen, die Anzughose anzuziehen.

Freda hatte bis heute nicht in Erfahrung bringen können, welchen Beruf Herr Petereit ausübte, ob er überhaupt arbeitete, und wenn nicht, wovon er lebte. Das größte Geheimnis stellten für sie jedoch die Bücher dar, die er kaufte. Von Abhandlungen über seltene Schmetterlingsarten, technische Ratgeber zur Wartung von Motorseglern bis zu den Erinnerungen ehemaliger Politiker schien es nichts zu geben, was nicht sein Interesse erregen könnte.

»Hallo, Herr Petereit«, grüßte Freda freundlich und klappte den Bildband zu, in dem sie geblättert hatte.

Wie immer kam Herr Petereit schnurstracks auf sie zu, ohne nach rechts oder links zu sehen. Nie würdigte er die im Laden aufgebauten Bücher eines Blickes, noch nahm er je eines in die Hand, um darin zu blättern.

»Frau März, ich möchte ...«, begann er, als neuerlich das durchdringende Brummen ertönte und das Gespräch zum Erliegen brachte.

»Was kann ich für Sie tun?«, sagte Freda, als der Lärm aufgehört hatte. »Haben Sie etwas Bestimmtes im Auge?«

Noch einmal heulte die Maschine kurz auf, und er blickte missbilligend nach oben. Dann schüttelte er den Kopf und sagte: »Nein, ich ... also, ich wollte fragen, Sie sind doch alleinstehend, nicht wahr? Und da habe ich mir gedacht, ich würde Sie gerne mal zum Essen einladen.«

Freda war so verblüfft, dass sie einen Moment brauchte, um zu antworten.

»Das ... ist sehr nett von Ihnen, Herr Petereit, wirklich. Aber ich glaube, es ist keine gute Idee. Ich bin nämlich gar nicht ... alleinstehend.«

Notlüge, dachte sie. Natürlich bin ich allein. Und jetzt will auch Josy noch weg. So allein war ich noch nie in meinem Leben. Aber daran wird auch Herr Petereit nichts ändern können.

»Oh, tut mir leid, dann entschuldigen Sie bitte«, sagte er. »Übrigens, ich habe da wirklich eine interessante Sendung im Fernsehen gesehen, es ging um das Brutverhalten von Pinguinen. Wussten Sie, dass bei den Pinguinen auch die Männer brüten? Und dass sie die Eier auf den Füßen balancieren? Deshalb watscheln sie so.«

Freda nickte mechanisch. Dann sagte sie: »Ich glaube, da habe ich einen sehr schönen Bildband für Sie.« Sie ging zu einem Regal und suchte. Endlich war ihr klar, warum Herr Petereit Bücher kaufte: Weil er was im Fernsehen gesehen hatte! Das erklärte seine scheinbar so vielseitigen Interessen.

Erst als er bezahlt hatte, bemerkte Freda den anderen Kunden im Laden. Sie hatte nicht gehört, dass er hereingekommen war.

»Guten Tag, kann ich Ihnen helfen?«, sagte sie freundlich und ging einen Schritt auf ihn zu.

Er stand halb mit dem Rücken zu ihr und hielt ein Buch in den Händen, nun drehte er sich um und hob das Gesicht. Fredas Körper schien von einer Art leichtem Stromschlag getroffen zu werden, der auch ihr Sprachzentrum in Mitleidenschaft zog. Sie wollte etwas sagen, konnte sich aber nicht entscheiden zwischen »Suchen Sie etwas Bestimmtes?« und »Haben Sie schon etwas gefunden?«, und sagte schließlich: »Haben Sie etwas Bestimmtes?« Als sie ihren Fehler bemerkte, lief sie knallrot an.

Der Mann lächelte. Es waren seine Augen. Er hatte die gleichen ungewöhnlich hellen, fast türkisgrünen Augen wie ihr Alex, deren Blick einen so überraschend traf und zu durchdringen schien, dass man automatisch die Lider senkte.

»Ich schau mich nur um«, sagte er, »danke.«

»Gut«, sagte Freda. »Wenn ich Ihnen helfen kann, sagen Sie Bescheid.«

Sie kehrte hinter den Ladentisch zurück und tippte den Auftrag für ein weiteres Pinguin-Buch ein, das Herr Petereit bestellt hatte. Zwischendurch sah sie aus den Augenwinkeln zu dem Mann hinüber, der in aller Ruhe Bücher ansah, darin blätterte, sie zurückstellte. Einmal hob er genau in dem Moment den Kopf, als sie ihn musterte, und sie sah schnell weg, als habe ihr Blick ihn nur versehentlich gestreift.

Schließlich kam er zu ihr an den Ladentisch.

»Sie machen ja hier was mit«, sagte er und machte eine Kopfbewegung in die Richtung, aus der immer wieder das Brummen ertönte.

»Ja, es nervt ziemlich. Aber bald ist es hoffentlich vorbei.«

Zu ihrer Überraschung streckte er ihr die Hand hin. »Mein Name ist Arno Steiner. Ich bin Lehrer im Neuperlacher Schulzentrum, aber ich wohne hier in der Nähe, daher kenne ich Ihr Geschäft.«

Sie schüttelten sich die Hand, Freda sah ihn fragend an.

»Sie wissen, das Schulzentrum liegt in einem sozialen Brennpunkt, die meisten Kinder haben außer ihren Schulbüchern noch nie ein Buch in der Hand gehabt. Ich würde gerne mal mit einer zweiten oder dritten Klasse herkommen und den Kindern die Buchhandlung zeigen.«

Freda rechnete. Zweit- und Drittklässler waren im Schnitt acht und neun Jahre alt. Im Geiste sah sie zwanzig von ihnen durch die Buchhandlung toben, Bücherstapel umstürzen, mit fettigen Fingern Eselsohren in die Seiten knicken oder sie gar herausreißen.

Sie schluckte. »Nun ja, das ist ... eine tolle Idee, finde ich. Aber sind Sie sicher, dass die Kinder damit schon etwas anfangen können? Ich meine, wir führen hier überwiegend Bücher für Erwachsene, es gibt nur eine kleine Kinder- und Jugendabteilung.«

Er nickte. »Ich habe mir Ihr Sortiment angesehen. Die Kinder sollen einfach mal die Atmosphäre hier im Laden erleben, den Geruch neuer Bücher, den sinnlichen Genuss, eines in die Hand zu nehmen und aufzuschlagen. Ihr Geschäft ist besonders liebevoll ausgestattet, man fühlt sich sofort wohl, wenn man reinkommt.«

Wieder fühlte Freda, wie ihre Wangen sich röteten, diesmal vor Freude.

»Vielen Dank«, sagte sie. »Ich muss darüber nachdenken und mit meiner Partnerin sprechen. Kann ich mich bei Ihnen melden?«

»Ich komme wieder«, sagte er, und das Türkis seiner Augen schien kurz aufzublitzen.

3

Tanja hatte sich selbst übertroffen. Zwei mit Apfelstücken, Zwiebeln, Rosmarin und Oliven geschmorte Hähnchen servierte sie mit Couscous, das sie mit Mandeln, Datteln und getrockneten Aprikosen gemischt hatte. Die Verbindung von Pikantem mit Süßem war perfekt gelungen.

Für ein solches Essen war Freda bereit, einen Abend mit Winni, Tanjas wenig inspirierendem Mann, und den Söhnen Titus und Julius auszuhalten, deren pubertär-phlegmatische Ausstrahlung auch nicht gerade für Stimmung sorgte. Die beiden Jungen saßen, abgesehen von den Bewegungen, die die Nahrungsaufnahme erforderte, mehr oder weniger reglos am Tisch. Sie ließen die Haare übers Gesicht fallen, so dass man ihre Augen kaum sehen konnte, und trugen kein Wort zur Unterhaltung bei. Freda machte mehrere Versuche, mit ihnen zu kommunizieren; sie fragte nach der Schule, nach dem Fußballverein, den Plänen für die Ferien, aber die Antworten der beiden fielen so einsilbig aus, dass sie bald aufgab. Geradezu dankbar dachte sie an Josys wechselnde Launen, ihre schnippischen Antworten und Heulanfälle zurück – das war allemal leichter auszuhalten als diese Verstocktheit. Na ja, auch diese beiden würden in zwei, drei Jahren wie durch ein Wunder zu sympathischen jungen Menschen heranwachsen, diese Metamorphose hatte man ja oft genug erlebt.

Winni, Filialleiter einer Handelskette für elektronische Geräte, dozierte über den »Erziehungsnotstand«, den er in der Gesellschaft ausgemacht hatte.

»Nimm meine Lehrlinge«, sagte er, »die können sich alle nicht benehmen. Denen muss ich erstmal beibringen, dass man Guten Morgen sagt, nicht auf den Boden rotzt und sich nach dem Klo die Hände wäscht. Die hat einfach niemand erzogen, die Eltern nicht, die Schule nicht, keiner. Schlimm ist das.«

Freda nickte zustimmend. »Die meisten Eltern lassen es einfach laufen. Sie haben Angst vor Konflikten mit ihren Kindern, dabei suchen die so dringend nach Grenzen.«

»Wusstet ihr, dass in vielen Familien keine gemeinsame Mahlzeit mehr eingenommen wird?«, schaltete sich Tanja ein. »Jeder isst, wann immer er will, und es gibt nur noch Fertiggerichte, weil die Mütter nicht mehr kochen können.«

Freda räusperte sich verlegen.

»Oh, tut mir leid«, sagte Tanja schnell, »damit hab ich natürlich nicht dich gemeint!«

Freda lächelte »Schon gut.«

»Wie war's heute Nachmittag?«, fragte Tanja.

»Ziemlich ruhig, wenn man von dem infernalischen Baulärm absieht. Stell dir vor, wer mich zum Essen einladen wollte. Herr Petereit!«

»Und? Hast du zugesagt?«

»Bist du noch zu retten?«

»Du solltest wirklich allmählich ins Leben zurückkehren«, sagte Winni. »Es hat doch keinen Sinn, dass du immer nur wartest.«

»Ins Leben zurückkehren?« Freda sah ihn fragend an.

»Na ja, ich meine ... es ist nach so langer Zeit nicht sehr wahrscheinlich, dass Alex wieder auftaucht, das musst du zugeben. Du bist noch jung, du solltest ausgehen, dich verlieben ...«

»Hör auf«, fuhr Tanja dazwischen.

»Ist doch wahr«, sagte Winni und spießte ein Stück Huhn auf. »Irgendwann muss sich jeder mit den Realitäten abfinden.«

Freda hatte ihr Besteck abgelegt. Sie hatte plötzlich keinen Hunger mehr.

»Wie kannst du dir so sicher sein?«, fragte sie trotzig. »Neulich, dieser Engländer, der war auch zwei Jahre verschwunden und ist wieder aufgetaucht.«

»Das war ein abgekartetes Spiel, der wollte sich seine Lebensversicherung ergaunern, und seine Frau hat Bescheid gewusst. Ihr habt ja wohl kaum so ein Ding gedreht, oder?«

»Sei nicht so verdammt unsensibel«, zischte Tanja.

»Ist schon okay«, sagte Freda, »Winni hat ja Recht. Es ist nur ... ich kann nicht aufhören, zu hoffen, solange ich keine Gewissheit habe. Das wäre Verrat an Alex. Ich würde ihn dadurch für tot erklären, bevor ich sicher wüsste, dass er es ist.«

»Verstehe ich nicht«, sagte Winni. »Im Grunde weißt du es doch.«

»Nein, sie weiß es nicht«, verbesserte Tanja, »sie muss damit rechnen, sie muss sogar ziemlich sicher davon ausgehen, aber du kannst nicht sagen, dass sie es weiß.«

»Wie du meinst«, sagte Winni seufzend und kippte den Rest seines Weines in sich hinein.

»Dürfen wir aufstehen?«, fragte Titus. Die Erwachsenen blickten ihn erschrocken an, sie hatten völlig vergessen, dass die beiden Jungen am Tisch saßen.

»Natürlich«, sagte Tanja. »Ich ruf euch, wenn's Nachtisch gibt.«

Die beiden standen auf und gingen schlurfend, die Hände in den tiefsitzenden Hosentaschen vergraben, aus dem Zimmer.

Freda faltete ihre Serviette und legte sie neben ihren Teller. »Seid mir nicht böse, aber ich bin sehr müde. Ich mach mich jetzt besser auf den Weg.«

»Aber ...«, wollte Tanja protestieren, dann schwieg sie.

Winni blickte verlegen auf den Tisch. »Tut mir leid, wenn ich was Falsches gesagt habe.«

Freda stand auf. »Schon gut. Ich verstehe ja, dass es auch für euch schwierig ist, mit der Situation umzugehen. Also dann, vielen Dank!«

»Ich bring dich raus«, sagte Tanja und sprang auf. »Tut mir leid«, flüsterte sie auf dem Flur, »das war nicht besonders feinfühlig von ihm.«

»Ist schon okay«, sagte Freda.

»Manchmal ist er ein richtig unsensibler Trampel.«

Freda zog ihren Mantel an. »Schon mal ... daran gedacht, dich zu trennen?«

Tanja lachte bitter auf. »Einmal? Ich trenne mich sozusagen täglich. Mal mit Anschreien und Türenknallen, mal ohne was zu sagen, mal mit Abschiedsbrief, mal ohne Abschiedsbrief ... es gibt kein Szenario, über das ich nicht schon nachgedacht hätte.«

»Und, warum machst du's nicht?«

Tanja zuckte hilflos die Schulter. »Weil ich ... wenn ich ...«, sie brach ab.

»Weil du, wenn du mich siehst, deine Lage gar nicht mehr so schlimm findest?«

»So wollte ich es nicht sagen«, sagt Tanja verlegen, »aber ich gebe zu, ich habe panische Angst vor dem Alleinsein.«

»Es ist gar nicht so schlimm«, sagt Freda. »Ehrlich, man gewöhnt sich dran.«

Noch während sie es sagte, wusste sie, dass es gelogen war. Man gewöhnt sich nicht daran, man findet sich höchstens damit ab. Aber die Einsamkeit ist immer da, wie ein Hohlraum im Körper, das Bewusstsein eines Mangels, der niemals aufhört. Das Schlimme an ihrer Situation war, dass sie nicht wusste, was sie empfinden sollte. Trauer? Hoffnung? Ihr Verstand sagte, dass sie aufhören müsste, zu hoffen. Ihr Gefühl sagte, dass sie die Hoffnung nicht aufgeben dürfte, solange es keine Gewissheit gäbe. Ob sie die jemals erhalten würde war mehr als fraglich. Und selbst wenn, was machte sie bis dahin? Sie kam sich vor, als lebte sie in einem Zwischenreich, als eine Art emotionaler Zombie. Sie konnte nicht um Alex trauern, aber sie konnte auch nicht, wie Winni es genannt hatte, »ins Leben zurückkehren«. Nur warten und hoffen und versuchen, dabei nicht völlig vor die Hunde zu gehen.

Aus dem Wohnzimmer hörte sie Stimmen und Gekicher. Josy lümmelte mit Lara und Naomi sowie zwei weiteren Mädchen, die Freda nur flüchtig kannte, vor dem Fernseher, umgeben von angebrochenen Colaflaschen, Chipstüten und den Resten ihres Geburtstagskuchens. Die wöchentliche »Deutschland sucht das Supermodel«-Party wurde gefeiert.

Anfangs hatte Freda sich lautstark über die Sendung mokiert, die sie für albern und oberflächlich hielt. Sie hatte befürchtet, Josy könnte der Illusion erliegen, man müsste nur ein bisschen nett aussehen und aufrecht über einen Laufsteg gehen können, um dem beschwerlichen Leben erwerbstätiger Menschen zu entgehen. Solche Flausen im Kopf waren das Letzte, was ihre Tochter brauchte. Schnell hatte Freda jedoch bemerkt, dass die Mädchen die Sendung keineswegs als realistisch, sondern als eine Art modernes Märchen wahrnahmen. Und obwohl sie das affige Getue immer noch doof fand, musste sie gegen ihren Willen zugeben, dass es unterhaltsam war.

Sie grüßte in die Runde und wurde gut gelaunt zurückgegrüßt. Die ausgelassene Atmosphäre, das kindische Gegiggel der Mädchen taten ihr gut.

Amüsiert verfolgte sie auf dem Bildschirm, wie einige der Models sich angifteten, weil eine von ihnen heimlich mit dem Fotografen ausgegangen war. »Warst du etwa mit ihm im Bett?«, kreischte eine Rothaarige, worauf die Ertappte hochnäsig zurückgab: »Das geht dich doch nichts an.«

»Diese Bitch!«, zischte Naomi.

»Lass sie doch«, sagte Lara. »In der Liebe und im Krieg ist alles erlaubt.«

»Vor allem im Zickenkrieg!«, sagte Freda.

»Mama! Nicht stänkern!«, befahl Josy ihrer Mutter.

Die schloss für einen Moment die Augen und lauschte auf das fröhliche Stimmengewirr. Ins Leben zurückkehren, dachte sie.

Die Schlange an der Kasse nahm beängstigende Ausmaße an. Josy griff nach dem Telefon und bat eine Kollegin aus der Pause zurück. »Der Kunde geht vor« lautete das

Motto, das man ihnen bei der kurzen Schulung eingetrichtert hatte, mit der sie auf ihre Aushilfstätigkeit in der Filiale der großen Bekleidungskette vorbereitet worden waren. In der Praxis merkte man von diesem Leitspruch nicht viel; es gab viel zu wenige Umkleidekabinen und vor allem zu wenig Personal. Nach der Anprobe ließen die Kunden die Sachen irgendwo liegen, und keiner räumte sie auf. Am schlimmsten fand es Josy, wenn zu lange Wartezeiten an der Kasse entstanden. Nur die Teenie-Mädchen beschwerten sich nie, die jungen Mütter mit Kinderwägen und Kleinkindern an der Hand waren schon gestresster, und richtig sauer waren die berufstätigen Frauen, die eine Büropause nutzen mussten, um schnell etwas einzukaufen. Von ihnen hatte Josy sich schon oft üble Beschimpfungen anhören müssen. Eine Unverschämtheit sei es, Kunden so lange warten zu lassen, schließlich müsse man selbst arbeiten.

»Ich gebe es gern weiter«, sagte Josy dann jedes Mal freundlich, obwohl sie genau wusste, dass die Beschwerden niemanden interessierten. Das Ganze hatte System: Die Preise hier waren so günstig, dass die Leute trotz allem immer wiederkamen. Dafür mussten sie eben die Warterei in Kauf nehmen, denn natürlich war die Kleidung nur deshalb so billig, weil beim Personal gespart wurde.

Ein junger Typ mit glänzenden schwarzen Haaren und südamerikanischen Gesichtszügen grüßte freundlich und reichte ihr ein Sweatshirt und einen Gürtel. Der Fünfzigeuroschein, den er ihr hinschob, sah auffallend neu aus. Josy nahm ihn und wedelte damit. »Hast du den selbst gedruckt?«

Er grinste sie an. »Klar, hab noch jede Menge davon!«

Eigentlich hätte Josy den Fünfziger durch das Prüfgerät ziehen müssen, das Blüten erkannte, aber sie ließ es bleiben. Der Typ sah nett aus. Falls das Geld falsch wäre, müsste sie es melden, und der Schein wäre futsch.

»Tschüss und viel Spaß mit den Sachen!«, sagte sie und reichte ihm seine Tüte. Er bedankte sich lächelnd und ging Richtung Rolltreppe. Josy sah ihm einen Augenblick nach und überlegte, woher er stammen könnte. Vielleicht aus Bolivien?

Eine Mutter mit drei Kindern im Schlepptau knallte ungefähr zwanzig Teile auf den Tresen.

Sie hielt eine Jeans hoch. »Haben Sie die nicht in 128?«

Josy schüttelte bedauernd den Kopf. »Da müssten Sie eine Kollegin aus dem Verkauf fragen, ich kann hier nicht weg.«

Die Mutter schob die Jeans zur Seite. »Dann nehmen wir sie eben nicht. Ist doch immer dasselbe hier.«

Eines der Kinder, ein ungefähr achtjähriges Mädchen, fing an zu heulen. »Ich will die aber haben!«, schluchzte es.

»Die gibt's nicht in deiner Größe, hast du doch gehört!«, fauchte die Mutter.

Josy entdeckte eine Verkäuferin und winkte sie zu sich.

»Sieh doch mal bitte nach, ob es die noch in 128 gibt«, bat sie und drückte ihr die Hose in die Hand. Als die Verkäuferin zurückkam, hob sie bedauernd die Schultern. »Tut mir leid.«

Anstatt sich zu bedanken, schimpfte die Mutter weiter vor sich hin, bis Josy alle Posten eingetippt und die elektronischen Sicherungen entfernt hatte. Sie kassierte, und die Frau verschwand. Jetzt wurde es am Wühltisch neben der Kasse plötzlich unruhig.

»Ich hatte die zuerst!«, rief eine Frau und riss einer anderen eine gestreifte Bluse aus der Hand.

»Stimmt nicht«, keifte die andere und griff nach dem Kleidungsstück, »außerdem ist das gar nicht Ihre Größe!«

»Das geht Sie gar nichts an«, sagte die erste, raffte die Bluse an sich und stürmte Richtung Kasse. Als sie dran war, bemerkte Josy, dass die Bluse tatsächlich mindestens zwei Nummern zu klein war.

»Soll die für Sie sein?«, fragte sie vorsichtig.

»Ja, und?«

»Die ist zu klein. Da drüben auf dem Ständer hätten wir noch welche in Ihrer Größe.«

Die Kundin presste wütend die Lippen zusammen und ging weg. Als sie an ihrer Rivalin vorbeikam, die etwas weiter hinten in der Schlange stand, ließ sie die Bluse vor ihr zu Boden fallen. »Hier haben Sie Ihre Scheißbluse.«

Angewidert beobachtete Josy die Szene. Warum sich erwachsene Menschen wohl so aufführten?

Eine halbe Stunde später war Feierabend. Josy machte den Kassenabschluss und gab den Schlüssel beim Filialleiter ab, einem Mann mit unechtem Lächeln, der sich betont lässig in seinem Schreibtischstuhl fläzte.

»Danke, Josy«, sagte er. Alle Aushilfen wurden nur mit Vornamen angesprochen, aber immerhin gesiezt.

»Auf Wiedersehen, Herr Rinner«, sagte Josy und wollte gehen.

»Bitte, bleiben Sie doch noch einen Moment.«

Überrascht drehte sie sich um.

»Ich wollte Ihnen sagen, dass wir sehr zufrieden mit Ihrer Arbeit sind. Sie sind freundlich, kompetent und teamfähig. Für solche Leute gibt es bei uns eine Zukunft.«

Josy war irritiert. »Ähm ... wie meinen Sie das?«

»Sie könnten Teamleiterin werden, und später vielleicht stellvertretende Abteilungsleiterin. Eine vierwöchige Nachschulung, drei Monate Probezeit, und schon ist der Weg nach oben offen.«

Der Weg nach oben? Der Typ hatte sie doch nicht alle. Jeder weitere Tag in diesem Scheißladen führte auf direktem Weg nach unten.

Es war, als hätte jemand einen Hebel in ihr umgelegt. Josy öffnete den Mund und hörte sich sagen: »Vielen Dank, aber dieses Unternehmen ist nicht das Richtige für mich. Hier wird nur Schrott verkauft, für den arme Näherinnen in Bangladesch oder China ausgebeutet werden, die Mitarbeiter werden beschissen bezahlt, und die Kunden benehmen sich wie die Tiere. Bevor ich hier Karriere mache, höre ich lieber auf. Und zwar jetzt sofort.«

Herr Rinner starrte Josy an. »Das geht nicht«, sagte er und fiel vor lauter Aufregung ins Duzen, »du hast eine Kündigungsfrist, du kannst nicht von jetzt auf gleich aufhören!«

»Und ob ich kann«, sagte Josy.

»Dann verfällt dein Lohn aus diesem Monat.«

Josy schluckte. »Den können Sie sich sonst wohin schieben«, sagte sie in betont höflichem Tonfall und verließ sein Büro.

Freda wartete in einem Lokal in der Nähe der Buchhandlung auf Josy und diesen Agenturfritzen. Es war einer dieser schicken neuen Läden, die in letzter Zeit hier im Viertel entstanden waren. Sie war schon öfter daran vorbeigegangen, hatte sogar mal die Speisekarte studiert, aber es war ihr zu teuer gewesen.

Sie suchte ein Gericht auf der Karte, das unter zwanzig Euro kostete. Schon die einfachsten Spaghetti mit Tomaten, Mozzarella und Basilikum kosteten vierzehn, alle anderen Hauptgerichte lagen zwischen zwanzig und dreißig Euro. Das war doch absurd, welcher normale Mensch konnte sich das leisten? Aber normale Menschen sollten hierher wohl nicht kommen.

Sie hob den Blick von der Karte und sah, wie Josy in Begleitung eines Mannes das Restaurant betrat und sich suchend umsah. Es berührte sie merkwürdig, ihre Tochter so zu sehen, außerhalb der gewohnten Umgebung, in Gesellschaft eines Fremden. Eine Ahnung, dass Josy längst ein eigenes Leben führte, von dem sie, die Mutter, nicht allzu viel wusste, überfiel sie. Schnell schob sie den Gedanken von sich.

Die beiden traten an den Tisch. Der Mann, der aus der Nähe deutlich jünger wirkte, machte eine Verbeugung und deutete einen Handkuss an, was Freda belustigte. Aus welchem Jahrhundert kam der denn?

»Cornelius Maybach, ich freue mich sehr, Sie kennenzulernen.«

Er ließ Josy den Vortritt, die schob sich neben Freda auf die schwarz lackierte Holzbank am Fenster. Cornelius setzte sich den beiden gegenüber auf einen Stuhl und strich seinen Haarschopf aus dem Gesicht.

»Sie sind Buchhändlerin, nicht wahr?«, begann er das Gespräch. »Ich liebe Buchhandlungen, mein Onkel hatte eine. Als Kind saß ich oft bei ihm und habe stundenlang geschmökert.«

»Das hast du mir noch gar nicht erzählt«, sagte Josy .

Freda musterte ihn. »Und, lesen Sie heute immer noch gern?«, fragte sie.

»Leider lässt mir mein Beruf kaum Zeit dafür, aber ich beneide Menschen, die täglich mit Büchern zu tun haben.«

»Es ist wirklich ein schöner Beruf«, bestätigte Freda. »Nur reich wird man leider nicht damit.«

»Geld ist doch nicht das Wichtigste im Leben«, sagte Cornelius, »wichtig ist, dass man etwas macht, das einen erfüllt.«

Freda blickte ihn prüfend an. Für sie klang er ein bisschen wie jemand, der versuchte, unbedingt das Richtige zu sagen.

Josy griff nach der Speisekarte. »Ich sterbe vor Hunger«, sagte sie. »Hast du schon was ausgesucht, Mama?«

Freda nickte. »Ich nehme die Spaghetti.«

»Sie sind selbstverständlich meine Gäste«, sagte Cornelius höflich lächelnd.

»Kommt nicht infrage«, sagte Freda. So weit kam es noch, dass sie sich von einem völlig Unbekannten einladen ließ. Cornelius ignorierte Fredas Einwand, winkte dem Kellner und gab die Bestellung mit einer Selbstverständlichkeit auf, als verkehre er ständig in solchen Lokalen. Freda empfand sein selbstbewusstes Auftreten als provokant, gleichzeitig imponierte es ihr.

»Sie haben also meiner Tochter ein Praktikum in Ihrer Firma angeboten?«, kam sie zur Sache. »Das ist wirklich sehr nett von Ihnen.«

Cornelius nickte. »Ich glaube, Josy wäre die Idealkandidatin für diese Stelle. Sie ist kommunikativ und sicher im Umgang mit Menschen, sie verfügt über eine gute Bildung, spricht Englisch und sogar etwas Spanisch. Das ist wichtig, weil wir eine internationale Klientel haben.«

Freda nickte nachdenklich. »Ich überlege mir nur, was meiner Tochter so ein Praktikum bringt. Sie weiß ja noch nicht mal, in welche Richtung sie beruflich überhaupt will.«

Cornelius lächelte. »Vielleicht findet sie das ja bei uns heraus.«

Freda fand, dass die Rollen am Tisch auf merkwürdige Weise vertauscht waren. Dieser junge Kerl benahm sich wie ein Firmenpatriarch, und sie, die ohne weiteres seine Mutter sein könnte, war unversehens in die Rolle einer Bewerberin gerutscht.

»Was hätte Josy denn während des Praktikums für Aufgaben?«

Josy hibbelte neben ihr hin und her. »Ja, das würde mich auch interessieren, davon hast du mir noch gar nichts erzählt.«

»Einiges an Organisatorischem im Vorfeld«, sagte er vage, »und wenn unsere Kunden dann hier sind, geht es natürlich um eine intensive und perfekte Betreuung.«

»Was heißt das zum Beispiel?«, hakte Freda nach.

»Alles Mögliche. Dolmetschen, Begleitung beim Shopping-Bummel, Besorgen von Theaterkarten, eben alles, damit der Kunde sich rundum wohlfühlt.«

»Also eine Art Hostessen-Tätigkeit«, fasste Freda kühl zusammen. »Besonders anspruchsvoll klingt das für mich nicht.«

Wenn er sich über Fredas Bemerkung geärgert hatte, ließ er es sich nicht anmerken.

»Nun, das trifft es nicht wirklich«, sagte er unverändert freundlich, »die Tätigkeit ist sehr viel umfassender. Am besten wäre doch, Josy probiert es einfach aus, dann sieht sie selbst, ob es das Richtige für sie ist.«

»Genau«, sagte Josy.

Die Getränke wurden serviert. Cornelius schickte den Kellner weg und schenkte den Wein selbst ein, nachdem er ihn probiert und für gut befunden hatte. Freda nahm einen Schluck und überlegte.

»Nun«, sagte sie mit einem Lächeln, »meine Tochter ist volljährig, sie kann für sich selbst entscheiden. Im Moment hat sie allerdings noch einen Job.«

»Nicht mehr«, sagte Josy, »ich habe gekündigt.«

»Du hast ... was?« Fredas Gelassenheit geriet ins Wanken. Nach kurzem Nachdenken fragte sie: »Gehört Ihnen denn diese Agentur?«

»Gewissermaßen«, erwiderte Cornelius.

»Gewissermaßen?«

Zum ersten Mal bemerkte sie eine leichte Unsicherheit bei dem jungen Mann.

»Na ja«, schränkte er ein, »die Anschubfinanzierung war von meinem Vater, aber ich bin der Geschäftsführer. Und auf jeden Fall für Josy der Ansprechpartner.«

»Also, ich finde, das klingt toll«, sagte Josy begeistert.

Während des Essens machten sie unverbindlichen Smalltalk, und Freda versuchte, sich ihr wachsendes Unbehagen nicht anmerken zu lassen. Nach dem Dessert entschuldigte sich Cornelius, er habe leider noch einen dringenden Termin. Der Kellner brachte die Rechnung, die er beglich, ohne auf Fredas Protest einzugehen. Wieder hauchte er ihr einen Kuss auf die Hand, verabschiedete sich mit zwei angedeuteten Wangenküssen von Josy und verschwand.

»Und? Wie findest du ihn?« Josy sah sie erwartungsvoll an.

»Wie soll ich sagen«, begann Freda zögernd, »er ist sehr höflich und gut erzogen, aber ... seine Art ist fast zu perfekt, um wahr zu sein.«

Josys Miene verfinsterte sich. »Du magst ihn nicht.«

Freda wiegte den Kopf. »Vielleicht täuscht mein Eindruck ja auch. Aber wenn du meine ehrliche Meinung hören willst, dieses Praktikum halte ich für pure Zeitverschwendung.«

Josy stützte das Gesicht in die Hände. »Du weißt einfach immer alles besser«, sagte sie verzweifelt, »für dich werde ich nie etwas richtig machen können.«

»Aber das stimmt doch nicht«, sagte Freda und wollte nach Josys Arm greifen, den die ihr mit einer heftigen Bewegung entzog und dabei wortlos aufstand und das Lokal verließ.

Freda seufzte. Sie musste an den Tag denken, als Josy beschlossen hatte, ins Tigerentenland auszuwandern. Sie hatte ihre Kindergartentasche mit Keksen und Apfelschnitzen gefüllt, eine Flasche Saft, eine Strickjacke und zwei Paar frische Socken eingepackt, sich mit einem Kuss von ihr verabschiedet und die Wohnung verlassen.

Freda war ihr heimlich gefolgt und hatte beobachtet, wie sie eine alte Dame nach dem Weg fragte. Diese erkundigte sich besorgt, ob sie allein unterwegs sei und wo denn ihre Mama wohne, aber Josy erklärte ihr, sie sei schon groß und brauche ihre Mama nicht mehr. Erst nach einer halben Stunde, als sie sich verlaufen hatte und zu weinen begann, ging Freda zu ihr, heuchelte Erstaunen über das zufällige Zusammentreffen und brachte sie nach Hause.

Sie hoffte, diese Erfahrung würde Josys Abenteuerlust ein wenig bremsen, aber der Schreck hatte nicht lange vorgehalten. Schon bald darauf wollte Josy – diesmal gemeinsam mit Naomi – Lotta in der Krachmacherstraße besuchen. Es dauerte lange, bis Freda ihr klargemacht hatte, dass es Lotta und die Krachmacherstraße nur im Buch von Astrid Lindgren gab, nicht aber in Wirklichkeit.

Wie sollte sie ihr jetzt klarmachen, dass es die große weite Welt, Reichtum und Glamour zwar im Fernsehen gäbe, höchst selten aber in der Wirklichkeit? Und dass es bedeutend sinnvoller wäre, einen Schulabschluss zu machen, als ein windiges Praktikum bei einem windigen Typen?

Mit finsterer Miene hockte Josy auf ihrem Bett und grübelte vor sich hin, ihr Handy in der einen, Cornelius' Visitenkarte in der anderen Hand.

Es war wie vorletztes Jahr, als sie eine Klassenreise nach Südfrankreich hätte machen können, mit Fahrradfahren, Zelten und Wildwasserpaddeln auf der Ardèche. Sie hatte sich so darauf gefreut, aber ihre Mutter hatte immer neue Begründungen dafür gefunden, warum sie nicht mitfahren sollte: Weil sie die letzte Physikarbeit verhauen habe. Weil das Klima so unbeständig sei. Weil es in den Vorstädten von Paris Jugendaufstände gegeben habe und man nicht wissen könne, ob sie auf den Rest des Landes übergreifen würden.

Der wahre Grund war, dass drei Monate zuvor ihr Vater verschwunden war und ihre Mutter sie am liebsten zu Hause angebunden hätte. Dazu kam, dass es auf der Ardèche in den Jahren zuvor zwei tödliche Bootsunfälle gegeben hatte. Also lief das übliche Panik-Programm bei ihrer Mutter ab, die Josy in einem Wildwasserwirbel ertrinken oder einen Wasserfall hinunterstürzen sah.

Zwei Tage vor der Abfahrt war dann Josys Oma krank geworden. Sie hatten Hals über Kopf gepackt, waren ins Auto gestiegen und die vierhundert Kilometer bis zur Großmutter gefahren, die von einer Magen-Darm-Grippe etwas geschwächt, ansonsten aber putzmunter war. Trotzdem hatte ihre Mutter darauf bestanden, zu übernachten und erst am nächsten Tag zurückzufahren. Da war Josys Klasse ohne sie nach Südfrankreich gereist.

Natürlich hatte sie Verständnis für ihre Mutter, die ihren Mann verloren hatte und nun fürchtete, ihrer Tochter könnte etwas zustoßen. Aber musste sie, Josy, deshalb auf alles verzichten, was sie gerne tun würde? Sie hatte doch ein Recht auf ihr eigenes Leben.

Manchmal war sie richtig wütend auf ihren Vater. Wenn das mit ihm nicht passiert wäre, dann wäre ihre Mutter nicht so überängstlich. Und sie als Tochter müsste nicht ständig ein schlechtes Gewissen haben.

Es war doch längst klar, dass er nicht zurückkehren würde. Und irgendwie hatte sie sich damit abgefunden, auch wenn sie nachts im Bett manchmal weinte und immer wieder diese Alpträume hatte. Sie wusste einfach, dass er tot war, deshalb ertrug sie es auch nicht, wenn ihre Mutter so tat, als gäbe es noch Hoffnung. Dann fühlte sie sich böse und schuldig, weil sie nicht mehr an seine Rückkehr glauben konnte. Solange er verschwunden blieb und niemand wusste, was ihm zugestoßen war, konnte sie nicht aufbrechen und ihren Weg gehen. Sie musste bleiben und warten und ihrer Mutter beistehen. Sie war eine Gefangene.

Josy rollte die Visitenkarte nachdenklich zwischen den Fingern, strich sie glatt, rollte sie wieder. Schließlich wählte sie Cornelius' Nummer.

4

Freda erwachte vom Klingeln des Telefons. Schlaftrunken angelte sie nach dem Hörer.

»Krummbaur«, meldete sich eine Stimme, »grüß Sie, Frau März. Wie geht's Ihnen?«

»Danke«, sagte Freda, und ihr Magen krampfte sich zusammen. Sooft sie sich in den letzten zwei Jahren gewünscht hatte, Johann Krummbaur möge anrufen, sosehr hatte sie sich auch immer davor gefürchtet.

Sie kannte ihn seit dem Tag, an dem Alex nicht nach Hause gekommen war. Gegen Mitternacht hatte sie die Polizeiwache in ihrem Viertel betreten, außer sich vor Sorge. Polizeihauptmeister Johann Krummbaur hatte ihre Vermisstenmeldung aufgenommen, sie beruhigt, ihr Mut zugesprochen. Sie hatte ihm von Anfang an vertraut, und er war in der folgenden Zeit ihr Ansprechpartner geblieben, auch nachdem die Polizei in Garmisch den Fall übernommen hatte.

Manchmal hatte sie ihn nur angerufen, um mit jemandem reden zu können. Er hatte sich immer Zeit für sie genommen, hatte einfach nur zugehört oder sie, so gut er konnte, getröstet.

»Ich habe Neuigkeiten für Sie«, sagte Krummbaur.

»Ja?« Fredas Stimme war kaum mehr als ein Krächzen.

»Es wurde ein Rucksack gefunden, im Wettersteingebiet. Die Kollegen aus Garmisch haben ihn hergeschickt. Ich wollte Sie bitten, vorbeizukommen und ihn sich anzuschauen.«

»Ein Rucksack«, wiederholte Freda. »Ist gut. Ich komme.«

Während sie in Windeseile duschte, ein Glas Saft hinunterstürzte und aus dem Haus hastete, dachte sie an den Rucksack, den Alex damals mitgenommen hatte. Es war der uralte Wanderrucksack gewesen, aus festem Segeltuch, blaugrau, wenn sie sich richtig erinnerte, ein Erbstück von Alex' Vater. Josy und Freda hatten sich immer geniert, wenn Alex mit dem verschossenen Ding losgezogen war.

Polizeihauptmeister Krummbaur begrüßte sie mit einem herzlichen Händedruck. Fredas Hand war eiskalt, er behielt sie einen Moment in der seinen, als wollte er sie wärmen.

Er führte sie in sein Büro. Da lag er. Abgeschabt und verschmutzt, das Gewebe noch ausgeblichener nach zwei Jahren im Freien, aber ohne Zweifel der Rucksack, mit dem Alex damals zu seiner Bergtour aufgebrochen war.

»Und?« Krummbaur sah sie fragend an. Freda nickte stumm.

Er griff hinter sich und stellte eine Plastikwanne auf den Tisch. »Hier, das war drin.«

Sie trat näher und betrachtete die Gegenstände. Wasserflasche, Wanderkarte, eine gerollte Plastikwurst, in der sich ein Regenschutz verbarg, sein blaues Sweatshirt. Zusammengeknüllte Alufolie, die zum Einwickeln der Brotzeit gedient hatte, Papiertaschentücher, von der Feuchtigkeit aufgequollen, ein angebissener Müsliriegel.

Beim Anblick des Riegels schossen Freda Tränen in die Augen. Von denen hatte sie damals eine Familienpackung gekauft und Alex beim Abschied mehrere in den Rucksack gesteckt.

Alles war plötzlich wieder da. Der letzte Kuss, sein vergnügtes »Bis heute Abend!«, der letzte Blick aus seinen grünblauen Augen. Freda ließ sich auf den Stuhl sinken, den Krummbaur ihr geistesgegenwärtig zugeschoben hatte, und verbarg das Gesicht in den Händen.

Schließlich sah sie wieder auf.

»Sonst ... hat man nichts gefunden?«

Krummbaur schüttelte den Kopf.

»Glauben Sie, dass es noch Hoffnung gibt?«

So direkt hatte sie ihn noch nie gefragt. Er warf ihr einen Blick zu, als wollte er prüfen, ob sie stark genug wäre für seine Antwort.

»Ehrlich gesagt, nein. Der Rucksack ist der Beweis, dass er tatsächlich in der Zugspitzregion war. Bis zu diesem Fund hätten wir theoretisch annehmen können, dass Ihr Mann gar nicht dort war, dass sein Verschwinden inszeniert war. Nicht sehr wahrscheinlich, aber vorgekommen ist so was schon. Jetzt weist alles auf die von Anfang an wahrscheinlichste Hypothese hin: auf einen Bergunfall.«

»Aber warum hat man ihn noch nicht gefunden?«

Krummbaur hob die Schultern und ließ sie wieder fallen. »Das ist ein Riesengebiet, bisher wussten wir ja nicht mal, wo wir genau suchen sollten. Jetzt haben wir endlich einen Anhaltspunkt.«

»Sie nehmen die Suche nochmal auf?«, fragte Freda hoffnungsvoll und vergaß für einen Moment, dass man nicht nach Alex suchte, sondern nach seiner Leiche.

»Die Kollegen von der Bergwacht sind schon unterwegs«, sagte er. »Aber eine Garantie, dass sie ihn finden, gibt es nicht. Er kann in eine Felsspalte oder ein unzugängliches Bachbett gefallen sein oder sich verletzt irgendwo verkrochen haben. Es ist gut möglich, dass man ihn nicht mehr findet. Damit müssen Sie rechnen.«

Wieder nickte Freda. Sie rechnete mit allem, seit langem schon. Nun wusste sie wenigstens, dass es vernünftiger war, mit dem Schlimmsten zu rechnen. Nur, was war das Schlimmste? Wenn sie ihn fänden oder wenn sie ihn nicht fänden?

»Falls ... ich meine, wenn Sie ihn finden sollten, muss ich ihn dann ... identifizieren?«

Krummbaur sah sie mitfühlend an. »Nein, Frau März. In einem solchen Fall stellt man die Identität einer Person über das Zahnschema oder einen DNA-Vergleich fest.«

»Gut«, sagte Freda erleichtert. Sie versuchte, nicht daran zu denken, was nach zwei Jahren von einem Menschen überhaupt noch übrig sein könnte.

»Da ist noch etwas«, sagte er, »Ihr Mann hatte einen Fotoapparat bei sich. Der Film wird gerade in unserem Labor entwickelt. Sollen wir Ihnen die Abzüge zuschicken?«

Mein Gott, die Kamera! Wie oft hatten sie Alex gehänselt, weil er noch immer das altmodische Ding verwendete, wo doch jeder inzwischen digital fotografierte. Aber er hatte darauf bestanden, die Kamera weiter zu benutzen, schließlich sei sie voll funktionsfähig und es gebe überhaupt keinen Grund, sie wegzuwerfen. Er hatte sich immer geweigert, jeden Trend mitzumachen. Nicht einmal ein Handy hatte er besessen, das ihm vielleicht das Leben gerettet hätte.

»Ja«, sagte Freda abwesend, »schicken Sie mir die Bilder zu.« Sie stand auf. »Vielen Dank, Herr Krummbaur. Sie melden sich, wenn es was Neues gibt?«

Er nahm ihre Hand wieder in seine und hielt sie fest. »Selbstverständlich, Frau März. Alles Gute.«

Sie überlegte, ob sie nach Hause zurückgehen und Josy wecken sollte. Dann verwarf sie den Gedanken und beschloss, zu Fuß in die Buchhandlung zu gehen, um Zeit zum Nachdenken zu haben.

Zwei Jahre im emotionalen Niemandsland, zwischen Hoffnung, Verzweiflung und Resignation. Zwei Jahre, in denen sie nicht mehr wirklich an Alex' Rückkehr geglaubt hatte, ihn aber auch nicht aufgeben konnte. Sie hoffte, man würde ihn finden. Dann hätte sie endlich Gewissheit. Könnte ihn beerdigen. Und um ihn trauern.

Freda hatte beschlossen, Tanja nichts von der Sache mit dem Rucksack zu erzählen. Sie fühlte sich jetzt nicht dazu in der Lage, das Thema von neuem zu besprechen. Den Vormittag über machte sie Buchhaltung, eine von ihr und Tanja gleichermaßen ungeliebte Tätigkeit, die ihr aber einen Vorwand bot, nicht viel zu reden.

In der Mittagspause ging sie zu Fuß ins »Gesundheits- und Massage-Zentrum«. An der Rezeption saß eine schnippische junge Frau mit roten Locken. Sie musste neu sein, Freda hatte sie noch nie gesehen.

Da sie ein paar Minuten zu früh war, setzte sie sich in den Wartebereich. Abwesend blätterte sie in einer Zeitschrift.

»Frau März, Kabine 5, bitte!«, ertönte eine Durchsage.

Freda stand auf und betrat die Kabine. Sie zog sich bis auf den Slip aus und legte sich bäuchlings auf die mit einem weichen, weißen Frotteehandtuch vorbereitete Liege. Leise, sphärische Musik lief im Hintergrund.

Die Tür wurde geöffnet, eine weibliche Stimme sagte: »Guten Tag, Frau März, mein Name ist Scherer, ich bin heute für Sie eingeteilt.«

Freda drehte überrascht den Kopf zur Seite. »Ist Stavros nicht da?« Das war der Physiotherapeut, der sie sonst massierte. Unter seinen kräftigen, sanften Fingern, die jeden der schmerzenden verhärteten Punkte auf ihrem Rücken mühelos ertasteten, wurde sie ganz weich.

»Er ist leider krank.«

Die Frau krempelte die Ärmel ihrer Bluse hoch und verteilte Massageöl auf Fredas Rücken.

»Irgendwelche besonderen Beschwerden?«

»Ich weiß nicht ... es ist alles total verspannt.«

»Das haben wir gleich«, sagte Frau Scherer.

Sie machte ihre Sache nicht schlecht, aber dem Vergleich mit Stavros hielt sie nicht stand. Es musste eine physikalische Reaktion sein, irgendetwas Feinstoffliches, das sich zwischen seinen Händen und ihrem Körper abspielte. Vielleicht war es auch nur die Tatsache, dass er ein Mann war.

Bei diesem Gedanken begann Freda zu weinen.

Das Flugzeug landete pünktlich in Tegel. Während Josy auf ihren Koffer wartete, spähte sie durch die Glasscheibe, konnte Cornelius aber nirgendwo entdecken. Als sie den Sicherheitsbereich verlassen hatte, sah sie sich nach allen Seiten um. Niemand zu sehen. Sie schaltete ihr Handy ein und rief ihn an.

»Tut mir leid, ich hab's nicht geschafft«, sagte er. »Nimm dir bitte ein Taxi.«

Sie zählte ihr Geld, es waren ungefähr sechzig Euro. Dann fragte sie einen Taxifahrer, wie viel eine Fahrt nach Mitte kostet.

»So um die zwanzig«, sagte er, »kommt drauf an, wohin genau.«

»Gibt es auch einen Bus?«, fragte sie, und er machte eine unbestimmte Kopfbewegung.

Nach einigem Suchen fand Josy einen Airport-Shuttle, der zum Potsdamer Platz fuhr.

Mit vor Aufregung trockenem Mund, ihren Stoffbeutel fest umklammernd, hockte sie auf ihrem Sitz und sah aus dem Fenster. Voriges Jahr war sie noch mit ihrer Klasse in Berlin gewesen. Diese Reise hatte Freda nicht verhindern können, die Teilnahme war Pflicht gewesen, und das absolvierte Programm sollte später in Geschichte geprüft werden. Da hatte sie die Schule aber schon abgebrochen.

Am Potsdamer Platz stieg sie aus und studierte ihren Stadtplan, den sie damals aufgehoben und heute Morgen geistesgegenwärtig eingesteckt hatte. Die Adresse von »Stars and Events« war nur wenige Häuserblocks entfernt. Sie ließ sich von einem Passanten die Richtung zeigen und ging los, ihren Trolley hinter sich her ziehend.

Die Büros der Firma lagen im ersten Stock eines Altbaus und waren bei weitem nicht so eindrucksvoll, wie Josy sie sich vorgestellt hatte. In ihrer Fantasie residierte Cornelius in weitläufigen, penthouseartigen Räumen mit modernen Möbeln aus Leder und Chrom und einem Panoramablick über die Stadt; in Wahrheit bestand seine Firma aus einem kleinen Empfangsbereich und drei nicht allzu großen hellen Zimmern, deren Einrichtung vermutlich von IKEA stammte. Josy atmete auf, eigentlich gefiel es ihr viel besser so.

Das Mädchen am Empfang war höchstens zwanzig, sie begrüßte Josy wie eine alte Bekannte. Gleich darauf kam Cornelius aus einem der Büros. Er strahlte sie an, küsste sie auf beide Wangen, und Josy war plötzlich ganz sicher, das Richtige getan zu haben. Das hier war vielleicht noch nicht die große Welt, aber eine Tür dazu. Auf jeden Fall war es besser, als Billigklamotten zu verkaufen.

Cornelius stellte ihr die anderen Mitarbeiter der Agentur vor, es waren allesamt Mädchen Anfang oder Mitte zwanzig, alle auffallend hübsch und stylish angezogen. Josy kam sich in ihren Teenie-Klamotten ein bisschen vor wie Aschenputtel.

Als hätte er ihre Gedanken erraten, sagte Cornelius: »Als Erstes brauchst du ein paar neue Sachen. Schließlich soll dein erster Promi Matt Damon sein!«

»Matt Damon? Wow!« Josy war beeindruckt.

»Nicht schlecht für den Anfang, was? Also, Sandra geht mit dir zum Einkaufen.«

Eines der Mädchen nickte.

Schüchtern sagte Josy: »Aber ich habe kein Geld.«

»Ich leih dir das Geld, und du zahlst es von dem zurück, was du verdienst.«

Staunend fragte Josy: »Wie viel verdiene ich denn?«

»Das ist leistungsabhängig«, sagte Cornelius.

Sandra brachte Josy in das Apartment, das Cornelius für sie gemietet hatte. Es war in einem renovierten Plattenbau ganz in der Nähe, bestand aus einem großen und einem kleinen Zimmer, einer Kochnische und einem Bad. Von dem größeren der beiden Zimmer ging ein Balkon ab. Die Räume waren ohne großen Luxus, aber ansprechend möbliert, auf dem Couchtisch standen Blumen.

Josy war überwältigt. Ihre erste eigene Wohnung!

Irgendwo in ihrem Hinterkopf meldeten sich Zweifel daran, dass dies hier alles mit rechten Dingen zuging. Es war die Rede von einem Praktikum gewesen, einer Tätigkeit, die bekanntlich eher mager honoriert wird. Und nun bekam sie ein eigenes Apartment gestellt und sollte offenbar viel mehr verdienen, als sie sich in ihren kühnsten Träumen ausgemalt hatte.

Josy beschloss, sich nicht zu viele Gedanken zu machen und die Dinge erstmal auf sich zukommen zu lassen. Vielleicht hatte sie ja einfach Glück gehabt.

»Superschön hier!«, sagte sie zu Sandra. Die sah sich um und zuckte die Schultern. »Geht schon«, sagte sie, »Jana und Karina wohnen übrigens auch im Haus.«

»Und du?«

»Ich wohne woanders. Ich bin ja aus Berlin.«

Josy stellte ihren Trolley in das kleinere Zimmer, das als Schlafzimmer eingerichtet war. Stolz nahm sie von Sandra den Wohnungsschlüssel in Empfang. Dann zogen sie los zu ihrem Shopping-Bummel.

Als Freda wieder in die Buchhandlung kam, traute sie ihren Augen nicht: Zwei Männer waren dabei, die beschädigte Ladentür auf einen Anhänger mit der Aufschrift »Glaserei Adlmüller« zu laden. Es geschahen noch Zeichen und Wunder.

»Die kriegen wir aber heute wieder?«, vergewisserte sie sich, und einer der Männer nickte.

Die akustische Untermalung des heutigen Tages bestand im Rattern eines Presslufthammers, das von kleinen Vibrationen begleitet wurde. Freda bemerkte sofort, dass einige Bücher in der Deko umgefallen waren. Sie stellte sie wieder auf, obwohl sie wusste, dass es sinnlos war.

Tanja aß gerade ein Käsesandwich. »Ein Typ hat nach dir gefragt«, sagte sie zwischen zwei Bissen, »wegen einer Schulveranstaltung. Er kommt später nochmal.«

Freda erklärte ihr, der Typ sei ein Lehrer, der seinen Schülern die Buchhandlung zeigen wolle, um die Lust am Lesen bei ihnen zu wecken.

»Das ist ja klasse!«, rief Tanja. »Kinder sind unsere Kunden von morgen. Wir müssen an die Zukunft denken.«

»Aus diesen Kindern werden doch keine Leser«, sagte Freda, »die kommen aus Elternhäusern, in denen Bücher nicht die geringste Rolle spielen.«

Tanja reckte kämpferisch das Kinn. »Und genau das müssen wir ändern!«

Freda seufzte. Ähnlich begeistert hatte ihre Partnerin mal reagiert, als ein Kunde behauptet hatte, er könne eine Lesung mit Botho Strauß organisieren. Sie hatte Himmel und Hölle in Bewegung gesetzt, weil sie überzeugt gewesen war, dass damit der Durchbruch zur literarischen Buchhandlung geschafft wäre. Hundertfünfzig Leute warteten, tranken Wein und aßen Häppchen. Wer nicht kam, waren der Kunde und Botho Strauß.

»Ich versteh dich nicht«, sagte Tanja, »hast du denn jeden Idealismus verloren?«

Natürlich war auch Freda der Meinung, Kinder aus schwierigen Verhältnissen müssten gefördert werden, und was gab es Wichtigeres als den Zugang zu Büchern? Aber mussten es ausgerechnet ihre Bücher sein? Und ihre Buchhandlung? Das Bild eines Heuschreckenschwarms, der über einen Baum herfällt und in Windeseile seine Blätter frisst, kam ihr in den Sinn, eine dumme, irrationale Angst, die ihr selbst peinlich war.

Dann hatte sie eine Idee. Sie holte den Ordner mit der Buchhaltung, an der sie vormittags gearbeitet hatte, und breitete die Blätter vor Tanja aus. Es waren die Zahlen des vergangenen Halbjahres. Investitionen, Umsatz, Kosten, Gewinn. Guter Einstieg zu Jahresbeginn, als die Leute noch Weihnachtsgeld übrig hatten. Totale Flaute nach Ostern. Leichte Erholung vor Pfingsten wegen Urlaubsstimmung. Umsatzrückgang um zwanzig Prozent seit Beginn der Bauarbeiten, fast dreißig in den vergangenen vier Wochen.

Tanja starrte auf die Zahlen. »Das ist ja noch viel schlimmer, als ich dachte«, murmelte sie erschrocken.

»Lass uns einen Deal machen«, schlug Freda vor. »Du erlaubst mir den Aufbau meiner Non-Book-Abteilung zur Rettung unseres Ladens, und ich lasse den Ansturm von Drittklässlern mit klebrigen Pfoten über mich und unsere Bücher ergehen.«

Tanja musterte sie spöttisch. »Was für eine raffinierte Zockerin du doch bist!«

Da der Laden keine Tür hatte und der Presslufthammer noch immer regelmäßig seine Salven abfeuerte, war ihnen entgangen, dass Arno Steiner eingetreten war. Offenbar hatte er die letzten Sätze ihrer Unterhaltung mitbekommen, denn ein amüsiertes Lächeln spielte um seine Mundwinkel.

»Ich sehe, Sie und Ihre Partnerin haben sich geeinigt«, sagte er zu Freda, die ihn ziemlich verlegen ansah. Schnell sagte sie: »Ja, haben wir. Wann wollen Sie mit den Kindern kommen?«

Er blickte nach oben, wo der Lärm herkam. »Was denken Sie, wie lange es noch so laut bleibt?«

Freda zuckte die Schultern. »Eigentlich sollten die mit den groben Arbeiten längst fertig sein. Wir melden uns am besten, wenn's so weit ist. Welcher Wochentag passt bei Ihnen?«

Steiner überlegte. »Montag sind die Kinder zu unruhig, da haben sie ein ganzes Wochenende mit Gewaltvideos und Ballerspielen hinter sich. Ab Dienstag wird es besser. Gegen Ende der Woche sind sie oft schon wieder unkonzentriert.«

»Also dann an einem Mittwoch«, entschied Tanja. »Da sind wir beide hier und können uns kümmern.«

»Vielleicht könnten wir den Kindern ja was vorlesen?«, schlug Freda vor.

Die türkisgrünen Augen blitzten auf. »Würden Sie das tun?«

»Klar«, sagte Freda. »Wir könnten auch ein paar Bücher verlosen. Und eine kleine Erfrischung treiben wir auch noch auf.« Sie bemerkte Tanjas ungläubigen Blick.

»Die Kinder sollen sich schließlich wohlfühlen«, rief Freda gegen das Dröhnen des Presslufthammers an.

Als Freda nach Hause kam, setzte sie sich mit den Resten einer Tiefkühllasagne, die sie in der Mikrowelle erwärmt hatte, vor den Fernseher. Es lief »Dinner für Fünf«, ihre Lieblingssendung. Jeden Tag kochte einer der Kandidaten bei sich zu Hause für die anderen vier, und Freda verfolgte gebannt, wie die Hobbyköche Lammkotelett mit Granatapfelkernen oder Mintparfait mit weißer Schokolade zubereiteten. Je überzeugter ein Kandidat von seinen Kochkünsten war, desto lieber sah Freda dabei zu, wie ihm seine Speisen missglückten oder die anderen Kandidaten nach dem Essen vernichtende Urteile abgaben. Interessanterweise gab es einen direkten Zusammenhang zwischen dem Stil, der in den Wohnungen herrschte, und dem der servierten Gerichte. Menschen mit Kunstleder-Couchgarnituren und falschen Perserteppichen kochten gerne Paprikagulasch oder Tortellini mit Käsesoße. Kandidaten mit einer hellen, zweckmäßigen IKEA-Einrichtung servierten gern Thunfisch-Carpaccio und selbst gemachte italienische Bandnudeln. Am interessantesten kochten diejenigen, die in großen, fast leeren Räumen lebten, mit Wänden, die gelblich oder rötlich verputzt waren, und mit Möbeln, die auch in einem Ferienhaus am Meer stehen könnten. Sie kochten gern Scampi mit Zitronengras-Sesam-Dressing und argentinisches Rinderfilet mit Mango-Feigen-Chutney.

Als die Sendung zu Ende war, trug Freda ihren Teller in die Küche, wusch ihn ab und wollte ihn aufräumen. Dabei fiel ihr Blick auf eine Nachricht von Josy, die in der Tür des Geschirrschranks klemmte. Sie nahm den Zettel in die Hand und las.

Liebe Mama, ich weiß, dass du total sauer auf mich sein wirst, aber ich habe mich entschlossen, das Praktikum zu machen. Bitte versteh, dass ich endlich meine eigenen Entscheidungen treffen muss. Mach dir keine Sorgen, ich melde mich aus Berlin. In Liebe, deine Josy.

Sie starrte auf das Papier. Josy war also tatsächlich mit diesem Schnösel nach Berlin gegangen! Und sie, die fürsorgliche Supermutter, hatte es nicht geschafft, das zu verhindern.

Im Gegenteil, vermutlich hatte sie durch ihre Ablehnung Josy regelrecht in diese Dummheit hineingetrieben.

Ihr Herz beschleunigte, kalter Schweiß trat auf ihre Stirn. Oh, nein, jetzt bitte keinen der üblichen Anfälle! Sie versuchte, bewusst langsam und tief zu atmen, das beklemmende Gefühl in der Brust wegzuatmen. Sie dachte an die vielen Male, in denen ihre Angst sich in Luft aufgelöst und sie sich hinterher furchtbar geschämt hatte, so außer Fassung geraten zu sein. Nur langsam beruhigte sie sich.

Später konnte sie nicht einschlafen. Nachdem sie sich anderthalb Stunden herumgewälzt hatte, stand sie wieder auf, holte sich ein Glas Mineralwasser aus der Küche und setzte sich an den Computer. Um sich abzulenken, surfte sie ein wenig herum. Amazon, eBay, Wetter.

Sie las ein paar der Nachrichten, die ihr Internet-Anbieter für bedeutend genug hielt, sie der Welt mitzuteilen. *Dieser Sommer hat seinen Namen nicht verdient – Kälterekord im Juli erwartet.* Als würde irgendein Sommer in Deutschland seinen Namen verdienen. *Vernachlässigt Britney Spears ihre Kinder?* Davon war auszugehen. *Politiker besser als ihr Ruf.* Das war allerdings eine Überraschung. Freda las die Meldung, in der es hieß, dass die Abgeordneten weniger Sitzungen schwänzten, als das Wahlvolk vermutete: Nicht fünfzig Prozent, sondern nur ungefähr dreißig. Wenn das kein Grund zum Jubeln war.

Sie verließ das Nachrichtenportal und gab »Stars and Events« ein. Sofort stieß sie auf die Website der Agentur. Es war eine höchst professionell gestaltete Seite mit zahlreichen Links zu hochkarätigen Events, bei denen die Firma mitgewirkt hatte. Die Büros in München, Berlin und Los Angeles wurden einzeln vorgestellt, die Firmenphilosophie formuliert, mit Begriffen wie *Ereignischarakter, persönliche Verantwortung* und *internationale Vernetzung* operiert. Das Impressum bestand aus der Adresse einer weiteren Agentur, die nicht identisch war mit einer der drei angegebenen Adressen auf der Visitenkarte, aber das war nichts Ungewöhnliches. Firmen ließen sich ihre Websites meistens von professionellen Anbietern gestalten. Alles machte einen seriösen Eindruck. Vielleicht hatte sie Cornelius nur deshalb spontan unsympathisch gefunden, weil er Josy nach Berlin locken wollte. Weil sie ihre Tochter, gegen alle Vernunft und bessere Einsicht, in der Nähe haben und kontrollieren wollte. Kein Wunder, dass sie abgehauen war.

Josy lag im Bett ihres Apartments und starrte in die Dunkelheit. Die ungewohnte Umgebung, das Alleinsein, der verwirrende Tag – all das hielt sie wach.

Schon der Shopping-Bummel war ihr erschienen wie eine Szene aus »Pretty Woman«, nur dass die Rolle von Richard Gere mit Sandra besetzt gewesen war. Sie hatten in Läden eingekauft, die Josy nicht mal betreten hätte, weil schon das einfachste T-Shirt so viel kostete, wie sie normalerweise für ein komplettes Outfit ausgab. Sandra hatte ihr ein Teil nach dem anderen in die Umkleidekabinen gebracht, lauter Sachen, die sie sich niemals selbst ausgesucht hätte, aber mit wachsendem Vergnügen anprobierte. Sie sah sich selbst dabei zu, wie sie eine andere wurde, wie sich das brave Mädchen mit Jeans und Turnschuhen in eine verführerische junge Frau verwandelte. Die Sachen, die Sandra aussuchte, waren sexy, sie betonten Josys Figur und gaben ihr ein Gefühl von Stärke, das sie vorher nicht gekannt hatte. Am Ende des Nachmittags hatten sie über tausend Euro ausgegeben, eine Summe, die Josy schwindelig machte.

»Das kann ich Cornelius doch niemals zurückzahlen«, sagte sie.

»Mach dir keine Sorgen«, beruhigte Sandra sie, und wieder fragte Josy nicht, wie sie so viel Geld verdienen sollte.

Abends trafen sie Cornelius, Jana und Karina. Josy trug eins ihrer neuen Outfits, Sandra hatte sie geschminkt und ihr das Haar hochgesteckt. Cornelius pfiff bei ihrem Anblick anerkennend durch die Zähne, und zum ersten Mal spürte Josy etwas, das über sein bisheriges professionelles Interesse hinauszugehen schien.

Zuerst gingen sie gemeinsam essen, danach in einen Nachtclub, wo sie eine Menge anderer Leute trafen, bis Josy den Überblick darüber verlor, wer alles zu ihrer Gruppe gehörte. Cornelius stellte ihr ständig irgendjemanden vor, Musiker, Filmleute, Werbeleute, alle schienen irgendwie bedeutend zu sein, und Josy fühlte sich so leicht und frei und eigenartig glücklich wie noch nie.

Einer der Filmfritzen, ein ungefähr vierzigjähriger Typ mit längerem, schon etwas schütter werdendem Haar und unangenehm weichen Händen, verfolgte sie den ganzen Abend, spendierte ihr Drinks, legte den Arm um sie und zog sie an sich, bis sie sich ihm energisch entwand und alleine auf die Tanzfläche ging. Noch nie hatte sie sich getraut, alleine zu tanzen, den Blicken aller ausgesetzt, aber heute Abend fühlte sie sich, als könnte sie ihre bisherige Identität aufgeben und eine neue annehmen, ganz nach ihren Wünschen. Diese neue Josy war mutig, selbstbewusst und cool, sie ließ sich von niemandem etwas sagen. Sie war erwachsen.

Irgendwann waren die anderen Mädchen verschwunden, Josy hatte nicht mitbekommen, dass sie gegangen waren. Cornelius saß nur noch mit einer Handvoll Leuten zusammen, darunter dem Filmfritzen. Sie hatte keine Lust, sich wieder von ihm betatschen zu lassen, deshalb kehrte sie nicht an den Tisch zurück, sondern ging, ohne sich zu verabschieden.

Sie sah auf die Uhr. Es war halb zwei. Mist! Sie hatte vergessen, sich bei ihrer Mutter zu melden. Sie wählte Fredas Handynummer. Wenn sie schlief, wäre es ausgeschaltet und sie könnte einfach auf die Mailbox sprechen. Zu ihrer Überraschung meldete sich Fredas müde Stimme.

»Hallo, Mama. Ich wollte dir nur sagen, dass ich gut angekommen bin.«

»Josy«, sagte Freda. »Es ist schon spät.«

»Tut mir leid, ich hab's nicht früher geschafft. Hab ich dich geweckt?«

»Ist schon gut. Wie geht's dir?«

»Mir geht's gut, Mama. Bist du ... sauer auf mich?«

Es dauerte einen Moment, bis Freda antwortete. »Sauer ist vielleicht nicht das richtige Wort. Eher ... enttäuscht. Ich dachte, wir könnten über alles reden. Stattdessen haust du einfach ab.«

»Du hast gesagt, du findest das Praktikum scheiße, also worüber hätten wir reden sollen?«

»Lass uns nicht streiten. Du musst selbst wissen, was du tust.«

»Du klingst schon wieder so vorwurfsvoll. Warum vertraust du mir nicht einfach?«

Freda seufzte. »Es bist nicht du, der ich nicht vertraue. Es ist ...« Sie brach ab.

»Du vertraust dem Leben nicht, Mama«, sagte Josy, »aber dafür kann ich nichts. Das ist dein Problem, und ich will nicht, dass es zu meinem wird.«

»Du hast ja Recht, Liebes«, sagte Freda. »Pass auf dich auf.«

»Du auch, Mama«, sagte Josy und legte auf.

In der Post war ein dicker Briefumschlag. Freda riss ihn auf, es waren die Fotos, die Krummbaur ihr angekündigt hatte. Sie griff hinein, zog die Abzüge heraus und legte sie mit der Bildseite nach unten. Dann setzte sie sich hin und holte tief Luft. Sie nahm das erste Bild und drehte es um.

Das Foto zeigte sie und Josy vor etwas mehr als zwei Jahren, auf ihrem traditionellen Spaziergang am Ostersonntag. Alex war hinter ihnen gegangen, er hatte ihre Namen gerufen, und sie hatten sich gleichzeitig umgedreht. In diesem Moment hatte er auf den Auslöser gedrückt.

Auch einige der folgenden Bilder waren von diesem Tag. Nach dem Spaziergang hatten sie sich mit einem alten Schulfreund von Alex und dessen Frau zum Essen getroffen, Josy hatte sie am Tisch im Restaurant in verschiedenen Konstellationen aufgenommen. Der Anblick von Alex, der fröhlich in die Kamera lachte, versetzte Freda einen schmerzhaften Stich. Es schien unvorstellbar, dass er tot sein sollte.

Die nächsten Fotos waren einige Zeit später entstanden, an Josys sechzehntem Geburtstag. Sie zeigten sie morgens beim Auspacken der Geschenke und beim Frühstück, verstrubbelt und mit verschlafenem Gesicht. Freda hatte jedes Jahr an Josys Geburtstag Bilder von ihr gemacht. Ihr fiel auf, dass sie es dieses Jahr vergessen hatte. Ausgerechnet an Josys Achtzehntem.

Danach kamen drei Aufnahmen, die fast völlig schwarz waren, nur in der Mitte war eine rötliche Lichtquelle zu erkennen. Irgendeines von Josys fotografischen Experimenten, die sie damals gerne gemacht hatte.

Die restlichen Bilder waren im Biergarten am Chinesischen Turm aufgenommen worden. Alex saß mit einer Gruppe von Leuten um einen Tisch, vor ihnen Maßkrüge und Brotzeitteller. Es waren Kameraden aus dem Alpenverein, mit denen er viele seiner Bergtouren gemacht hatte. Nur an dem verhängnisvollen Tag war er allein unterwegs gewesen.

Auch die Frau, die neben Alex saß, kam ihr bekannt vor. Das war doch ... Marie! Die Kollegin aus der Buchhandlung, in der sie vor Josys Geburt gearbeitet hatte und mit der sie befreundet gewesen war. Sie war es, die ihr das Horoskop für Josy geschenkt hatte. Bald darauf hatte sie gekündigt und war nach Koblenz gezogen. Anfangs hatten sie noch Kontakt gehalten, aber allmählich war er eingeschlafen. Seit mindestens fünfzehn Jahren hatte Freda nichts mehr von Marie gehört. Wie war es möglich, dass sie auf diesem Foto war?

Freda drehte das letzte Bild um. Auf dem hatte Alex den Arm um Marie gelegt, und sie lehnte ihren Kopf an seine Schulter. Beide lächelten in die Kamera.

Freda nahm die Karte, die den Fotos beigelegt war. *Bitte rufen Sie mich an. Gruß, Krummbaur.*

Mechanisch griff sie nach dem Telefon und wählte Krummbaurs Nummer.

»Hier ist Freda März.«

»Danke, dass Sie sich melden. Ich wollte wissen, ob Ihnen bei den Fotos irgendetwas aufgefallen ist, das im Zusammenhang mit dem Verschwinden Ihres Mannes stehen könnte.«

Freda überlegte. »Nein«, sagte sie schließlich. »Es sind ja nur Familienfotos, und die Leute im Biergarten sind Freunde aus dem Alpenverein. Sonst ist mir nichts aufgefallen.« Dass Marie auf diesen Fotos war, konnte höchstens für sie von Bedeutung sein. Für die Polizei würde es keine Rolle spielen.

»Ich frage mich, warum er auf der Bergtour die Kamera dabei hatte, aber keine Bilder gemacht hat. Auf so einer Tour gibt's doch tolle Motive.«

»Er hat eigentlich nur Menschen fotografiert, keine Berge oder Sehenswürdigkeiten«, sagte Freda.

»Könnte es denn sein«, fragte Herr Krummbaur, »dass Ihr Mann ursprünglich in Begleitung auf seine Tour gehen wollte? Und dann hat es aus irgendeinem Grund nicht geklappt und er ist allein gegangen? Das könnte eine Erklärung dafür sein, dass er die Kamera dabeihatte.«

»Ich habe keine Ahnung«, sagte Freda. »Von seinen Freunden aus dem Alpenverein hat keiner etwas erwähnt, die haben mich ja damals alle angerufen und wollten wissen, ob sie etwas für mich tun könnten.«

»Dann bedanke ich mich herzlich. Auf Wiederhören, Frau März.«

Freda legte auf und dachte nach. Hatte Alex etwa vorgehabt, mit Marie auf die Tour zu gehen? Warum war sie dann nicht dabei gewesen? Oder war sie doch dabei gewesen? Vielleicht könnte sie von ihr etwas über Alex' Verschwinden erfahren?

Sie war wie elektrisiert. Natürlich hätte sie Krummbaur ihre Überlegungen mitteilen müssen, aber etwas hielt sie zurück. Sie wollte selbst herausfinden, welche Rolle ihre alte Freundin spielte. Seit wann hatten sie und Alex überhaupt wieder Kontakt miteinander gehabt? Und welche Art von Beziehung war zwischen ihnen gewesen? Sie musste unbedingt mit Marie sprechen.

In ihrem alten Adressbuch suchte sie die Nummer in Koblenz heraus. Eine Männerstimme meldete sich.

»Mein Name ist März«, sagte Freda, »ich bin auf der Suche nach Marie Stegner.«

»Kenne ich nicht«, sagte die Stimme.

»Bitte, legen Sie nicht auf«, bat Freda. »Das war mal die Nummer von Frau Stegner, vielleicht war sie ja Ihre Vormieterin?«

»Kann sein. Weiß ich nichts von.«

»Vielleicht könnten Sie mir sagen, wie Ihre Hausverwaltung heißt, dann kann ich da mal nachfragen.«

Der Mann sagte: »Firma Kutscher und Co.« Dann legte er auf.

Sie rief die Auskunft an und ließ sich die Nummer der Hausverwaltung Kutscher und Co. in Koblenz geben. Auch dort wusste man nichts über den Verbleib von Marie.

Unruhig ging Freda durch die Wohnung und überlegte. Sie fuhr ihren Computer hoch und gab den Namen Marie Stegner bei Google ein. Sie stieß auf den Bericht über eine Preisverleihung, bei der sowohl die Schauspielerin Marie Bäumer wie das Fotomodell Julia Stegner im Publikum gesichtet worden waren. Sonst ergab die Suche nichts, sie fand keinen Hinweis auf die Frau, die sie suchte.

Einer plötzlichen Eingebung folgend, ergänzte sie Maries Namen durch den Begriff »esoterisch«, das war es doch, was sie mit ihrer früheren Freundin assoziierte. Sie kam auf die

Seite einer »Esoterischen Buchhandlung« in Schwabing. Inhaberin: Marie Freiberger.

Könnte natürlich irgendeine Frau namens Marie sein. Könnte aber ebenso gut sein, dass Marie Stegner in der Zwischenzeit geheiratet hatte und nach München zurückgekehrt war.

5

Cornelius war schlecht gelaunt. Er begrüßte Josy ohne ein Lächeln, fragte unwirsch, was ihr eingefallen sei, sich am Abend zuvor einfach aus dem Staub zu machen.

»Tut mir leid, aber dieser Filmtyp war so aufdringlich.«

»Das ist kein Grund, einfach abzuhauen. Du warst gestern nicht zu deinem Vergnügen da, das war Teil deines Jobs.«

»Vielleicht musst du mir mal genauer erklären, worin dieser Job eigentlich besteht«, schlug Josy vor.

»Das habe ich doch schon in München getan«, sagte er ungeduldig. »Es geht darum, Kunden zu betreuen, und zwar so, dass sie zufrieden sind.«

»Das waren gestern Kunden von dir?«, fragte Josy überrascht. »Ich dachte, es wären Bekannte.«

»Sag mal, wie naiv bist du eigentlich?«

Mit nichts konnte man Josy mehr verletzen als mit dem Vorwurf, naiv zu sein. Sie presste die Lippen zusammen. »Du hast gesagt, mein erster Kunde wäre Matt Damon.«

»Das ist der erste Prominente, aber der kommt in zwei Wochen. Und was machst du bis dahin?«

»Keine Ahnung.«

»Bis dahin kümmerst du dich um andere Kunden, ist doch klar. Und tagsüber gibt es hier im Büro einiges zu tun. Sandra wird dir deine Aufgaben zuteilen.«

»Ist gut«, sagte Josy und stand auf. An der Tür drehte sie sich nochmal um. »Bitte, sei nicht sauer!«

»Schon okay«, sagte er mit der Andeutung eines Lächelns. Erleichtert verließ Josy sein Büro.

Freda verzichtete auf die Massage bei Stavros und fuhr zu der Adresse, die auf der Website der Esoterischen Buchhandlung angegeben war. Ein paarmal war sie schon hier vorbeigefahren, da sie sich aber nicht für Esoterik interessierte und den Laden nicht als Konkurrenz empfand, bei dem sich Spionage lohnen würde, hatte sie ihn noch nie betreten.

Nun drückte sie die Tür auf, ein helles Glockenspiel ertönte. Der Laden war leer, aber von einem zarten Duft erfüllt. In einem Glas schwammen Aromakerzen.

Freda sah sich um. Bücher über Tarot, I Ging und andere Orakel-Methoden, über Bachblüten-Therapie, Feng Shui, Meditation und Rückführung. Biografien indischer Gurus, eine Anleitung zum Umgang mit Engeln, ein Ratgeber zur Abwehr negativer Energien. Unglaublich, dachte Freda, womit Menschen sich so beschäftigen.

Aus einem Hinterzimmer, das mit einem Glasperlenvorhang vom Verkaufsraum getrennt war, kam eine junge Frau hereingeschwebt. Sie hatte lange rote Locken und trug ein weißes indisches Gewand. Über ihre Handrücken und Unterarme schlängelten sich kunstvolle Henna-Tattoos.

»Kann ich Ihnen helfen?« Die zarte Stimme passte zu der elfengleichen Erscheinung.

»Guten Tag. Ich suche Frau Freiberger.«

»Die ist nur an drei Tagen hier. Morgen wieder. Und am Samstag.«

Freda überlegte. »Da muss ich leider selbst arbeiten. Könnten Sie mir eine Telefonnummer geben, unter der ich sie erreiche?«

»Um was geht es denn?« Nun klang die Elfe so förmlich wie jede Mitarbeiterin, die ihre Chefin vor lästigen Besuchern schützen will.

»Wir kennen uns von früher. Ich habe gehört, dass sie wieder in der Stadt ist und wollte gern Kontakt mit ihr aufnehmen«, sagte Freda, obwohl sie nicht die geringste Ahnung hatte, ob Marie Freiberger diejenige war, nach der sie suchte.

Zögernd, nachdem sie Freda einer längeren, kritischen Musterung unterzogen hatte, schrieb die Elfe zwei Nummern auf einen Zettel.

»Diese hier ist zu Hause, das ist die Handynummer.«

Freda bedankte sich und verließ den Laden, das Glöckchen spielte seinen Abschiedsgruß.

In der Toreinfahrt nebenan blieb sie stehen und wählte die Handynummer.

»Freiberger.«

Freda nahm einen tiefen Atemzug. »Hier ist Freda. Spreche ich mit Marie Stegner?«

Am anderen Ende blieb es einen Moment zu lange still. Dann sagte die Stimme: »Falsch verbunden.« Und Freda wusste, dass sie Marie gefunden hatte.

Erst am nächsten Tag, während der Mittagspause, fand sie den Mut, es noch einmal zu versuchen. Diesmal wählte sie die Nummer des Ladens.

»Esoterische Buchhandlung, Freiberger.«

»Ich weiß, dass du es bist, Marie«, sagte Freda, »leg nicht auf, bitte.«

Wieder war es still. Dann sagte die Stimme: »Was willst du?«

»Können wir uns treffen?«

»Warum?«

»Ich könnte sagen, weil wir mal befreundet waren. Weil ich dir erzählen will, ob das Horoskop, das du mir zu Josys Geburt geschenkt hast, zutreffend ist. Aber du weißt, dass das nicht stimmt.«

Marie seufzte. »Wie hast du mich gefunden?«

»Das erzähle ich dir dann. Heute Abend? Im Café Freiheit?«

»So schnell finde ich keinen Babysitter.«

»Ich kann auch zu dir nach Hause kommen«, schlug Freda vor.

Marie zögerte. »Eigentlich ... lieber nicht.«

»Mein Gott, Marie, sei nicht albern! Wir sind erwachsene Menschen.«

Marie lachte nervös auf. »Na gut, dann komm vorbei. Aber bitte erst nach acht, dann schläft mein Sohn.« Sie nannte ihre Adresse, zwei Querstraßen von der Esoterischen Buchhandlung entfernt.

Nachdem Freda den Aus-Knopf gedrückt hatte, bemerkte sie, dass ihr Herz heftig schlug.

Um kurz nach acht klingelte sie bei Marie. Die Wohnung lag im dritten Stock, ohne Aufzug. Marie wartete an der Tür. Sie wirkte nahezu unverändert; die gleiche Figur, die gleiche Frisur. Erst als sie nähertrat, bemerkte Freda die feinen Fältchen um ihre Augen und in den Mundwinkeln, die man auf den Fotos nicht hatte sehen können.

Verlegen gaben sie sich die Hand.

»Komm rein«, sagte Marie, und Freda folgte ihr den Flur entlang in die Küche, in der ein anheimelndes Durcheinander herrschte. An den Wänden hölzerne Regale voller Lebensmittel und Gewürze, dazwischen Körbe, bemalte Dosen, Vorratsgläser. In der Spüle ein paar Töpfe und Teller, obwohl es eine Spülmaschine gab. An einem viereckigen Holztisch standen drei Stühle und ein Kinderhochstuhl, darauf ein benutztes Lätzchen und ein Schnuller.

»Gemütlich«, sagte Freda und lächelte.

»Chaotisch, meinst du wohl. Ich habe es nicht mehr geschafft, aufzuräumen.« Marie rückte ihr einen Stuhl zurecht, schenkte zwei Gläser Weißwein ein und stellte Wassergläser dazu, dann setzte sie sich Freda gegenüber.

»Also, wie hast du mich gefunden?«

»Übers Internet. War ganz einfach.«

Marie nickte. »Ach so. Und ... wie geht's dir?«, fragte sie und sah ihr direkt in die Augen. »Du musst eine schlimme Zeit hinter dir haben.«

»Du weißt also, was passiert ist«, sagte Freda.

Marie nickte. »Natürlich.«

Freda zog die Fotos aus ihrer Tasche und legte sie auf den Tisch. Marie nahm sie in die Hand und betrachtete sie eingehend.

»Warum zeigst du mir die gerade jetzt?«

»Man hat seinen Rucksack mit der Kamera gefunden«, sagte Freda.

»Und jetzt möchtest du natürlich wissen, warum ich auf diesen Fotos bin.«

»Erraten.«

»Das Problem ist«, begann Marie nach einem tiefen Atemzug, »dass du mir vermutlich nicht glauben wirst, egal, was ich dir sage. Weil du längst zu wissen glaubst, was zwischen Alex und mir war.«

»Ich glaube gar nichts«, sagte Freda, »obwohl die Fotos natürlich gewisse Schlüsse nahelegen. Oder eigentlich weniger die Fotos selbst als die Tatsache, dass ich nichts von eurem Kontakt wusste. Wie seid ihr euch überhaupt wieder begegnet?«

Marie lehnte sich zurück, ihr Blick verlor sich in der Ferne. »Ich war gerade nach München zurückgekehrt, hatte meinen Laden aber schon eröffnet, da kam er eines Tages rein. Er hat mich zuerst gar nicht erkannt, hat sich nur nach einem Buch erkundigt.«

»Er wollte ein Buch kaufen?«, fragte Freda erstaunt. »Ich meine, er war mit einer Buchhändlerin verheiratet, warum hat er nicht mich gebeten, es zu bestellen?«

»Es war ein Buch über Buddhismus. Vielleicht wollte er nicht, dass du davon erfährst.«

»Aber warum denn nicht?« Freda konnte ihre Verwirrung nicht mehr verbergen.

»Er war in einer Art ... Lebenskrise«, versuchte Marie zu erklären. »Er war gerade vierzig geworden, er hasste seinen Beruf, er war auf der Suche nach Antworten.«

»Lebenskrise? Antworten? Wieso weißt du davon und ich nicht? Und was heißt, er hasste seinen Beruf? Davon hat er nie ein Wort gesagt!«

Freda kam es plötzlich so vor, als sprächen sie von jemandem, den sie gar nicht kannte. Wie war es möglich, dass Marie angeblich über Dinge Bescheid wusste, von denen sie nicht einmal etwas geahnt hatte? Alex hatte als Entwicklungsingenieur bei einem großen Unternehmen gearbeitet. Sein Job war gut bezahlt und nicht besonders stressig gewesen, und soweit Freda sich erinnerte, hatte er sich nie beklagt. Nur eine zunehmende Skepsis gegenüber der unkritischen Fortschrittsgläubigkeit der Gesellschaft hatte sie bei ihm gespürt. Immer wieder hatte er gefragt, ob es gut sei, alles zu realisieren, was technisch machbar ist. Freda erinnerte sich, wie er einmal sagte: »Brauchen wir Schafe mit zwei Köpfen, nur weil es möglich wäre, sie herzustellen? Brauchen wir all die technischen Spielerein, die ganzen neuen Geräte?« Josy hatte gesagt, dass sie auf Schafe mit zwei Köpfen gut verzichten könne, nicht aber auf ihr Handy und ihren iPod. Er hatte gelächelt und ihr mit der Hand durch die Haare gewuschelt, was Josy gehasst hatte.

Marie riss Freda aus ihren Gedanken. »Wir sind an diesem Nachmittag ins Gespräch gekommen«, erzählte sie weiter. »Ich habe ihm in Erinnerung gerufen, wer ich bin, und von da an kam er ein-, zweimal die Woche vorbei. Manchmal hat er ein Buch gekauft, manchmal haben wir uns nur unterhalten.«

»Das war alles?«

»Nicht ganz«, sagte Marie. »Du weißt ja, ich habe mich immer schon mit alternativen Heilmethoden beschäftigt. Alex hatte verschiedene Beschwerden, Magenschmerzen und Rückenprobleme – alles psychosomatisch, wenn du mich fragst. Ich habe dann eine Aromatherapie mit ihm gemacht und ihm Reiki gegeben.«

»Das ist doch so was wie Handauflegen?«, fragte Freda misstrauisch. »Wo habt ihr das denn gemacht?«

Marie drehte den Kopf und sah sich um. »Hier. Also, genauer gesagt auf dem Boden im Wohnzimmer.«

Freda machte mit den Lippen ein Geräusch, das klang, als entweiche die Luft aus einem Fahrradschlauch. Alex, ihr kopfgesteuerter, jeglichem Eso-Kram völlig abholder Mann, hatte heilende Aromen eingeatmet und sich auf dem Boden liegend irgendwelchen Hokuspokus gefallen lassen? Niemals, dachte Freda.

»Sag mir die Wahrheit«, bat sie, »hattet ihr was miteinander?«

Marie verschränkte abwehrend die Arme und drückte ihren Rücken an die Stuhllene.

»Du willst das Ganze auf die simple Frage reduzieren, ob wir gevögelt haben? Als ginge es darum! Als gäbe es nichts Wichtigeres zwischen zwei Menschen als Sex!«

»Was war es sonst«, fragte Freda, »Liebe vielleicht?« Es hatte harscher geklungen, als sie beabsichtigt hatte.

Marie sah Freda mit einer Mischung aus Herablassung und Nachsicht an. »Wenn ich dich so höre«, sagte sie mit aufreizend sanfter Stimme, »wundert es mich nicht, dass Alex das Bedürfnis hatte, mit einem Menschen zu kommunizieren, der ihm andere Räume eröffnen konnte. Offenbar hast du ihn damals überhaupt nicht verstanden, und da hat er sich eben anderswo Unterstützung geholt. Ich habe versucht, ihm zu helfen, ich habe die Nähe zugelassen, die er brauchte. Willst du mir daraus einen Vorwurf machen?«

Bevor Freda zu einer Antwort ansetzen konnte, ertönte ein kläglicher Schrei und das Getrappel kleiner Füße auf dem Flur. Im nächsten Augenblick stand ein ungefähr anderthalbjähriger weinender Junge im Pyjama in der Küche. Marie nahm ihn hoch und drückte ihn an sich, machte beruhigende Laute und bedeutete Freda mit den Augen, dass sie den Kleinen ins Bett zurückbringen würde.

Aufgewühlt blieb Freda sitzen und versuchte, ihre Gedanken zu ordnen. Konnte es sein, dass Alex und sie sich so voneinander entfernt hatten? Dass sie nichts von seinen Problemen bemerkt hatte? Dass er die Nähe einer anderen Frau gesucht und sich sogar auf eine Affäre eingelassen hatte?

Es schien ihr schwer vorstellbar. Sie war sicher gewesen, dass zwischen Alex und ihr alles in Ordnung war. Sie hatten reden können, er hatte nicht zu den Männern gehört, die sich nicht mitteilen wollten. Manchmal ging ihr seine Offenheit sogar zu weit, es konnte schmerzhaft sein, wenn er seine Meinung sagte. Aber nichts Wichtiges war unausgesprochen geblieben zwischen ihnen, dafür hätte sie ihre Hand ins Feuer gelegt. Deshalb traf es sie völlig unerwartet, dass Alex offenbar ein Stück seines Lebens nicht mit ihr geteilt, ihr gewisse Erfahrungen vorenthalten hatte.

Das Weinen des kleinen Jungen wurde immer leiser und hörte schließlich auf. Nach ein paar Minuten kam Marie auf Zehenspitzen in die Küche zurückgeschlichen.

»Er ist so ein sensibler kleiner Mann«, sagte sie, »er spürt sogar im Schlaf, wenn schlechte Energien um ihn sind.«

Freda ging nicht auf die Bemerkung ein und beugte sich zu Marie. »Weißt du, warum Alex allein zu seiner Tour aufgebrochen ist? Ich meine, es kam manchmal vor, dass er alleine ging, aber viel lieber war er in Gesellschaft.«

Marie hob die Schultern. »Eigentlich sollte ich mitgehen. Aber dann hatten wir ... nun ja, eine Meinungsverschiedenheit.«

»Ihr habt gestritten?«

»Nenn es, wie du willst. Jedenfalls habe ich einen Tag vorher beschlossen, nicht mitzugehen, und Alex brach dann alleine auf. Ich wunderte mich, dass er während der folgenden Tage nicht bei mir auftauchte und auch nicht anrief. Dann las ich die Meldung in der Zeitung ...« Sie brach ab und senkte den Blick. Nach einer Pause fuhr sie fort: »Was glaubst du, wie furchtbar ich mich gefühlt habe! Die ganze Zeit dachte ich, vielleicht würde er noch leben, wenn ich mitgegangen wäre.«

Freda saß zusammengesunken auf ihrem Stuhl und schwieg. Dann sagte sie mit rauer Stimme: »Danke, dass du es mir erzählt hast.« Sie stand auf.

Marie erhob sich ebenfalls und begleitete sie zur Tür. Dort blieben sie stehen, sahen sich schweigend an und drückten sich förmlich die Hand.

Langsam ging Freda die Treppe hinunter, Stufe für Stufe. Ein Gefühl der Erschöpfung überfiel sie, wie man es empfindet, wenn man eine lange Wegstrecke zurückgelegt hat.

Josy erwachte mit einem bitteren Geschmack im Mund und heftigen Schmerzen im Hinterkopf und am Rücken. Sie war nackt, und da sie halb aufgedeckt im Bett lag, fror sie.

Nur langsam erinnerte sie sich, wo sie sich befand (in ihrem Apartment in Berlin), wo sie die Nacht zuvor verbracht hatte (auf der Party eines Filmproduzenten, in einer riesigen, protzigen Villa in Potsdam) und was dort geschehen war (die Erinnerung daran war merkwürdig verschwommen, was vermutlich mit dem Inhalt der Drinks zusammenhing, die sie konsumiert hatte). Sie schloss die Augen wieder und hoffte, nochmal einschlafen zu können, aber ihre volle Blase zwang sie, aufzustehen und ins Bad zu gehen. Nachdem sie gepinkelt hatte, putzte sie sich die Zähne. Dann wagte sie einen Blick in den Spiegel und erschrak. Sie sah aus wie ein Gespenst. Bleiche Haut, die Haare wirr, die Augen verquollen und schwarz umrandet, sie hatte sich nicht abgeschminkt.

Zurück an ihrem Bett fiel ihr Blick auf den Nachttisch. Dort lagen drei Zweihunderteuroscheine, ordentlich nebeneinander aufgereiht.

Ein ungutes Gefühl beschlich sie, die Lücken in ihrer Erinnerung schienen sich bedrohlich auszudehnen. Angestrengt versuchte sie, sich die Ereignisse der Nacht ins Gedächtnis zu rufen, und manches fiel ihr wieder ein: Der schmierige Filmfritze vom ersten Abend war wieder da gewesen und hatte sie belagert. Die ganze Zeit hatte sie Cornelius' Blick auf sich gespürt und sich nicht getraut, den Kerl abblitzen zu lassen. Also war sie höflich zu ihm gewesen, hatte aber versucht, ihn sich vom Leib zu halten.

Irgendwann war dann alles ineinandergeflossen, die Gesichter, die Lichter, die Musik, alles war zu einem großen Wirbel geworden, in dessen Mitte sie sich befunden hatte, klein und willenlos.

Trotz aller Anstrengung konnte sie sich nicht erinnern, wie sie in ihr Apartment gekommen war. Aber sie war nicht alleine gewesen, daran erinnerte sie sich. Jemand hatte sie halb geschoben, halb getragen, sie war aufs Bett gefallen, etwas Schweres war auf sie gesunken, danach war ihr Bewusstsein weggedriftet, nur bruchstückhaft hatte sie wahrgenommen, wie dieser Jemand ihren Körper benutzt, sich an ihm befriedigt hatte. Ihr Rücken war schmerzhaft gegen das hölzerne Bettgestell gestoßen worden, immer und immer wieder.

Sie tastete mit der Hand nach der Stelle und spürte, dass die Haut aufgeschürft war. Jeder Knochen in ihrem Körper schien wehzutun. Josy nahm die Geldscheine in die Hand und befühlte sie. Das also hatte Cornelius mit »leistungsabhängiger Bezahlung« gemeint. Insgeheim hatte sie geahnt, welcher Art diese Leistungen sein könnten, hatte es aber nicht wahrhaben wollen.

Eine Welle der Übelkeit trieb sie ins Bad, sie erbrach sich über der Toilette, bis sie glaubte, ihre Eingeweide stülpten sich aus ihr heraus.

Zitternd wankte sie zurück ins Schlafzimmer und ließ sich aufs Bett fallen. In ihrem Kopf rasten die Gedanken. Schwanger konnte sie nicht werden, seit ihrem ersten Mal mit Zino vor einem Jahr nahm sie die Pille. Aber es gab schließlich AIDS. Beunruhigt suchte Josy die Umgebung des Bettes ab – und wurde zu ihrer großen Erleichterung fündig. Der Typ hatte also nichts riskieren wollen.

Josy erinnerte sich nicht mal an seinen Namen. Nur daran, wie widerlich sie ihn gefunden hatte. Mit spitzen Fingern nahm sie das Kondom und spülte es im Klo weg. Wieder wurde ihr schlecht, aber es war nichts mehr in ihr, was sie hätte von sich geben können. Als ihr Magen sich einigermaßen beruhigt hatte, ging sie in die Küche und kochte sich einen Tee, dann duschte sie und packte ihre Sachen. Alles, was sie mit Sandra eingekauft hatte, legte sie auf einen Stuhl. Sie rief die Auskunft an und ließ sich die Nummer des Flughafens geben. Für hundertzehn Euro bekam sie einen Flug nach München. Außerdem brauchte sie Geld für ein Taxi, für ein Frühstück und für die S-Bahn in München. Sie steckte einen der Zweihunderteuroscheine ein, die beiden anderen legte sie oben auf den Kleiderstapel. Beim Verlassen des Hauses warf sie den Wohnungsschlüssel in Janas Briefkasten.

Im Flugzeug lehnte Josy ihren Kopf an die seitliche Verkleidung und schlief sofort ein. Erst bei der Landung wachte sie wieder auf. Noch immer fühlte sich ihr Kopf bleischwer an, eine eiserne Hand schien ihren Nacken zu umklammern. Was hatten diese Kerle ihr bloß in die Drinks getan? Wenn sie nur an den vorigen Abend dachte, wurde ihr übel. Sie versuchte, sich abzulenken.

Was würde Freda zu ihrer unerwarteten Rückkehr sagen? Insgeheim würde sie wahrscheinlich triumphieren; schließlich war sie von Anfang an dagegen gewesen. Und leider hatte sie mit ihrer Einschätzung von Cornelius Recht behalten. Aber niemals dürfte ihre Mutter erfahren, was gestern Nacht vorgefallen war. Im Geiste sah Josy Freda mit einer Pumpgun vor Cornelius hintreten und ihn kaltblütig erschießen; eine Vorstellung, die ihr nicht mal sonderlich missfiel.

Am Gepäckband musste sie nur kurz warten, nahm ihren Trolley und ging zur S-Bahn, die schon dastand. Müde ließ sie sich auf einen Sitz fallen, steckte sich die iPod-Stöpsel in die Ohren und schloss die Augen. Am liebsten hätte sie gleich wieder geschlafen, schon um den Ekel nicht zu spüren, der sie immer wieder überkam.

Sie merkte, wie jemand über ihre ausgestreckten Beine stieg und sich ihr gegenüber hinsetzte. Widerwillig öffnete sie die Augen. Ein junger Typ mit südamerikanischen Zügen und dunklem, glattem Haar blickte sie freundlich an. Josy richtete sich ein Stück auf. Wo hatte sie dieses Gesicht schon mal gesehen?

Auch der Typ sah so aus, als überlegte er. Er sagte etwas zu ihr, Josy konnte ihn nicht hören. Sie zog die Ohrstöpsel raus. »Was hast du gesagt?«

Er lächelte. »Dass du mir irgendwie bekannt vorkommst.«

Sie musterte ihn. »Du mir auch, aber ich weiß nicht, woher.«

Er kniff die Augen zusammen. »Warst du mal in der ›Cantina Mexicana‹?«

Josy schüttelte den Kopf. »Nein, noch nie.«

»Studierst du?«

»Nein. Bis vor kurzem habe ich gejobbt.«

»Und wo?«

Josy nannte den Namen der Bekleidungskette.

Er nickte. »Da war ich neulich. Hab ein Sweatshirt gekauft, und einen Gürtel.«

In diesem Moment fiel es Josy ein. »Du bist der Typ, der seine Fünfzigeuroscheine selbst druckt, stimmt's?«

»Genau! Und du hast es sofort gemerkt.« Er grinste spitzbübisch. »Luis«, sagte er und streckte die Hand aus.

»Josy.« Sie erwiderte seinen Händedruck. Einen Moment herrschte verlegenes Schweigen, dann fragte er: »Und, woher kommst du gerade?«

»Aus Berlin. Ich hatte ... geschäftlich zu tun. Und du?«

»Ich habe einen Freund zum Flughafen gebracht.«

Nach kurzer Pause fragte er: »Gefällt dir dein Job?«

»Ich hab aufgehört, es war einfach zu übel. Die Mitarbeiter werden ausgebeutet, die Kunden verarscht, und die Ware ist Schrott.«

Er zog eine Grimasse. »Stimmt, bei meinem Sweatshirt ist schon die Naht aufgegangen.«

Einen Moment zögerte Josy, dann fragte sie: »Woher stammst du eigentlich?«

»Aus München«, sagte er und amüsierte sich über ihre Verlegenheit. »Aber mein Vater ist Mexikaner.«

»Und ... wo bist du aufgewachsen?«

»Hier. Aber nachdem meine Eltern sich getrennt haben, war ich in den Ferien oft in Mexiko. Mein Vater lebt wieder dort.«

»Das war sicher schlimm für dich, dass er so weit weg war«, sagte Josy mitfühlend.

Luis zuckte die Schultern. »Für meinen kleinen Bruder war es schlimmer, der kennt unseren Vater kaum.«

Josy kaute stumm auf ihrer Oberlippe herum. Sie würde ihren Vater nie wiedersehen. In manchen Momenten traf sie diese Erkenntnis wie ein Schlag ins Gesicht.

Luis beugte sich näher. »Geht's dir nicht gut? Du siehst ganz blass aus.«

Josy riss sich zusammen und versuchte zu lächeln. »Ist schon okay. Hab ein bisschen viel getrunken und ein bisschen wenig geschlafen.«

»Hast du denn schon einen neuen Job?«, fragte Luis.

Sie schüttelte den Kopf. »Bisher nicht. Ich hab keine Ahnung, was mir Spaß machen würde. Und ich hab kein Abi, da kann man eh das meiste vergessen.«

»So ein Schmarrn, man kann auch ohne Abi eine Menge erreichen. Man muss nur wollen.«

Sie zuckte die Schultern. »Vielleicht liegt darin das Problem. Und was treibst du so?«

»Ich fahr bald wieder nach Mexiko und mache dort ein soziales Jahr. Mein Vater war Lehrer und hat in den letzten Jahren ein Kinderhilfsprojekt aufgebaut, dort werde ich arbeiten. Und dann will ich studieren. Internationale Beziehungen.«

»Was kann man denn damit anfangen?«

»Ich will in die Politik. Unsere Welt geht ja wohl total den Bach runter, da will ich meine Zeit nicht mit Firlefanz verschwenden.«

»Firlefanz?«

»Werbung, Mode, Film … was alle in unserem Alter wollen. Sie glauben, dass man in diesen Berufen eine coole Zeit hat und außerdem reich und berühmt wird. In Wahrheit werden die meisten von ihnen nie was anderes machen, als Kaffee kochen und Drehbücher kopieren.«

»Uuuh«, sagte Josy, »du klingst wie meine Mutter! Aber warum soll man sich den Arsch aufreißen, wenn man's einfacher haben kann?«

Luis zuckte die Schultern. »Das muss jeder selbst wissen. Ich reiß mir lieber den Arsch auf.«

Nachdenklich betrachtete Josy diesen Jungen, der ganz anders war als die Typen, die sie kannte. Plötzlich beneidete sie ihn. Er wusste genau, was er wollte und warum. Sie dagegen hatte nicht die geringste Ahnung, was aus ihr werden sollte. Nichts schien ihr spannend genug, um sich ein Leben lang damit zu beschäftigen. Bevor sie also eine falsche Entscheidung traf, traf sie lieber gar keine.

Die S-Bahn fuhr in den Ostbahnhof ein, Josy stand auf, hängte sich ihren Beutel um und griff nach dem Trolley. »Ich muss raus.«

»Schade«, sagte Luis. »Komm doch mal in der ›Cantina Mexicana‹ vorbei, da arbeite ich!«

»Mal sehen«, sagte Josy. »Mach's gut!« Sie warf ihm ein Lächeln zu und stieg aus.

Freda betrat die Wohnung und bemerkte sofort, dass Josy zurückgekommen war. Ihre Schuhe und ihr geöffneter Koffer lagen mitten im Flur. Von ihr selbst war nichts zu sehen.

»Josy?«, rief Freda. Keine Antwort. Sie sah in der Küche und im Wohnzimmer nach, öffnete schließlich die Tür zu Josys Zimmer. Es war abgedunkelt. Im Bett bewegte sich etwas, Josys Kopf erschien.

»Wieso bist du schon zurück?«, fragte Freda erschrocken. »Ist was passiert?«

Josy knipste die Nachttischlampe an. Ihre Haare waren zerwühlt, ihr Gesicht blass.

»Hallo, Mama«, sagte sie und ließ sich zurücksinken. »Ich hab nur ein bisschen geschlafen.«

»Ist was passiert?«, wiederholte Freda. »Geht's dir nicht gut?«

»Alles okay«, sagte Josy, und Freda hörte an ihrer Stimme, dass es nicht stimmte.

»Ich mache uns einen Tee«, sagte sie und ging in die Küche.

Sie war beunruhigt. Irgendetwas musste vorgefallen sein, schließlich brach Josy nicht ohne Grund nach wenigen Tagen ein Praktikum ab, das sechs Wochen hätte dauern sollen, wahrscheinlich sogar länger. War nicht die Rede von Los Angeles gewesen?

Nach ein paar Minuten tauchte Josy auf. Bei Tageslicht sah sie noch blasser aus.

Freda schenkte Tee ein und stellte einen Teller mit belegten Broten auf den Tisch. »Hunger?«, fragte sie. Josy zuckte die Schultern. Dann nahm sie ein Brot, biss hinein und kaute abwesend.

»Lief wohl nicht so toll?«, fragte Freda vorsichtig.

»Kann man so sagen«, murmelte Josy und biss erneut ab.

»Woran lag's denn?«

Josy legte das Brot zurück auf den Teller, trank einen Schluck Tee und sagte: »Ich will nicht darüber reden. Aber du kannst stolz auf dich sein, du hast mal wieder Recht gehabt.«

Josys Tonfall war so bitter, dass Freda erschrak. »Was meinst du damit? Hat dieser Cornelius ... hat er sich schlecht benommen?«

»Nicht nur der«, sagte Josy und behielt nur mühsam die Beherrschung. »Bitte zwing mich nicht, ins Detail zu gehen. Es war beschissen, du hast Recht gehabt, es ist vorbei und Schluss. Okay?«

Freda schlürfte ihren Tee. »Und ... was hast du jetzt vor?«

»Ich werd mir einen neuen Job suchen müssen. Ich hab ... ein paar Schulden.«

»Schulden? Wieso denn das?«

Josy knallte ihre Tasse so auf den Tisch, dass der Tee überschwappte.

»Jetzt hör auf, mich auszufragen, ja?«, rief sie, den Tränen nahe. »Ich hab dir gesagt, dass ich nicht darüber reden will!«

Sie sprang auf und lief in ihr Zimmer, Freda hörte, wie die Tür zuflog.

Ratlos blieb sie am Küchentisch sitzen, knetete ihre Hände und ahnte vage, was Josy ihr verschwieg.

Kein Gefühl der Genugtuung stellte sich ein, kein Triumph darüber, dass sie mit ihrer instinktiven Ablehnung richtig gelegen hatte. Im Gegenteil, sie wusste jetzt, dass sie sich zu Recht Sorgen um ihre Tochter machte.

Josy konnte manches noch nicht richtig einschätzen – wie sollte sie auch, es fehlte ihr ja an jeglicher Lebenserfahrung. Wenn sie sich nur etwas von Menschen sagen lassen würde, die schon mehr erlebt hatten.

Freda spülte die Tassen und Teller, wischte den Tisch ab und schaltete die Tagesschau ein. Während die erste Meldung lief, klingelte das Telefon.

»Guten Abend, Frau März«, sagte die Stimme von Johann Krummbaur. »Haben Sie einen Moment Zeit?«

6

Als Freda und Alex frisch verliebt waren, spielten sie manchmal das Spiel »Wer verlässt wen?« Dabei sagte Alex etwas wie: »Eines Tages wirst du mich verlassen, weil ich kein Karrieremann bin.« Und Freda antwortete: »Niemals!« Dann sagte sie: »Aber du wirst mich verlassen, weil ich nicht kochen kann«, worauf er im Brustton der Überzeugung sagte: »Niemals!« So ging es ein paarmal hin und her, bis einer von beiden statt »Niemals!« ein kokettes »Vielleicht?« in den Raum stellte, das den Vorwand für eine zärtliche Balgerei lieferte, die nicht selten im Bett endete. Beide wussten, dass es sich um die typische Selbstvergewisserung von Liebenden handelte, die sich ihrer Liebe versichern und gemeinsam deren Unvergänglichkeit beschwören.

Nie hatten sie in Erwägung gezogen, dass einer den anderen auf die grausamste und endgültigste Weise überhaupt verlassen könnte: indem er starb.

Freda ließ die Hand mit dem Telefon fallen. Dann legte sie es an seinen Platz zurück, ganz sachte, ohne ein Geräusch zu verursachen. Sie ging den Flur entlang, klopfte an Josys Zimmertür und öffnete sie. Josy lag auf dem Bett und blätterte in einer Zeitschrift. Sie sah hoch, bemerkte Fredas Gesichtsausdruck und fragte erschrocken: »Mama, was ist mit dir?«

Schweigend ging Freda zu ihr, setzte sich und zog Josy in ihre Arme.

»Papa«, murmelte sie. »Sie haben ihn gefunden.«

Sie fühlte, wie Josy erstarrte und für einen Moment den Atem anhielt. »Tot?«

»Ja«, sagte Freda. »Tot.«

Schweigend, einander umklammernd, blieben sie eine Weile sitzen. Dann löste sich Josy aus der Umarmung. »Ich brauch was zu trinken«, sagte sie mit belegter Stimme und ging in die Küche. Als Freda dazukam, hatte Josy zwei Gläser mit Grappa gefüllt und hielt ihrer Mutter eins hin. Sie setzten sich einander gegenüber an den Küchentisch und schwiegen. Es war keine Überraschung, und trotzdem ein seltsam fremdes Gefühl, denn das, was sie so lange befürchtet hatten, war nun zur Gewissheit geworden. Es war ein Schmerz und gleichzeitig ... Freda wagte kaum, es sich einzugestehen: Es war auch eine Erleichterung. Das grausame Spiel, das das Schicksal mit ihnen gespielt hatte, war vorüber.

Sie wollte weinen, konnte es nicht. Fühlte sich stumpf. Leer. Während der ganzen Zeit des Wartens und der Ungewissheit hatte sie sich vorgemacht, sie könnte Alex am Leben halten, wenn sie nur stark genug auf seine Rückkehr hoffte. Nun fühlte sie, dass die Spannung sich löste. Sie musste nicht mehr an das Unmögliche glauben, durfte aufhören zu hoffen.

»Weißt du, was ich dich immer schon mal fragen wollte ...?«, begann Josy zögernd.

»Was?«

»Warum habe ich eigentlich keine Geschwister?«

Freda schlug die Arme um ihre Schultern, als fröstelte sie. »Dein Vater wollte nicht. Er hatte Angst, dass seine Bewegungsfreiheit zu sehr eingeschränkt würde.« Schnell fügte sie hinzu: »Versteh das nicht falsch, du warst ein Wunschkind, er liebte dich abgöttisch. Aber er wollte keine weiteren Kinder, weil er frei sein wollte. In die Berge gehen, Radtouren machen, reisen. Mit mehreren Kindern wäre das zu beschwerlich geworden. Er hat dich ja von Anfang an mitgenommen und dir alles beigebracht, Fahrradfahren, Klettern, Skifahren. Er hat eine kleine Gefährtin in dir gesehen, mit der er all das machen wollte, falls ich irgendwann keine Lust mehr dazu haben würde.« Sie lachte kurz auf. »Leider hat er nicht bedacht, dass Kinder größer werden und sich von den Eltern abwenden. Er war gekränkt, als du in den letzten Jahren nicht mehr so viel mit ihm unternommen hast.«

»Ich weiß. Aber ich wollte eben lieber mit meinen Freunden zusammen sein. Das hätte er doch verstehen müssen.« Josy kaute nervös an der Nagelhaut ihres linken Zeigefingers.

»Hat er ja. Aber es fiel ihm schwer.«

»Und du?«, fragte Josy. »Hättest du gern mehr Kinder gehabt?«

Freda überlegte. »Ich war so glücklich mit dir. Ich konnte mir nicht vorstellen, ein zweites Kind ebenso zu lieben wie dich.« Noch während sie es aussprach, war ihr bewusst, dass sie log. Sie hatte sich sehnsüchtig ein zweites Kind gewünscht.

»Vielleicht wär's ganz gut für mich gewesen, kein Einzelkind zu sein.« Josy hatte ein Fetzchen Haut abgerissen, ihr Finger blutete. »Scheiße«, sagte sie und steckte ihn in den Mund.

»Kann gut sein«, räumte Freda ein.

Josy trank einen weiteren Schluck Grappa und drehte das Glas in den Händen.

»Hast du Papa geliebt? Ich meine, so richtig?«

»Warum fragst du das?«

»Einfach so. Verheiratet zu sein, bedeutet ja nicht automatisch, den anderen zu lieben, oder?«

»Ja, ich habe ihn geliebt. Sehr sogar.«

»Warst du ihm treu?«

»Ja.«

»Und er? War er dir treu?«

Freda schluckte und überlegte kurz. »Ich weiß es nicht. Ich hoffe es.« Sie bemerkte Josys fragenden Blick und bemühte sich um einen scherzhaften Ton. »Ganz sicher kann man nie sein, oder?«

Josy zuckte die Schultern. »Keine Ahnung. Damit habe ich keine Erfahrung. Ich wünsche mir nur, dass mein Vater keiner von diesen Fremdgängern war. Oder womöglich einer, der sich Frauen gekauft hat. Ich will, dass er ein anständiger Mensch war. Das ist wichtig für mich, verstehst du? Gerade jetzt, wo er tot ist.«

Freda beugte sich vor und streichelte Josys Wange. »Er war ein anständiger Mensch. Und du wirst viele wunderbare Erinnerungen an ihn behalten.«

Um Josys Mundwinkel zuckte es. Sie presste die Lippen zusammen und vergrub das Gesicht in den Händen.

»Ich will nicht, dass er tot ist!«, rief sie plötzlich verzweifelt aus: »Papa! Papa!« Aufschluchzend warf sie ihren Oberkörper auf den Tisch. Freda stürzte zu ihr, umfing sie mit beiden Armen und hielt sie fest.

Es waren nicht viele Menschen, die in der Kapelle des Nordfriedhofs zusammengekommen waren. Der frühere Chef und einige Kollegen von Alex, seine Freunde aus dem Alpenverein, zwei entfernte Vettern. Alex' Eltern waren beide schon tot, Geschwister hatte er nicht gehabt. Fredas Mutter hatte abgesagt; die lange Reise sei ihr aufgrund ihres schlechten Gesundheitszustandes zu anstrengend. Josy wurde von Naomi und Lara begleitet, und natürlich waren Tanja und Winni gekommen.

Der Zeremonie waren zermürbende bürokratische Formalitäten vorausgegangen, bis die polizeilichen Ermittlungen endlich eingestellt werden konnten. Die sterblichen Überreste von Alex waren noch nicht freigegeben, weil die Ergebnisse der Obduktion und des DNA-Tests noch fehlten. Trotzdem hatte Freda auf dieser Feier bestanden. Eine weitere Phase des Wartens hätte sie nicht ertragen. Irgendwann würde es dann noch eine Urnenbestattung geben.

Rund um ein großes, gerahmtes Porträt von Alex waren Kränze und Blumengestecke drapiert, in großen Leuchtern brannten Kerzen. Zwei Schwalben hatten sich in die Kapelle verirrt und flogen zwitschernd umher.

Nach der Traueransprache des Pfarrers hielt einer der Bergfreunde eine sehr schöne Rede, ergreifend und lustig zugleich. Er sprach von Alex' großer Fähigkeit zur Freundschaft, von seiner Verlässlichkeit und Aufrichtigkeit. Er erzählte aber auch davon, wie stur er sein konnte, wenn er sich etwas in den Kopf gesetzt hatte. So wie auf einer ihrer Bergtouren, wo er seinen Freunden verboten hatte, Campingkocher mitzunehmen, weil er unbedingt über einer offenen Feuerstelle kochen wollte. Leider war das Wetter auf der Tour neblig und regnerisch, und sie schafften es nicht ein einziges Mal, mit dem feuchten Holz ein Feuer zu entzünden. So mussten sie vier Tage lang kaltes Essen aus der Dose löffeln.

»Bei seiner letzten Tour war er entschlossen, alleine zu gehen, obwohl einige von uns ihn gerne begleitet hätten. Er sagte, er müsse in Ruhe nachdenken und sich über ein paar Dinge klarwerden, dabei könne er niemanden brauchen. Diesmal ist ihm seine Sturheit zum Verhängnis geworden. Leb wohl, Alex, wir werden dich vermissen.«

Musik setzte ein. »As tears go by«, gesungen von den Rolling Stones.

Als sie sich gerade kennengelernt hatten, waren Alex und Freda in einem Konzert der Stones gewesen. Beide wären am liebsten bei den ersten Takten aufgesprungen und hätten getanzt, beide trauten sich nicht, weil sie fürchteten, der andere könnte es lächerlich finden. So saßen sie den ganzen Abend verklemmt nebeneinander und wippten mit den Füßen. Jahre später, als die Stones wieder in der Stadt waren, kaufte Freda Karten fürs Konzert, und diesmal genierte sich keiner vor dem anderen. Wild und glücklich tanzten sie zu »Paint it black« und »I can't get no satisfaction«. Bei »As tears go by« nahm Alex Freda in den Arm und flüsterte: »Das spielen wir bei unserer goldenen Hochzeit, okay?«

Bei dieser Erinnerung wurde sie von verzweifelter Trauer erfasst und begann zu weinen. Auch anderswo im Raum wurde geschnieft und geschnäuzt. Josy, die Augen rotgeweint, hatte ihren Kopf an Naomis Schulter gelegt, ihre Freundinnen rahmten sie ein und hielten sie eng umschlungen.

Der Pfarrer sprach ein letztes Gebet, eine der Schwalben vollführte einen tollkühnen Sturzflug und setzte sich auf das Foto von Alex.

Beim Verlassen der Kapelle traf Freda auf Marie, die sich mit dem Buggy hinter der letzten Bankreihe aufgestellt hatte. Sie trug Schwarz und hatte ein schwarzes Chiffontuch über den Kinderwagen gelegt, das den Kopf des schlafenden Jungen verdeckte.

Freda drückte sie im Vorübergehen kurz an sich. »Wir treffen uns gleich am Chinesischen Turm. Du weißt ja, das war sein Lieblingsbiergarten. Wenn du möchtest, komm doch auch.«

Marie nickte zögernd. »Mal sehen. Danke jedenfalls.«

Die Trauergäste verteilten sich auf die Autos und fuhren die kurze Strecke zum Englischen Garten. Es war einer dieser traumhaften Sommertage, an denen glückliche Menschen noch glücklicher sind und traurige noch trauriger. An einem Tag, der das Leben an sich zu feiern schien, einen geliebten Menschen verabschieden zu müssen empfanden viele als doppelt ungerecht. Und doch half das Sonnenlicht, die Trauer aufzuhellen und die Erinnerungen heiter zu färben. Schon nach einer halben Stunde wurden am Tisch Anekdoten aus dem Leben des Verstorbenen erzählt, viele lachten, und es war, als wäre Alex mitten unter ihnen.

Einmal glaubte Freda, in der Menge der Biergartenbesucher eine schwarz gekleidete Frau mit einem Kinderwagen zu sehen. »Marie!«, rief sie und winkte, aber da war die Frau schon verschwunden.

Die quälende Ungewissheit war endlich vorbei. Das minderte nicht die Trauer, nicht das Gefühl der Einsamkeit, das Freda nach wie vor empfand. Aber der Schmerz war sanfter geworden, weniger bohrend.

Jetzt bin ich Witwe, dachte sie manchmal. Sie sah eine grau gewordene Frau in dunklen Kleidern ruhelos über einen Friedhof huschen, den Toten näher als den Lebenden. Nein, so wollte sie nicht werden. Das hätte auch Alex nicht gewollt. Sie wollte zurückkehren ins Leben.

Zehn Tage nach der Trauerfeier erhielt sie die Nachricht, dass Alex bestattet werden konnte. Die Obduktion hatte keinerlei Fremdeinwirkung ergeben, es war, wie alle vermutet hatten, ein Unfall gewesen. Ihr Mann musste beim Gipfelaufstieg an einer steilen Stelle den Halt verloren haben, vermutlich, weil sich ein Felsbrocken unter ihm gelöst hatte. Mindestens vierzig Meter war er in die Tiefe gestürzt und in einer unzugänglichen Felsspalte gelandet. Den Rucksack hatte er offenbar zuvor abgelegt, um ihn auf dem Rückweg wieder abzuholen. Nachdem einigermaßen klar war, in welcher Gegend man suchen musste, hatte einer der Männer beim Blick durch den Feldstecher ein winziges Stück blauen Stoff zwischen den Felsbrocken entdeckt – einen Zipfel von Alex' Windjacke.

Freda und Josy folgten dem Friedhofsangestellten, der die Urne mit der Asche vor ihnen her trug. Die Grabstelle war vorbereitet, der von Freda bestellte Stein stand bereit, ein passendes Loch war ausgehoben. Der Angestellte versenkte die Urne und bekreuzigte sich. Freda und Josy legten je eine Rose auf den Metallbehälter, fassten sich bei den Händen und blieben einige Zeit still stehen.

Wer den Tod fürchtet, hat das Leben verloren, hatte Freda in den Stein meißeln lassen. Das passte zu Alex, der sich die Freude am Leben nie durch Sorgen und Ängste hatte nehmen lassen. So hatte er zwar nicht so lange gelebt, war dabei aber auf wunderbare Weise unbeschwert gewesen.

Josy drückte kurz ihre Hand, als Zeichen, dass sie gehen wollte. Freda bedankte sich bei dem Angestellten, der sich diskret einige Meter entfernt hatte, und steckte ihm einen Zehneuroschein zu.

»Gibt man Totengräbern Trinkgeld?«, flüsterte Josy.

»Keine Ahnung.«

Sie gingen schweigend durch die Gräberreihen zum Ausgang. Am Tor wartete ein Mann.

»Mein herzliches Beileid, Frau März«, sagte Johann Krummbaur und nahm Fredas Hand in seine beiden Hände. Dann kondolierte er Josy.

»Vielen Dank«, sagte Freda überrascht, »wie nett von Ihnen, dass Sie gekommen sind!«

»Es war mir ein Bedürfnis. Ich habe Ihre Haltung in dieser schweren Zeit sehr bewundert.«

Freda neigte verlegen den Kopf. »Sie waren mir eine große Hilfe. Ohne Sie wäre es noch viel schlimmer gewesen. Danke für alles.«

Sie gaben sich zum Abschied noch einmal die Hand. Krummbaur bedachte sie mit einem tiefen Blick, schien etwas sagen zu wollen, drehte sich dann aber um und ging weg.

»Wer war das?«, wollte Josy wissen.

Freda überlegte einen Moment. »Du kennst doch diese Geschichten, in denen jemand eine schwere Prüfung durchmachen muss, einen Wald voller Ungeheuer oder eine Wüste ohne Wasser durchwandern. Und da gibt es jemanden, der dem Wanderer den Weg weist oder ihn vor dem Verdursten rettet. So jemand war das.«

Josy blickte verwundert, fragte aber nicht weiter nach.

In der »Cantina Mexicana« war noch nicht viel los, nur wenige Tische waren besetzt. Die meisten Gäste kamen erst später, ab zehn gab es Livemusik. Der junge Mann hinter der Theke begrüßte Josy mit Küssen auf beide Wangen und winkte Freda freundlich zu.

»Bist du öfter hier?«, fragte Freda und sah sich erstaunt um. Der Laden wirkte ziemlich alternativ, und Josy hatte sich bisher mehr für coole Bars begeistert.

»Hin und wieder«, sagte sie. »Ich mag die Leute und die Musik. Alles ist so fröhlich, nicht so aufgesetzt wie in den anderen Läden.«

Sie blätterten durch die abgewetzte Speisekarte und bestellten Bohnenpüree und Tortillas mit Salat.

»Du musst unbedingt ein Corona trinken«, sagte Josy, »mit Limette.« Sie zeigte ihrer Mutter, wie man die Limettenscheibe ausdrückt und anschließend durch den Flaschenhals schiebt.

Das Essen war scharf; Freda fand es köstlich. Zum Nachtisch bestellten sie heiße Schokolade, die ebenfalls scharf schmeckte. »Sie machen Chili rein«, sagte Josy, »schmeckt geil, oder?«

»Absolut geil«, bestätigte Freda und bestellte eine zweite Schokolade.

Vier Wochen waren seit der Trauerfeier für Alex vergangen, und Freda hatte den Eindruck, dass es Josy wieder besser ging. Ihre Tochter hatte sich gewünscht, noch einmal einige Stunden zu ihrem Therapeuten gehen zu dürfen, der sie nach Alex' Verschwinden behandelt hatte. Diese Gespräche hatten ihr offensichtlich gutgetan. Freda fragte sich, ob auch sie die Hilfe eines Therapeuten in Anspruch nehmen sollte, aber sie hatte kein Bedürfnis, sich jemandem mitzuteilen. Sie machte die Dinge lieber mit sich selbst ab. Obwohl das nicht immer einfach war. Manchmal fiel sie in tiefe, schwarze Löcher voller Traurigkeit. Aber die Abstände zwischen den Löchern wurden größer.

»Sag mal, Josy«, begann Freda vorsichtig, »könnten wir vielleicht doch noch einmal auf deine berufliche Zukunft zu sprechen kommen?«

Josy verzog unwillig das Gesicht. »Och, nicht schon wieder, Mama! Ich dachte, wir wollten einen netten Abend haben.«

»Und da darf man nicht über die Zukunft sprechen?«, fragte Freda.

»Lieber nicht. Wir streiten ja doch wieder.«

»Nur, wenn du irgendein komisches Praktikum machen willst statt was Vernünftiges«, sagte Freda und bemühte sich um einen scherzhaften Ton.

Josy grinste. »Und was vernünftig ist, entscheidest du, oder?«

Freda verkniff sich die Bemerkung, dass Josy sich eine Menge Unannehmlichkeiten erspart hätte, wenn sie beim letzten Mal auf sie gehört hätte. Spontan fragte sie: »Willst du mir nicht endlich erzählen, was in Berlin passiert ist?«

Josys Gesicht verschloss sich schlagartig. »Bitte frag mich nie mehr danach.«

»Okay, schon gut.« Freda hob beschwichtigend die Hände.

Sie sah sich um. Das Lokal hatte sich weiter mit jungen Leuten gefüllt, die sich angeregt unterhielten, zum Teil auf Spanisch. Sie blickte auf die Bühne, wo bereits die Instrumente der Band vorbereitet waren. »Welche Art Musik spielen sie hier?«

»Mariachi«, sagte Josy, »mexikanische Schnulzenmusik. Sehr lustig!«

»Wollen wir noch was trinken?«, fragte Freda. »Das Essen macht ganz schön durstig.«

Sie bestellten Mineralwasser. Der junge Mann, der hinter der Theke arbeitete, brachte eine große Flasche und zwei Gläser an ihren Tisch. Freda nahm an, dass er Mexikaner war, sein Gesicht wirkte leicht indianisch, sein Haar war tiefschwarz und glänzend. Hübscher Kerl, dachte sie.

»Das ist übrigens Luis«, sagte Josy, »und das ist meine Mutter.«

Luis gab Freda die Hand und ließ zwei Reihen makelloser Zähne sehen. »Schön, Sie kennenzulernen. Gefällt es Ihnen bei uns?«

»Sehr«, sagte Freda. »Das Essen war wunderbar.«

»Luis hat eine deutsche Mutter und einen mexikanischen Vater«, erklärte Josy, »demnächst geht er nach Mexiko und macht dort ein freiwilliges soziales Jahr bei einem Kinderhilfsprojekt. Sie betreuen dort Kinder aus armen Verhältnissen, sorgen dafür, dass sie zur Schule gehen und Hausaufgaben machen, dass sie regelmäßig was zu essen kriegen und so.«

»Wie interessant!«, sagte Freda. »Willst du dich nicht einen Moment zu uns setzen?«

»Würde ich gern«, sagte Luis bedauernd, »aber ich muss weiterarbeiten. Ich erzähle Ihnen gern ein anderes Mal davon. Schönen Abend noch!«

Er machte eine kleine Verbeugung und ging wieder an seinen Platz hinter der Theke.

»Netter Typ«, stellte Freda fest. »Tausendmal sympathischer als dieser ... Cornelius.«

Wieder verfinsterte sich Josys Miene. »Hör endlich auf. Als hätte ich nicht längst kapiert, dass ich eine Dummheit gemacht habe.«

»Weißt du eigentlich, was in dem Horoskop steht, das ich zu deiner Geburt bekommen habe?«, sagte Freda, um das Thema zu wechseln.

»Nein, keine Ahnung. Ich wusste nicht mal, dass du so was hast.«

»Darin steht, Zwillinge seien besonders begabt für den Beruf des Journalisten, Reiseleiters oder Lehrers. Kannst du damit was anfangen?«

Josy zuckte die Schultern. »Weiß nicht«, sagte sie. »Für diese Berufe muss man studieren.«

»Dann mach doch dein Abi«, sagte Freda eindringlich, »danach steht dir alles offen.«

»Ich weiß nicht, ob ich überhaupt Lust hätte, zu studieren, selbst wenn ich könnte. Vielleicht bin ich sowieso eher praktisch begabt.«

Freda sah zweifelnd vor sich hin. Eine besondere praktische Begabung hatte sie an ihrer Tochter bisher nicht ausgemacht. Weder konnte Josy nähen noch besonders gut malen, sie kochte nicht gern und konnte auch mit Werkzeug nicht umgehen. Was für eine praktische Tätigkeit stellte sie sich also vor?

»Ich habe ab Montag für eine Woche einen Job auf der Sportmesse«, erklärte Josy, »von dem Geld kann ich meine Schulden zurückzahlen, und es bleibt sogar noch was übrig. Danach gehe ich die Sache ernsthaft an, okay?«

»Dann hätte ich eine Idee«, sagte Freda. »Ich kenne eine Frau, die junge Leute bei solchen Fragen berät, ganz individuell und persönlich. Sie ist eine Kundin von mir. Wie wär's, wenn du mal mit ihr reden würdest?«

Josy zuckte die Schultern. »Wenn du glaubst, dass es was bringt.«

»Das hängt ganz von dir ab«, sagte Freda, »aber einen Versuch ist es wert.«

»Okay«, sagte Josy wenig überzeugt.

»Versprochen?«

»Versprochen.«

Acht ältere Mexikaner in schwarzen, mit Silber und Borduren geschmückten Anzügen und Sombreros auf dem Kopf betraten die Bühne.

»Die sehen ja toll aus«, sagte Freda bewundernd, »wie aus dem letzten Jahrhundert.«

»So ähnlich sahen früher die reichen Hacienderos in Mexiko aus«, erklärte Josy, »die sogenannten Charros. Schau mal die coolen Cowboystiefel, die sie dazu tragen, die sind ganz typisch!«

»Du kennst dich ja richtig aus«, stellte Freda erstaunt fest.

Die Musiker nahmen ihre Instrumente in die Hand, Trompeten, Gitarren, Geigen und zwei weitere Saiteninstrumente, die Freda nicht kannte. Der Sänger begrüßte das Publikum, erzählte von den Ursprüngen der Mariachi-Tradition, den vielen regionalen Stilen und Einflüssen, aus denen die Musik sich zusammensetzt. Dann holte er ein junges Paar zu sich auf die Bühne, das sich vor der Band aufstellen sollte.

»La Chiapaneca«, kündigte der Sänger an, und die Musiker legten los. Mitreißende Gitarrenklänge verbanden sich mit dem Schmachten der Geigen und dem wehmütigen Klang der Trompeten. Nach einem Solo des Sängers wurde der Gesang beim Refrain mehrstimmig, die Musiker bewegten sich nach allen Regeln der Mariachi-Kunst um das junge Pärchen herum. Zur großen Erheiterung des Publikums wanden die beiden sich zuerst verlegen, aber bald konnte niemand mehr sich dem Sog der Musik entziehen. Schließlich sangen auch Freda und Josy bei »Paloma negra«, »Mexico lindo y querido« oder »Las Golondrinas« inbrünstig mit.

Studien- und Berufsberatung Irmelin Krüger, las Josy und drückte ergeben auf den Klingelknopf. Sie hatte den Termin nur ausgemacht, um ihrer Mutter einen Gefallen zu tun. Natürlich glaubte sie nicht, dass ein solches Beratungsgespräch irgendetwas nutzen würde.

Frau Krüger war eine ungefähr sechzigjährige quirlige Frau mit einem Dutt, die ihre Lesebrille auf der vordersten Nasenspitze balancierte. Sie bat Josy in ihr Büro und wies mit der Hand auf einen Stuhl. Sie selbst setzte sich ihr gegenüber und blickte sie mit freundlichem Interesse an. »So, mein Kind, was kann ich für dich tun?«

Die altmodische Anrede amüsierte Josy, obwohl sie fand, dass sie mit achtzehn kein Kind mehr war und eigentlich hätte gesiezt werden müssen.

»Das weiß ich nicht so genau«, sagte sie, »meine Mutter hat mich hergeschickt.«

»Tust du immer, was deine Mutter sagt?«

»Na ja ... nein, eigentlich nicht«, erwiderte Josy verunsichert.

»Du willst also selbst etwas erfahren, sonst wärst du nicht hier«, stellte Frau Krüger fest. »Welchen Schulabschluss hast du?«

»Keinen. Ich habe die Schule in der Zwölften abgebrochen.«

Frau Krüger begann, sich Notizen zu machen.

»Gibt es dafür einen besonderen Grund?«

»Mein Vater ... Ein Unfall. Irgendwie hab ich das nicht gepackt.«

Ein Blick streifte sie, Josy glaubte, einen Hauch Mitgefühl darin zu spüren. Gleich darauf senkte Frau Krüger den Blick wieder auf ihre Notizen.

Geduldig erkundigte sie sich nach Josys bevorzugten Freizeitaktivitäten, nach Hobbys, handwerklichen und sportlichen Vorlieben. Sie fragte, ob Josy in der Schule gut in Englisch und Spanisch gewesen sei, ob es ihr leichtfalle, Texte zu behalten, ob sie sich Gesichter merken und die Einrichtung eines Raumes beschreiben könne. Sie bat Josy, ihr auszumalen, wie ihr Leben in zehn und zwanzig Jahren aussehen könnte, und fragte, ob sie Farben sehe, wenn sie Musik höre.

Obwohl Josy nicht verstand, wofür das Ganze gut sein sollte, machte es ihr Spaß, die Fragen zu beantworten. Über vieles hatte sie sich selbst noch nie Gedanken gemacht, es war interessant, sich mal damit zu beschäftigen.

Nach ungefähr einer Stunde zog Frau Krüger eine Schublade auf, entnahm ihr einige Papiere und schob sie Josy zu.

»Das ist ein kleiner Test. Wir wollen feststellen, wo deine Schwächen und Stärken liegen. Nimm es ganz spielerisch, es kommt nicht darauf an, dass du alles perfekt machst.«

Zögernd zog Josy die Blätter zu sich heran, nahm einen Kugelschreiber und begann zu lesen. Es waren Fragen aus verschiedenen Bereichen, Mathe, Physik, Biologie, Literatur, Soziologie und Kunst, alle ungefähr auf dem Niveau der letzten Klassenarbeiten, die sie noch mitgeschrieben hatte. Sie sollten im Multiple-Choice-Verfahren beantwortet werden. Schon der Anblick der vier Lösungsmöglichkeiten a), b), c) oder d) unter jeder Frage trieb Josy den Schweiß auf die Stirn.

Sie sprang kreuz und quer durch den Test, beantwortete, was sie zu wissen glaubte, wurde immer unsicherer und konnte bald die einfachsten Fragen nicht mehr verstehen. Nach wenigen Minuten schob sie die Blätter von sich, sprang von ihrem Stuhl auf und lief aus dem Büro. Sie schloss sich in der Damentoilette ein und setzte sich auf den Klodeckel. Ihr Herz raste, ihr war schwindelig.

Frau Krüger war ihr gefolgt und klopfte an die Tür.

»Geht es dir nicht gut? Brauchst du Hilfe?«

»Schon okay«, sagte Josy, heftig atmend, »nur einen Moment.«

Als sie sich beruhigt hatte, ging sie zurück ins Büro.

»Es tut mir leid, ich kann das nicht«, sagte sie. »Es ist ... ich weiß auch nicht ... ich will alles gut machen, und plötzlich begreife ich nichts mehr, nicht mal die einfachsten Fragen ...«

»Schon gut«, sagte die Beraterin beruhigend, »ich hab schon verstanden.«

Josy bedankte sich und ließ sich zur Tür begleiten. Sie fühlte sich, als wäre sie im letzten Moment aus einem Raubtiergehege entkommen.

Irmelin Krüger blieb einen Moment an der Tür stehen und blickte ihr nach. Dann ging sie zurück in ihr Büro und rief Freda an.

Mit einem Glas Rotwein in der Hand verfolgte Freda »Körners Küche«, eine der vielen Promi-Kochsendungen. Sechs prominente Köche wuselten um einen riesigen Küchenblock mit mehreren Kochstellen herum, redeten alle durcheinander und standen sich ständig im Weg. Wie bei diesem Chaos essbare Gerichte entstehen konnten, war für Freda ein Rätsel, aber das waren eben Profis. Die ließen sich von nichts und niemandem aus der Ruhe bringen, nicht mal von den knallharten Kommentaren ihrer Kollegen.

»Hirschfilet im Blätterteigmantel mit Cranberrysoße und Steinpilzsemmelknödeln«, murmelte Freda andächtig. Niemals würde sie etwas so Wunderbares zustande bringen; gerade war sie wieder an der Zubereitung eines simplen Steaks gescheitert, das nach dem Braten hart und trocken in der Pfanne lag.

»Gelobt seien die Hersteller von Fertiggerichten«, sagte sie und biss in ihre aufgebackene Tiefkühlpizza. Dann nahm sie einen kräftigen Schluck Wein.

»Führst du Selbstgespräche?«, hörte sie Josys Stimme hinter sich und fuhr herum.

»Du bist schon da?«, fragte sie erstaunt. Heute war Josys letzter Tag auf der Messe gewesen, und der Chef der Firma hatte alle Mädchen, die am Stand gearbeitet hatten, zum Essen eingeladen.

»Ich bin nicht mitgegangen, ich war einfach zu fertig«, sagte Josy und ließ sich aufs Sofa fallen. »Fünf Tage Messe hauen den stärksten Mann um. Krieg ich 'nen Schluck?« Ohne Fredas Antwort abzuwarten, nippte Josy an ihrem Glas.

Sie blickte zum Fernseher, bemerkte aber offensichtlich nicht, was dort zu sehen war. Abwesend spielte sie mit einer Haarsträhne und schien über irgendetwas nachzugrübeln.

Freda nahm die Fernbedienung und drückte den Ton weg. »Ist irgendwas?« Fragend sah sie ihre Tochter an. Schon länger suchte sie nach einer Gelegenheit, mit ihr über den

Anruf von Irmelin Krüger zu reden, doch in den letzten Tagen hatte es sich einfach nicht ergeben. Vielleicht war ja nun der richtige Moment?

Josy zog die Knie hoch und umschlang sie mit den Armen, das ganze zierliche Persönchen bildete eine uneinnehmbare Festung. Sie holte Luft und sah ihre Mutter ernst an. »Ich muss dir was sagen, Mama.«

Ihr Ton ließ Freda aufhorchen. »Oh, mein Gott! Bist du etwa schwanger?«

Josy musste lachen. »Nein. Auch nicht drogensüchtig. Und eine Bank habe ich auch nicht ausgeraubt.«

»Na, dann kann's ja so schlimm nicht sein«, sagte Freda.

»Du hast doch gesagt, dass du Luis nett findest.«

»Wen?«

»Na, Luis, den Jungen aus der ›Cantina Mexicana‹. Jedenfalls ... ich gehe mit ihm nach Mexiko.«

»Nach Me...«, Fredas Stimme versagte, sie schluckte trocken. »Nach Mexiko?«

»Ich hab dir doch erzählt, dass er dort bei einem Kinderhilfsprojekt arbeiten will. Ich habe mich auch angemeldet. Viele Jugendliche machen dort ein soziales Jahr.«

Freda nickte langsam. »Das ist ja schön, aber ... warum du?«

»Ich brauche Zeit, um rauszufinden, was ich wirklich will. Bis dahin will ich mich nicht von einem blöden Job zum nächsten hangeln, sondern was Sinnvolles machen.«

»Und warum ausgerechnet in Mexiko?«

Josy zuckte die Schultern. »Hat sich eben so ergeben, weil ich Luis kennengelernt habe.«

»Bist du in ihn verliebt?«

Sie lachte. »Nein, er ist nur ein Freund.«

»Es gibt auch hier benachteiligte Kinder«, sagte Freda energisch, »warum engagierst du dich nicht im Hasenbergl oder in Neuperlach? Ich kenne da jemanden, der könnte dir sofort was besorgen.«

Josy schlang die Arme noch enger um sich. »Mein Gott, Mama«, sagte sie, »ich bin jung, ich will was von der Welt sehen, zufällig kann ich ein bisschen Spanisch, warum soll ich denn nicht nach Mexiko?«

»Und wenn du einen Vietnamesen kennengelernt hättest, wärst du nach Vietnam gegangen? Und wenn's ein Inder gewesen wäre, nach Indien? Du kannst doch nicht einfach irgendwohin gehen, nur weil du zufällig einen Jungen triffst, der von dort kommt.«

»Warum denn nicht? Das ganze Leben ist voller Zufälle, und manchmal ergibt sich genau daraus was Gutes. Willst du denn, dass ich den Rest meines Lebens hier rumhänge, nur damit ich in deiner Nähe bin?«

Freda biss sich auf die Lippen. Darum ging es ihr doch gar nicht. Sondern um die Frage, was sinnvoll für Josys Zukunft war.

»Warum unterstellst du mir immer, ich würde aus egoistischen Motiven handeln?«, sagte sie verletzt. »Es geht mir allein um dich, um dein Lebensglück.«

Josy machte eine ungeduldige Handbewegung. »Mama, um mein Lebensglück kümmere ich mich schon selbst. Kümmere du dich um deines.«

Freda verschluckte eine heftige Entgegnung. Es brachte jetzt nichts, einen Streit anzufangen. Nach einer längeren Pause fragte sie betont ruhig: »Wann willst du denn los?«

»In drei Wochen. Ich hab schon den Flug gebucht und die ganzen Papiere beantragt.«

»In drei Wochen?«, wiederholte Freda. »So bald schon?«

»Ja, so bald schon«, sagte Josy entschieden.

Freda kam ein Einfall. »Mit welchem Geld willst du eigentlich die Reise und deinen Aufenthalt bezahlen? Verdienen wirst du ja wohl nicht viel.«

»Das Kindergeldkonto, das ihr für mich angelegt habt«, sagte Josy, »seit meiner Volljährigkeit gehört das Geld mir.«

»Aber das ist für deine Ausbildung!«, protestierte Freda.

»Das ist ja wie eine Ausbildung«, sagte Josy, »da lerne ich sicher eine Menge.«

Freda hatte das Gefühl, die Situation würde ihr entgleiten. Offenbar hatte Josy alles bereits geplant und organisiert und stellte sie nun vor vollendete Tatsachen. Ihre Meinung war hier nicht mehr gefragt.

»Luis fliegt etwas früher und besucht Verwandte in Mexico City«, fuhr Josy fort. »Ich treffe ihn dort, und dann fahren wir mit dem Bus weiter nach Oaxaca.«

»Oaxaca«, sagte Freda und überlegte, »da habe ich doch was gelesen. Hat es da nicht vor kurzem Unruhen gegeben? Demonstrationen und sogar eine Schießerei?«

»Kann sein«, sagte Josy ungerührt. »Das kommt halt vor, wenn die Leute so arm sind.«

»Und jetzt kommst du und rettest die Armen höchstpersönlich aus ihrem Elend«, sagte Freda mit bitterem Spott.

Einen Moment sah es so aus, als wollte Josy das Gespräch gekränkt abbrechen. Dann schmiegte sie sich an ihre Mutter. »Ich weiß, dass es schwer für dich ist, Mama. Aber ich muss es tun, verstehst du? Ich muss einfach!«

Nun hielt Freda nur noch mühsam die Tränen zurück. »Ich versteh dich ja, Josy, aber es ist einfach nicht der richtige Moment. Das ... mit Papa liegt so kurz zurück, wir brauchen uns doch jetzt gegenseitig. Warum gerade jetzt?«

»Immer ist gerade jetzt«, sagte Josy. »Für dich gibt es keinen richtigen Moment.«

Freda antwortete nicht. Sie hatte sich abgewandt und das Gesicht in den Händen vergraben.

Josy lehnte den Kopf an ihre Schulter. »Trau mir doch einmal etwas zu.«

Aufschluchzend drehte Freda sich zu ihr und zog sie in ihre Arme. In ihrem Kopf hämmerten die Worte, die Irmelin Krüger am Telefon zu ihr gesagt hatte:

Ihre Tochter hat durch die Erschütterung über den Verlust des Vaters das Vertrauen in sich verloren. Bevor sie ihre berufliche Zukunft in Angriff nehmen kann, muss sie dieses Vertrauen wiederfinden. Geben Sie ihr die Chance dazu.

Die Wochen bis zu Josys geplanter Abreise waren angefüllt mit Vorbereitungen, und die Zeit verging einerseits rasend schnell, andererseits mit quälender Langsamkeit. Am liebsten hätte Freda ihr Kind keine Sekunde mehr aus den Augen gelassen, es ununterbrochen festgehalten und an sich gedrückt. Gleichzeitig sehnte sie den Moment herbei, in dem der qualvolle Countdown endlich vorüber und Josy abgereist wäre.

Nachts schlief sie kaum, immer und immer wieder malte sie sich den Augenblick aus, in dem sie sich von ihrer Tochter würde trennen müssen. Die letzte Umarmung, den letzten Kuss, den letzten Blick, alles in der nüchternen Atmosphäre des Flughafens, wo sie nicht einmal unbeobachtet weinen könnte.

Wie in Trance absolvierte sie die Stunden in der Buchhandlung, ansonsten beobachtete sie staunend, mit welcher Energie Josy ihre Reisevorbereitungen traf. Ihre unorganisierte Tochter, die ständig etwas vergaß oder verlor und ohne Mamas Hilfe bisher kaum ihren Alltag bewältigt hatte, wusste plötzlich, welche Papiere für ihren Aufenthalt notwendig waren, besorgte Medikamente, Kleidung und Geschenke für die Kinder, tauschte sich per Telefon und Internet mit Leuten aus, die in Mexiko gewesen waren, holte sich Tipps und Empfehlungen. Insgeheim hoffte sie, dieser Aktionismus wäre ein Zeichen dafür, dass Josy in Wirklichkeit furchtbare Angst hatte und im Grunde gar nicht fahren wollte. Wider alle Vernunft klammerte sie sich an den Gedanken, dass sie es sich vielleicht im letzten Moment noch anders überlegen würde. Aber Josys Entschluss geriet nicht einen Moment ins Wanken.

Als wenige Tage vor dem Abflug noch immer ein wichtiges Dokument fehlte, versuchte Freda, sie wenigstens zu einer Verschiebung zu überreden.

»Du hast das viel zu sehr überstürzt, du solltest den Flug umbuchen und dir nochmal zwei, drei Wochen Zeit nehmen.«

»Hör auf, Mama«, sagte Josy, »das bringt doch nichts. Hilf mir lieber, damit ich alles rechtzeitig schaffe.«

Schweren Herzens fügte Freda sich ins Unvermeidliche und nahm Josy einige dringende Besorgungen ab. Wenn sie schon nicht verhindern konnte, dass ihre Tochter so weit wegging, sollte sie wenigstens so gut wie möglich vorbereitet sein.

Zwei Tage vor Abflug traf endlich auch das Gesundheitszeugnis ein, ohne das Josy ihren Dienst im Kinderhilfszentrum nicht hätte antreten können. Nun war alles Notwendige zusammen.

Der Morgen des Abfluges. Während Josy eincheckte, kaufte Freda ihr ein paar Süßigkeiten und Zeitschriften, dann setzten sie sich in ein Bistro, um einen letzten Kaffee zusammen zu trinken. Josy war blass und ungewöhnlich schweigsam.

Plötzlich hatte Freda ein schlechtes Gewissen, weil sie ihre Tochter während der letzten Wochen so sehr hatte spüren lassen, wie schwer ihr der Abschied fiel.

Sie nahm Josys Hand und drückte sie aufmunternd. »Du schaffst es. Ich vertraue dir. Du bist doch mein großes Mädchen.« Sie spürten beide, dass diese Worte wie eine Beschwörung klangen, mit der Freda ihre Ängste bannen wollte.

»Was würde Papa davon halten?«, fragte Josy unvermittelt und sah auf.

Freda zwang sich zu einem Lächeln. »Papa wäre stolz auf dich. Und ich bin es auch.« Sie sah auf die Uhr. »Du musst los.«

Sie standen auf und gingen Arm in Arm Richtung Sicherheitsschleuse. Ihre Schritte wurden immer langsamer, als wollten beide den Moment des Abschieds noch ein wenig hinauszögern.

In diesem Moment ertönte lautes Johlen, Lara und Naomi kamen quer durch die Halle auf sie zugelaufen und erreichten sie außer Atem. »Die Scheiß-S-Bahn hatte Verspätung!«

Sie fielen Josy in die Arme, und schon heulten alle drei. Freda stand plötzlich abseits, als gehörte sie nicht dazu. Der

Anblick der weinenden Mädchen trieb auch ihr die Tränen in die Augen. *Du reißt dich zusammen! Du weinst auf keinen Fall!,* befahl sie sich selbst. Sie sah zu, wie die Freundinnen ihre Tochter immer wieder umarmten und küssten, sich kaum von ihr lösen konnten. Endlich traten sie ein wenig zur Seite. Eine merkwürdige Verlegenheit entstand. Dann küsste Freda Josy fast förmlich auf beide Wangen, drückte sie kurz an sich und sagte: »Mach's gut, meine Große. Ich liebe dich.«

»Mach's gut, Mama«, sagte Josy mit gepresster Stimme, »ich liebe dich auch.« Dann drehte sie sich abrupt um, legte ihren Rucksack auf das Band und ging durch die Schleuse, ohne sich umzudrehen. Freda und die Mädchen sahen ihr nach. Erst, als sie ihren Rucksack wieder vom Band genommen hatte, wandte Josy sich nochmal kurz um, winkte ihnen zu und ging davon.

7

Josy hastete durch die Gänge des Frankfurter Flughafens. Sie war mit Verspätung aus München angekommen, weil die Maschine zunächst keine Starterlaubnis erhalten hatte. Von Minute zu Minute war sie nervöser geworden, das Gefühl, nichts tun zu können, außer zu warten, hatte sie halb verrückt gemacht. Nach der Landung in Frankfurt hatte es nochmal zwanzig Minuten gedauert, bis die Passagiere das Flugzeug verlassen und mit dem Bus das Flughafengebäude erreicht hatten. Nun blieben ihr noch fünfunddreißig Minuten bis zum Anschlussflug. Hoffentlich war das ausreichend, um das Gepäck umzuladen. Die Vorstellung, ohne ihre Sachen in einer fremden Stadt, auf einem anderen Kontinent anzukommen, ängstigte sie.

Mexico City! Die größte Stadt der Welt, deren Einwohnerzahl irgendwo zwischen 23 und 26 Millionen lag, niemand wusste das genau. Es erschien Josy unwirklich, dass sie dort schon gegen Abend ankommen sollte.

Sie betrat zum ersten Mal ein Flugzeug dieser Größe. Rechts und links gab es Zweierreihen, in der Mitte vier Plätze. Sie hatte zum Glück einen Sitz am Gang, so müsste sie nicht jedes Mal ihren Nachbarn bitten, aufzustehen, wenn sie aufs Klo wollte. Lange hoffte sie, der Sitz neben ihr würde frei bleiben, aber im letzten Moment kam eine ältere

Frau, offenbar eine Mexikanerin, verstaute ihre zahlreichen Tüten und Taschen und ließ sich schnaufend neben ihr nieder. Sie begann sofort eine Unterhaltung, und Josy stellte fest, dass ihre Spanischkenntnisse gar nicht so schlecht waren.

Die Flugbegleiterinnen führten vor, wie man die Schwimmwesten anlegt und die Sauerstoffgeräte bedient. Josy hatte den Verdacht, dass diese Vorführung nur der Beruhigung der Passagiere dienen sollte. Dass man noch Verwendung für eine Schwimmweste haben sollte, wenn man aus zehntausend Metern Höhe ins Meer gestürzt war, bezweifelte sie stark. Trotzdem folgte sie pflichtbewusst der Demonstration.

Als die Maschine zur Startbahn rollte, befiel sie ein seltsames Gefühl. Es gab kein Zurück mehr. Gleich würde sie alles hinter sich lassen, ihre Mutter, ihren toten Vater, ihre Freundinnen, ihre Heimat. Alles, was ihr bisheriges Leben ausgemacht hatte. Sie würde in eine neue, unbekannte Zukunft fliegen, auf sich allein gestellt, für sich selbst verantwortlich. Doch neben Furcht spürte sie plötzlich auch prickelnde Erregung, eine heftige Lust auf all das Neue, Unbekannte, das vor ihr lag.

Das Flugzeug beschrieb eine Kurve, bremste, fuhr wieder an und beschleunigte. Donnernd raste es die Startbahn entlang und erhob sich schließlich scheinbar mühelos in die Luft.

Lächelnd schloss Josy die Augen, schaltete ihren iPod ein und ließ sich von den Klängen der mexikanischen Popgruppe Maná in ihr neues Leben tragen.

Nach elf Stunden, in denen sie kaum geschlafen hatte, weil sie in ihrem engen Sitz keine bequeme Position finden konnte, begann endlich der Sinkflug. Sie lehnte sich zu ihrer Sitznachbarin, um nach draußen sehen zu können. Ein scheinbar unendliches Lichtermeer breitete sich unter ihnen aus. Sie flogen weiter, fünfzehn Minuten, zwanzig Minuten, unter ihnen immer die Lichter von Mexico City.

Das gibt's doch nicht, dachte Josy, eine Stadt, über die man so lange fliegen kann und die einfach nicht aufhört!

Die Maschine senkte sich, die Hausdächer unter ihnen schienen zum Greifen nah, wo um alles in der Welt war hier ein Flughafen? Sie schloss ergeben die Augen. Jetzt knallen wir gleich in die Häuser, dachte sie. Wie durch ein Wunder tat sich in diesem Moment unter ihnen eine freie Fläche auf, die Maschine setzte auf und rollte aus.

Müde und mit schmerzenden Gliedmaßen stand sie wenig später am Gepäckband. Hunderte von Gepäckstücken schienen an ihr vorbeizuziehen, immer mehr Fluggäste verließen die Halle. Als sie sich schon damit abgefunden hatte, dass ihr Koffer nicht mitgekommen war, tauchte er zu ihrer Erleichterung doch noch auf. Sie hob ihn herunter, gleich danach wurde das Band abgestellt.

Beim Zoll interessierte sich niemand für sie, ohne Kontrolle wurde sie durchgewunken. Als die Glasschiebetür nach draußen aufging, entdeckte sie Luis, der mit einer Blume in der Hand wartete. Wie froh sie war, ihn zu sehen! Als er sie entdeckte, strahlte er und kam ihr entgegen.

»Ich dachte schon, du hättest es dir anders überlegt!«

Er küsste sie auf beide Wangen und drückte sie an sich.

»Keine Sorge«, sagte Josy lässig, »wenn ich mich mal entschieden habe, dann ziehe ich eine Sache auch durch.« Sie fühlte sich sehr erwachsen bei diesem Satz.

Luis steckte die Blume in ein Knopfloch ihrer Jacke, nahm ihr den Koffer ab und bugsierte sie durch die Massen von Menschen hindurch Richtung Ausgang.

»Pass auf deinen Rucksack auf«, warnte er, »hier gibt es Diebe.«

Josy hielt mit beiden Händen die Schultergurte fest. Sie verließen das Gebäude, Männer kamen ihnen entgegen, riefen: »Taxi, Taxi!«

»Warum nehmen wir keines?«, fragte Josy, als Luis unbeirrt weiterging.

»Das sind Piratentaxis. Wenn du Pech hast, fahren sie dich irgendwo in die Pampa und rauben dich aus.«

Josy schwieg erschrocken. »Aber ... wie erkennt man denn, welches ein Piratentaxi ist?«

»Die richtigen sind registriert, du kaufst vorher ein Ticket und löst es beim Fahrer ein. Man erkennt diese Autos an den Nummernschildern.«

Josy verglich die Nummernschilder der Taxis, die im Sekundentakt an ihnen vorbeifuhren. Sie konnte keine Unterschiede erkennen.

»Taxi ist sowieso zu teuer, wir nehmen den Bus«, erklärte Luis. Sie überquerten eine Straße und erreichten eine Bushaltestelle.

Er besorgte Fahrkarten, verstaute den Koffer, ließ Josy beim Einsteigen den Vortritt. Kaum saßen sie und waren losgefahren, überfiel Josy die große Müdigkeit. Ihr Kopf sank auf seine Schulter.

Als sie wieder erwachte, bog der Bus gerade von einer breiten Hauptstraße in eine kleinere Nebenstraße ein.

»Wir müssen aussteigen«, sagte Luis, und Josy erhob sich schlaftrunken. »Wie lange sind wir gefahren?«, fragte sie.

Er blickte auf die Uhr. »Eine Stunde ungefähr. Wir müssen noch ein Stück gehen.«

Sie folgte ihm wie in Trance die Straße entlang, über eine Fußgängerbrücke, zu einem abschüssigen Weg mit kleinen, ärmlichen Häuschen, die wirkten, als wären sie aus Pappe gebaut. Die winzigen Grundstücke sahen aus wie Schrotthalden, vollgestopft mit Autowracks, Reifen, Bauschutt und anderem Plunder, der anderswo längst entsorgt worden wäre.

»Wir sind da«, sagte er und blieb vor einem der Häuser stehen. Josy erschrak. Wo war sie denn hier gelandet? Luis hatte ihr nicht gesagt, dass seine Großeltern im Arme-Leute-Viertel lebten. Am liebsten wäre sie sofort umgekehrt und in eine Pension oder Jugendherberge im Zentrum gezogen.

Er drückte die Haustür auf, die nicht geschlossen war, und sie folgte ihm. Innen war das Haus einfach möbliert, aber ordentlich und sauber. Sie betraten den Wohnraum, in dem ein Fernseher lief. Von einer abgeschabten Polstergarnitur erhoben sich ein Mann und eine Frau, beide um die siebzig.

Marta, die Großmutter, umarmte ihren Gast und begrüßte sie mit einem spanischen Wortschwall, den Josy nur zur Hälfte verstand. Der Großvater nahm ihre Hand in seine riesige Pranke und drückte sie. Er hatte einen Schnauzbart und buschige Augenbrauen, die seinem Gesicht etwas Verschmitztes gaben.

»Ramón«, sagte er und deutete auf sich selbst.

Die beiden waren Josy auf Anhieb sympathisch, und sie schämte sich für ihre vorschnellen Gedanken. Sie begriff, dass dies keineswegs ein Elendsviertel war, sondern ein Viertel für Arbeiter und Handwerker wie diese beiden. Luis hatte ihr erzählt, dass Marta Näherin in einer Fabrik gewesen war und noch heute auf einer uralten Singer für Privatkunden nähte. Ramón hatte in seiner eigenen Schreinerei gearbeitet. Aber wenn schon die Gegend, in der diese beiden wohnten, so ärmlich wirkte, wie sah es dann wohl in einem echten Slum aus?

»Sie fragen, ob du etwas essen möchtest«, übersetzte Luis. Josy bedankte sich und lehnte ab. Sie war zu müde, um Hunger zu spüren.

Luis führte sie in einen Raum, der zweifellos das Schlafzimmer der Großeltern war. »Hier schläfst du.«

Josy sah ihn überrascht an. »Hier? Und wo schlafen die beiden?«

»Er auf der Küchenbank und sie auf dem Sofa im Wohnzimmer.«

»Auf keinen Fall«, protestierte Josy, »ich kann doch im Wohnzimmer schlafen!«

Luis schüttelte lächelnd den Kopf. »Das würden sie nicht zulassen.«

»Aber ... ich kann doch nicht zwei alte Leute aus ihrem Schlafzimmer vertreiben! Ich spreche mit ihnen.«

Sie wollte ins Wohnzimmer zurück, aber Luis hielt sie am Arm fest.

»Tu das nicht. Sie würden es als Beleidigung auffassen«, erklärte er.

Ratlos zuckte sie mit den Schultern. »Das ist mir echt peinlich. Also dann, gute Nacht. Und vielen Dank, dass du den weiten Weg gemacht hast, um mich abzuholen.«

»Hab ich doch gern gemacht«, sagte Luis und lächelte. »Ich find's übrigens richtig gut, dass du da bist.«

Josy schaffte es gerade noch, ihr Schlaf-T-Shirt aus dem Koffer zu zerren. Sie verzichtete aufs Zähneputzen und auf jegliche Form von Wäsche. Nur Sekunden nachdem sie sich auf der rechten Seite des Doppelbetts zusammengerollt hatte, war sie eingeschlafen.

Freda hatte sich den Tag freigenommen. Sie wollte für sich sein, niemanden sehen. Sie fürchtete, mitten in einem Kundengespräch womöglich in Tränen auszubrechen. Tanja hatte sich sofort bereiterklärt, allein zu arbeiten.

»Aber wenn irgendwas ist, rufst du an, verstanden?«, hatte sie ihr befohlen, und Freda hatte es versprochen.

Sie war vom Flughafen wieder nach Hause gefahren, hatte Tee gekocht, die Zeitung gelesen, ein bisschen gebügelt und dabei ferngesehen. Sie hatte versucht, sich vorzumachen, sie genieße die Ruhe und das Alleinsein. Mit der fertigen Bügelwäsche im Arm betrat sie Josys Zimmer. Sie wollte den Schrank öffnen, hielt mitten in der Bewegung inne und sah sich um. Das Zimmer sah aus wie immer, das übliche Durcheinander von Kleidungsstücken, Kosmetikartikeln, Büchern und CDs bedeckte das ungemachte Bett, den Schreibtisch und Teile des Bodens, nur Josy fehlte.

Freda sank auf die Bettkante, die Wäsche glitt ihr aus der Hand und fiel herunter. Sie glaubte, Josys Abwesenheit körperlich zu fühlen. Eine Stelle an ihrem linken Arm, auf der Höhe des Herzens, ungefähr da, wo das Köpfchen gewesen war, wenn sie Josy als Baby im Arm getragen hatte, fühlte sich taub und gefühllos an. Sie sah an sich herunter und wunderte sich, dass an der Stelle kein Loch war.

Wimmernd krümmte sie sich auf dem Bett zusammen, griff nach dem Kopfkissen, sog Josys Geruch ein. Sie zog das T-Shirt, in dem Josy geschlafen hatte, übers Gesicht und schloss die Augen.

Den ganzen Tag blieb sie im Bett, holte sich nur zwischendurch etwas zu trinken. Hunger hatte sie keinen, ihr Magen war wie zugeschnürt. Sie nahm die fünf Fotoalben, in denen Josys Kinderbilder eingeklebt waren, aus dem

Schrank und versank in Erinnerungen. Josy als Neugeborenes auf Alex' Arm, Josy bei ihrem ersten Weihnachtsfest, Josy beim Laufenlernen an der Hand ihrer Großmutter, Josy mit Dreirad, mit Schultüte, mit Zahnlücke, mit dem ersten Fahrrad, beim Ostereiersuchen, auf Rollerblades, bei der ersten Bergtour mit Alex, beim Skifahren, am Strand ... Josy, der Mittelpunkt ihres Lebens, ihr einziges, geliebtes Kind. Wie sollte sie diese Trennung überstehen? Sie vermisste nicht nur die Josy, die vor wenigen Stunden abgereist war, sie vermisste auch das Baby Josy, das Kleinkind Josy, das Schulkind Josy ... All diese Josys gab es nicht mehr, sie waren unwiderruflich verschwunden, und sie trauerte um jede von ihnen.

Am liebsten würde sie einfach hier liegen bleiben, bis ihr Kind zurückkäme. Aber auch dieses Kind wäre, wenn sie es wiedersähe, nicht mehr das Kind, das heute Morgen abgeflogen war, dachte Freda.

Sie hatte sich ausgerechnet, dass Josys Anruf nicht vor ein Uhr nachts zu erwarten war. Es wurde ein Uhr, zwei Uhr, drei Uhr. Wie gelähmt lag sie da und starrte in die Dunkelheit. Sobald sie kurz einnickte, wurde sie von Alpträumen heimgesucht. Mal ging Josy auf einen Abgrund zu und hörte Fredas warnende Rufe nicht, mal lag sie fiebernd an einem verlassenen Ort und wimmerte um Hilfe. Manchmal ging sie einfach nur lächelnd an Freda vorbei und schien sie nicht zu bemerken. Weinend schreckte Freda aus diesen Träumen hoch.

Um halb vier überwand sie sich mit Mühe, stand auf, ging in die Küche und kochte Tee. Mechanisch begann sie, den Geschirrschrank auszuräumen, sauberzumachen und wieder einzuräumen. Als sie damit fertig war, nahm sie sich die Küchenschubladen vor. Überrascht betrachtete sie, was sich dort angesammelt hatte, und warf einen Haufen leerer Gewürzgläser, eine Sammlung mürbe gewordener Einweck-gummis, Packungen voller vertrockneter Kekse und mehrere Kerzenstummel in den Müll. Das Ausmisten beflügelte sie, sie hängte die Küchenvorhänge ab und steckte sie in die Waschmaschine, putzte die Fenster, schrubbte alle Flächen und zum Schluss den Fußboden.

Aufatmend betrachtete sie ihr Werk. Es war sieben Uhr, ihre Aufstehzeit. Sie ging ins Bad, duschte und zog sich an. Sie frühstückte ihren Getreidebrei und trank die letzte Tasse Tee. Dann wählte sie die Hotline der Lufthansa und erkundigte sich, ob die Maschine Frankfurt – Mexico City abgestürzt sei.

»Um Gottes willen, wie kommen Sie denn darauf?«, fragte die Mitarbeiterin am anderen Ende entsetzt.

»Meine Tochter sollte vor ungefähr sechs Stunden in Mexico City landen und hat sich nicht gemeldet.«

»Einen Moment, bitte.« Die Melodie der Warteschleife erklang. Endlich meldete sich die Stimme wieder. »Die Maschine Frankfurt – Mexico City ist planmäßig gelandet. Wissen Sie eigentlich, wie selten Flugzeuge abstürzen?«, fuhr sie vorwurfsvoll fort. »Statistisch gesehen können Sie zehn-tausend Mal fliegen, bevor Sie abstürzen, also siebenund-zwanzig Jahre lang jeden Tag.«

Josy erwachte vom Duft des Bohnenpürees, das Marta fürs Frühstück zubereitet hatte. Rasch huschte sie ins Badezimmer, wusch sich und zog sich an. Schüchtern betrat sie die Küche, wo der Tisch bereits gedeckt war und die Familie sie erwartete. Auf Spanisch bedankte sie sich bei Marta dafür, dass sie ihr das Schlafzimmer überlassen hatte. Es klang noch etwas holprig, aber Marta verstand sie, und ihr Gesicht leuchtete zufrieden auf.

»Und, wie war deine erste Nacht in Mexiko?«, erkundigte sich Luis.

»Keine Ahnung, ich habe geschlafen«, gab Josy lächelnd zurück.

»Hast du den Lärm gehört?«

»Welchen Lärm?«

»Heute Nacht wurde zwei Häuser weiter ein Mann erschossen. Er war Drogendealer, hatte mindestens drei Jugendliche auf dem Gewissen.«

»Oh, mein Gott«, sagte Josy erschrocken, »passiert so was hier öfter?«

Luis schüttelte den Kopf. »Nein, eigentlich ist das eine ruhige Gegend. Jemand hat die Polizei gerufen, die Sirenen haben einen Höllenlärm gemacht. Wir sind alle aufgewacht und rausgelaufen.«

Josy schüttelte ungläubig den Kopf. »Und ich habe nichts davon mitgekriegt?«

»War vielleicht besser so«, sagte Luis, und Josy nickte.

Punkt neun betrat Freda die Praxis von Dr. Peter Dengler, dem Therapeuten, der Josy ein Jahr lang behandelt hatte. Sie brauchte jemanden, mit dem sie reden konnte. Über Josy, über ihre Ängste. Glücklicherweise war ein Patient ausgefallen, und so hatte sie sofort einen Termin bekommen.

Sie legte ihr Handy vor sich auf den Tisch, vergewisserte sich zum hundertsten Mal, dass sie keine Nachricht übersehen hatte, und schilderte, was vorgefallen war. Dass sie seit

Stunden auf einen Anruf von Josy aus Mexiko warte, dass sie natürlich wisse, wie hysterisch es sei, sich solche Sorgen zu machen, dass sie aber eine Panikattacke befürchte, denn das sei bei ihr früher schon vorgekommen. Sie hörte sich selbst sprechen, beherrscht und scheinbar ohne größere Emotionen, und fragte sich, ob überhaupt jemand ermessen könnte, welcher Aufruhr in ihrem Inneren tobte.

Der Therapeut, ein unauffälliger Mann in ihrem Alter, hörte aufmerksam zu. Anders als sie erwartet hatte, versuchte er nicht, sie zu beruhigen oder ihr die Angst auszureden. Stattdessen sprach er über Josy. Was für ein starkes Mädchen sie sei. Wie bewundernswert sie den tragischen Verlust des Vaters verkraftet, wie klug sie die Beziehung zwischen ihr und ihrer Mutter analysiert habe. Mit wachsender Überraschung hörte Freda zu. Ohne Einzelheiten preiszugeben, die seine Schweigepflicht verletzt hätten, entwarf er ein Bild von Josy, das völlig neu für sie war.

»Zwischen Ihnen und Ihrer Tochter hat seit dem Unglück mit Ihrem Mann ein fataler Rollentausch stattgefunden«, erklärte der Arzt. »Josy hat angefangen, sich für Ihre seelische Verfassung verantwortlich zu fühlen, dafür, dass es Ihnen gutgeht und Sie sich keine Sorgen machen. Diesem Ziel hat sie ihre eigenen Interessen untergeordnet und nicht gewagt, die notwendige Ablösung von Ihnen zu vollziehen. Sie musste diesen radikalen Schritt tun, um endlich auf eigenen Beinen stehen zu können. Wenn Sie mich fragen, hat sie einfach vergessen, sich zu melden.«

»Aber sie weiß doch, dass ich mir Sorgen mache«, protestierte Freda, »sie muss doch auch an mich denken.«

»Nein«, widersprach Dengler entschieden, »jetzt muss Josy erstmal nur an sich denken. Und Sie sollten das auch tun.«

»Wie soll das gehen? Über achtzehn Jahre war Josy das Wichtigste in meinem Leben.« Freda senkte den Blick. »Sogar wichtiger als mein Mann.«

»Und jetzt sind beide nicht mehr da, entschuldigen Sie bitte, wenn ich das so brutal ausspreche. Denken Sie nicht, es wäre an der Zeit, dieser Tatsache ins Auge zu blicken?«

Freda holte tief Luft und nickte. »Und ... wie soll ich das machen?«

»Indem Sie sich auf das besinnen, was S i e wollen. Konzentrieren Sie sich ganz auf sich selbst und Ihre Wünsche. Machen Sie eine Reise, die Sie immer schon mal machen wollten. Kaufen Sie sich etwas, von dem Sie schon lange träumen. Wagen Sie etwas, das Sie bisher nicht gewagt haben.«

An diesem Vormittag schienen bei IKEA nur Paare unterwegs zu sein. Schwangere junge Frauen, die zielstrebig Kinderbetten und Wickelkommoden ansteuerten, unsichere junge Männer, die prüfend auf Polstergarnituren und Sesseln herumdrückten.

Eine Durchsage übertönte alle Gespräche. »Unser Angebot heute: Köttbullar mit Senfsoße, Salzkartoffeln und Gemüse, nur drei Euro fünfundneunzig in unserem Restaurant.«

Köttbullar, dachte Freda, waren das nicht diese Fleischbällchen? Die hatte es doch vor zwanzig Jahren schon gegeben, als Alex und sie ihre Wohnungseinrichtung gekauft hatten.

Das Doppelbett, für das sie sich damals entschieden hatten, war dasselbe, in dem sie heute noch schlief. Jedes Mal in den letzten Wochen, wenn ihre Hand auf die leere Bettseite geglitten war, hatte sie den Wunsch verspürt, ein neues zu kaufen. Ein Bett, das zu ihrem neuen Leben passte. Einen Meter vierzig breit, mit einer weicheren Matratze, einer hellen Überdecke und vielen gemütlichen Kissen. Sie würde dieses Bett in die Ecke des Schlafzimmers stellen, wo sie sich geborgen fühlen und nicht mehr das Gefühl haben würde, zur Seite rauszufallen. Sie hatte es nie gemocht, dass ihr Ehebett in der Mitte des Raumes gestanden hatte, aber Alex hatte es so gewollt.

Sie würde auch neue Vorhänge kaufen und eine neue Lampe, eine richtig gute Leselampe. Sie liebte es, im Bett zu lesen, hatte aber darauf verzichtet, weil Alex immer gleich schlafen wollte. Außer wenn sie Sex hatten.

Sex. Wie fremd das Wort klang. Schon über zwei Jahre hatte sie keinen gehabt, und wenn sie ehrlich war, fehlte ihr Sex nicht besonders. Was ihr fehlte, war körperliche Nähe, Wärme, Berührung, der Duft von Haut. Danach sehnte sie sich und konnte sich doch nicht vorstellen, all dies mit einem Mann zu erleben, der nicht Alex war. Bevor sie ihn kennenlernte, hatte sie Beziehungen zu drei Männern gehabt, zwei von ihnen in ihrem Alter, einer deutlich älter. Sie hatte es gemocht, von ihnen begehrt zu werden, mit ihnen zu schlafen. Trotzdem war sie nie den Eindruck losgeworden, für die Männer sei es eigentlich unerheblich, welche Frau sie im Arm hielten. Erst Alex hatte ihr das Gefühl gegeben, es ginge wirklich um sie, um ihren Körper, ihre Seele. Zum ersten Mal hatte sie sich nicht nur begehrt, sondern geliebt gefühlt.

Nie in all den Jahren mit ihm hatte sie das Bedürfnis gehabt, mit einem anderen Mann zu schlafen. Gelegenheiten hätte es durchaus gegeben, einige ihrer Kunden hatten deutlich ihr Interesse signalisiert. Wenn sie begriffen hatten, dass sie bei ihr nicht landen würden, hatte Freda jedes Mal nicht nur einen Verehrer weniger gehabt, sondern auch einen Kunden. Männer neigen dazu, eine Zurückweisung persönlich zu nehmen.

Polstergarnituren, Kücheneinrichtungen, Arbeitszimmer. Endlich kamen die Schlafsofas, dann die Betten. Metallgestelle, Holzgestelle, mit Kopfteil oder ohne, Polsterumrandungen, Alcantarabezüge ...

Freda fand ein schlichtes Holzbett, weiß lasiert. Dazu wollte sie einen guten Lattenrost und eine Latexmatratze. Sie notierte die Preise der einzelnen Produkte, deren Namen wie die von Trollen klangen, und addierte sie. Eintausendvierhundert Euro. Noch nicht gerechnet die Zierkissen und passende Bettwäsche.

Sie seufzte. Es musste sein, sie brauchte das jetzt. Hatte der Therapeut ihr nicht aufgetragen, sich auf ihre Wünsche zu konzentrieren?

Alex hatte etwas Geld hinterlassen. Kein Vermögen, aber immerhin. Leider hatte sie ihn nie davon überzeugen können, eine Lebensversicherung abzuschließen, die hätte sie jetzt verdammt gut brauchen können. Er hatte immer gesagt: »Das Leben kann man nicht versichern, man kann es nur leben.« Der Gedanke, für die Zeit nach seinem Tod vorzusorgen, war ihm völlig fremd gewesen.

Oder doch lieber eine Kaltschaummatratze? Gute Taschenfederkernmatratzen waren auch nicht zu verachten. Unschlüssig wanderte Freda von einem Ausstellungsbett zum anderen, probierte diese und jene Matratze aus, streckte sich aus, rollte sich zusammen. Wie müde sie war.

Sie erwachte von einer freundlichen Männerstimme. »Na, ausgeschlafen?«

Erschrocken fuhr sie hoch. Vor ihr stand ein Verkäufer in blau-gelbem Anzug.

»Ich ... äh ... ich hatte nur für einen Moment die Augen zu«, sagte sie benommen und schwang die Beine über den Bettrand. Ein Blick auf die Uhr belehrte sie eines Besseren. Sie hatte mindestens zwanzig Minuten tief und fest geschlafen.

Ihr Handy klingelte. »Entschuldigung«, murmelte sie und entfernte sich einige Schritte von dem Verkäufer.

»Hallo, Mama, ich bin's!« Josys Stimme.

»Endlich!«, sagte Freda mit einem Seufzer der Erleichterung.

»Tut mir leid, dass ich mich jetzt erst melde, hoffentlich hast du dir keine Sorgen gemacht.«

»Geht so, ein bisschen schon. Ist alles gutgegangen? Hat Luis dich abgeholt?«

»Ja, alles okay.«

»Wie ist Mexico City?«

»Och ... eigentlich ganz gemütlich. Jedenfalls lange nicht so gefährlich, wie man manchmal hört. Die Großeltern von Luis leben in einer ruhigen Gegend ohne Kriminalität oder so, du musst dir also keine Sorgen machen.«

»Hoffen wir's. Mach ein paar Fotos, ja? Wann meldest du dich wieder?«

»Wenn wir in Oaxaca sind.«

»Wann ist das?«

»In ein paar Tagen. Ist bei dir alles in Ordnung? Wo bist du gerade?«

»Bei IKEA.«

»Bei IKEA? Aber du veränderst nichts in meinem Zimmer, oder?« Plötzlich klang Josys Stimme ängstlich.

»Nein, mein Süße, natürlich nicht. Alles bleibt, wie es ist, bis du zurückkommst. Nur aufräumen muss ich, du hast ein ganz schönes Chaos hinterlassen.«

»Tut mir leid, Mama. Ich muss Schluss machen, wird sonst zu teuer. Also, mach's gut, ich hab dich lieb.«

»Ich dich auch«, sagte Freda noch, aber da hatte Josy schon aufgelegt.

Sie war so erleichtert, dass sie fast angefangen hätte zu weinen. Sie verstaute ihr Handy in der Handtasche, sah sich nach dem Verkäufer um und sagte: »Ich nehme diese Matratze hier.«

Der dumpfe Klang von Trommeln hallte über die abendliche Plaza de la Constitución, genannt »El Zócalo«, im Zentrum der Stadt.

»Der zweitgrößte Platz der Welt, nach dem Roten Platz in Moskau«, erklärte Luis mit einer ausladenden Handbewegung. Josy nickte beeindruckt, einen so riesigen Platz hatte sie noch nie gesehen. Links war die Kathedrale, gegenüber der Nationalpalast, auf der rechten Seite und hinter ihnen eindrucksvolle Bauten im Kolonialstil. Staunend beobachtete sie die lange Warteschlange vor einem großen, zeltartigen Gebäude, in dem eine Fotoausstellung gezeigt wurde. Es mussten mehrere Tausend Menschen sein, die geduldig darauf warteten, großformatige Aufnahmen von wilden Tieren und sanftäugigen Knaben und Mädchen zu sehen. Josy fand das Werbeplakat ziemlich kitschig und beschloss, auf den Kunstgenuss zu verzichten, obwohl er nichts kostete.

Reizvoller fand sie da schon das Angebot, sich für ein paar Pesos einem indianischen Reinigungsritual zu unterziehen. Dabei wurde man mit dem Rauch brennender Kräuterbüschel eingenebelt, der alle Gifte aus Körper und Seele vertreiben sollte. Dazu machte man Verbeugungen vor den Geistern und sprach Formeln nach, die der indianische Heiler einem vorsagte.

»Glaubst du daran?«, fragte sie Luis, der ihr einen skeptischen Blick zuwarf.

»Das hier ist Touristen-Schnickschnack«, sagte er wegwerfend, »aber in den Indianerdörfern wird richtige traditionelle Heilkunst praktiziert, das ist natürlich was anderes.«

»Es gibt hier noch richtige Indianerdörfer?«

»Nicht so, wie du sie dir vorstellst, mit Lagerfeuer, Tipis und Marterpfahl. Aber gerade in der Gegend um Oaxaca leben eine Menge Indígenas.«[*]

»Hast du auch indianische Vorfahren?«

»Wahrscheinlich, aber die haben sich irgendwann mit den Nachfahren der spanischen Conquistadoren gemischt.«

---

[*] Die Begriffe »Ureinwohner«, »Naturvolk« und »Eingeborene« wurden durch die Vereinten Nationen durch den neuen Begriff »Indigene Völker« ersetzt. Zurück geht diese Entwicklung auf den UN-Sonderberichterstatter José Martínez Cobo, der 1986, anlässlich einer Studie über die Diskriminierung von Ureinwohnern, den Begriff »Indigene Völker« prägte. Als indigene Völker bezeichnet man die Nachfahren einer Region, die von anderen Völkern unterworfen und kolonialisiert wurden. In der internationalen Politik wird entweder der englische Begriff »Indigenous Peoples« oder der spanische Begriff »Pueblos Indígenas« verwendet. (Quelle: Mexiko-Lexikon [www.mexiko-lexikon.de])

Da dieser politisch korrekte Begriff im Roman sehr sperrig wirkt, verwende ich häufiger die umgangssprachliche spanische Bezeichnung »Indígenas«, aber auch gängige deutsche Begriffe wie »Indio«, »Indianer« oder »indianisch«. »Indio« galt in Mexiko bislang als eher herabsetzend, in der letzten Zeit wird der Begriff aber von einigen Stämmen als Ausdruck eines neuen Selbstbewusstseins wieder verwendet.

Sie bummelten weiter, Josy betrachtete den Schmuck, die Stoffe und geschnitzten Figuren, die an den vielen Verkaufsständen von Frauen in bunten Gewändern angeboten wurden.

»Die sind wunderschön, diese Sachen«, sagte Josy bewundernd. »Ist das alles Handarbeit?«

Statt einer Antwort hob Luis einige der Holztiere in die Höhe und prüfte die Unterseite. Eine davon, ein Gürteltier, reichte er Josy. *Made in China,* las sie auf dem Aufkleber, der auf der Unterseite prangte.

»Das verstehe ich nicht«, sagte sie, »warum machen sie die Sachen denn nicht selbst?«

»Globalisierung«, erwiderte Luis achselzuckend. »Die Chinesen produzieren so billig, da lohnt es sich einfach nicht mehr.«

Sie überquerten den Platz, dem dumpfen Klang der Trommeln folgend, die immer lauter wurden. Eine Gruppe Männer und Frauen mit Schellen aus Holz oder Muscheln um die Fußgelenke tanzten ekstatisch.

Zwei Männer mit nacktem, verschwitztem Oberkörper bearbeiteten mit bloßen Händen ihre Kongas, in der Mitte loderte Feuer in einer Blechwanne.

»Sind die jetzt wenigstens echt?«, fragt Josy. »Oder ist das auch Touristen-Schnickschnack?«

Luis lachte. »Es sind echte Indígenas, die für die Touristen tanzen. Tagsüber haben sie ganz normale Jobs oder studieren. Indianer sein ist ja kein Beruf.«

Neben der Sammelbüchse, in die man Geld werfen sollte, stand ein Schild.

»Spenden Sie für den Erhalt der indianischen Kultur, für bessere Bildung und Gesundheitsversorgung«, entzifferte

Josy. Sie entnahm ihrem Stoffbeutel das Portemonnaie, zog dreißig Pesos heraus, ungefähr zwei Euro, und steckte sie in den Schlitz. »Vermutlich kaufen sie eh nur Feuerwasser davon, aber dann haben sie wenigstens ein bisschen Spaß«, sagte sie grinsend.

Sie blieben noch eine Weile stehen und sahen zu. Der Trommelrhythmus war so mitreißend, dass Josy unwillkürlich begann, sich zu bewegen. Am liebsten hätte sie einfach mitgetanzt, aber sie traute sich nicht. Der Rhythmus verlangsamte sich, einige der Tänzer verließen den Kreis, um aus großen Flaschen Wasser zu trinken und eine kurze Pause zu machen. Einer von ihnen, ein Typ von Anfang zwanzig, kam mit geschmeidigen Bewegungen auf sie zu. Sein langes schwarzes Haar war zu einem Zopf gebunden, er trug eine verschlissene Armeehose und hatte sein T-Shirt durch den Gürtel gezogen. Sein schweißbedeckter Oberkörper schimmerte im rötlichen Licht des Feuers, um den Hals trug er eine Kette aus Tierzähnen. Fasziniert starrte Josy ihn an. Er sah genau so aus, wie sie sich als Kind einen Indianer vorgestellt hatte. Die hohen Wangenknochen, die schrägen Augen, die scharf geschnittene Nase. Dagegen wirkte Luis geradezu europäisch.

Die beiden Männer begrüßten sich wie alte Bekannte, Luis wandte sich zu Josy. »Das ist Miguel, wir kennen uns aus Oaxaca«, und nach einer Pause: »Josy aus Deutschland.«

»Hola, Josy«, sagte Miguel und hob die Hand, »que tal?« Ein Blick aus schwarz glänzenden Augen streifte sie flüchtig.

»Bien, gracias«, antwortete Josy.

Die beiden Jungen begannen eine Unterhaltung. Sie sprachen so schnell, dass Josy kaum etwas verstand. Miguel wirkte aufgeregt, fast wütend, er redete auf Luis ein, der mit ernstem Gesichtsausdruck zuhörte.

»Was ist los?«, wagte Josy in einer Gesprächspause zu fragen. »Worüber sprecht ihr?«

Miguel wandte sich ihr zu. »Über Oaxaca. Es hat dort eine Demonstration gegeben. Einer unserer Freunde wurde verletzt.«

»Das tut mir leid«, sagte Josy.

»Oaxaca ist zurzeit kein gutes Pflaster«, fuhr Miguel fort, »bei der Demo haben sie sogar vier Ausländer verhaftet, Spanier, soviel ich weiß, und tagelang festgehalten. Besser, du bleibst hier.«

»Das geht nicht«, sagte Josy, »unser Dienst in der ›casa de esperanza‹ beginnt übermorgen. Wir müssen morgen fahren, stimmt's, Luis?«

Luis nickte.

»Dann viel Glück. Wir sehen uns.« Miguel hob lässig die Hand und kehrte in den Kreis der Tänzer zurück.

8

Die Ladentür wurde geöffnet, und ungefähr zwanzig Kinder schoben sich nacheinander in die Buchhandlung. Den Schluss machte Arno Steiner. Er lächelte Tanja und Freda an, die als Empfangskomitee vor der Ladentheke standen.

»Guten Morgen, die Damen«, sagte er, und zu den Kindern: »So, und jetzt ihr!«

»Gu-ten Mor-gen«, leierten sie im Chor.

»Wir wollen uns sehr herzlich bedanken, dass wir heute hier sein dürfen«, fuhr Steiner fort. »Die Kinder haben Ihnen etwas mitgebracht.«

Zwei Mädchen entrollten einen großen Bogen Papier, auf dem von Kinderhand gemalte Menschen und Tiere zu sehen waren, die alle eines gemeinsam hatten: Sie lasen in Büchern.

»Was für ein schönes Bild«, sagte Freda und nahm die Zeichnung entgegen, »das hängen wir nachher zusammen auf.« Dann stellte sie sich und Tanja vor und forderte die Kinder auf, sich im Halbkreis auf den Boden zu hocken. Über ihnen wurde immer noch gebohrt und gehämmert, sie hoffte, es würde während der nächsten Stunde nicht zu laut werden.

»Als Erstes erzähle ich euch ein bisschen was über den Beruf der Buchhändlerin«, sagte Freda, »dann liest Tanja euch ein paar Seiten vor, und zum Schluss gibt's einen kleinen Imbiss.«

»Pommes?«, fragte ein kleiner Junge mit großen, hungrigen Augen.

»Lass dich überraschen«, sagte Freda. In einfachen Worten schilderte sie, wie der Alltag eines Buchhändlers aussieht und was so schön an diesem Beruf ist. Sie erzählte von dem einzigartigen Gefühl, ein neues Buch zum ersten Mal aufzuschlagen, und davon, wie man sich und die Welt beim Lesen vergisst. Sie beschrieb, wie man die Kunden bei der Suche nach dem richtigen Buch unterstützt und wie befriedigend es ist, die Begeisterung über ein Buch zu teilen.

»Habt ihr Fragen dazu?«

Schüchtern hob ein Mädchen die Hand. »Muss man gut in der Schule sein, wenn man das werden will?«

»Die mittlere Reife braucht man auf jeden Fall«, sagte Freda, »noch besser ist es, wenn man Abitur hat.«

Das Mädchen ließ resigniert die Schultern sinken, als wäre beides außerhalb ihrer Vorstellungskraft.

»Das Wichtigste ist, dass man gerne liest«, schaltete sich Tanja ein. »Wer viel liest, wird automatisch besser in der Schule.«

»Kriegt man da viel Geld?«, fragte ein dicklicher Junge mit schwarzen Augen und einem fast kahlgeschorenen Kopf.

Freda lächelte. »Reich wird man nicht, aber ist es nicht viel wichtiger, dass einem die Arbeit Spaß macht?«

»Arbeit macht nie Spaß«, sagte der Junge verächtlich. »Wichtig ist, dass man viel Geld verdient.«

»Liest du uns jetzt was vor?«, fragte ein anderer Junge.

Freda räumte ihren Platz für Tanja, die sich der Gruppe gegenüber auf den Boden hockte und aus den »Wilden Kerlen« vorlas. Mit konzentriertem Gesicht lauschten die Kinder der Erzählung. Ein Junge mit Sommersprossen biss sich vor Spannung auf die Lippen, ein orientalisch aussehendes Mädchen kaute auf einer Haarsträhne. »Wollt ihr euch die Bilder ansehen?«, fragte Tanja, als sie mit dem Lesen fertig war. Die Kinder sprangen auf und umringten sie.

Freda schämte sich, als sie daran dachte, wie sehr sie sich gegen diesen Besuch gesträubt hatte. Sie spürte Steiners Blick auf sich ruhen und lächelte ihm verlegen zu.

»Sie sind sehr aufmerksam«, sagte sie und deutete auf die Gruppe, die immer noch ihre Köpfe über dem Buch zusammensteckte.

»In der Wüste wird jeder Tropfen Wasser gebraucht«, sagte er. »Wenn Sie wüssten, unter welchen Umständen diese Kinder aufwachsen, wie wenig Zuwendung und Förderung sie erhalten. Die meisten steuern geradewegs auf ein Leben mit Hartz IV zu, und keinen interessiert es.«

»Sie klingen bitter. Ich dachte, Sie lieben Ihren Beruf?«

Er schenkte ihr einen türkisgrünen Blick. »Nicht jede Liebe wird erwidert«, sagte er. »Um heute Lehrer zu werden, muss man entweder Masochist sein oder verrückt. Ich bin beides nur in Maßen.«

»Vielleicht sind Sie ja Idealist?«

»Vielleicht.«

Die Gruppe löste sich auf, die Kinder schlenderten durch den Laden, nahmen Bücher in die Hand, betrachteten die Cover und legten sie wieder hin. Die wenigsten trauten sich, ein Buch aufzuschlagen und darin zu blättern.

Eine Kundin betrat das Geschäft, Tanja kümmerte sich um sie, während Freda aus dem Hinterzimmer Butterbrezen und Getränke holte. Sie hatte auf Tetra Paks mit Strohhalmen bestanden; Gläser oder Becher könnten zu leicht umfallen.

Arno Steiner rief die Kinder zusammen und schärfte ihnen ein, nichts anzufassen, solange sie aßen und tranken. Folgsam setzten sich alle wieder hin und nahmen ihren Snack in Empfang. Zum Schluss verteilte Freda kleine Tüten mit Gummibärchen und Mini-Schokoladentäfelchen.

»Für viele ist es das Erste, was sie heute zu essen kriegen«, murmelte Steiner neben ihr. Freda sah ihn ungläubig an.

»Und jetzt hängen wir euer Bild auf«, schlug Tanja nach dem Essen vor.

»Au ja!« Die Kinder liefen begeistert hin und her und suchten nach einem geeigneten Platz, was schwierig war, weil die meisten Wände mit Bücherregalen zugestellt waren. Schließlich einigten sie sich auf eine Stelle neben der Tür zum Hinterzimmer, gegenüber der Verkaufstheke.

»Da kann jeder es gleich sehen«, sagte das kleine Mädchen, das Buchhändlerin werden wollte, mit Stolz in der Stimme.

Am Ende erhielt jedes der Kinder ein Buch als Abschiedsgeschenk. Andächtig nahm der dicke Junge mit den schwarzen Augen seines von Freda entgegen, mit beiden Händen, wie einen besonders wertvollen Schatz.

Über ihnen ertönte ein wütendes Brummen, dann ein Krachen. Erschrocken blickten alle Kinder gleichzeitig nach oben. Es brummte erneut, die Wände erzitterten, mehrere Bücher fielen aus den Regalen, dann knirschte und splitterte es direkt über ihnen, Freda schrie: »Auf die Seite!«, die Kinder stoben in alle Richtungen auseinander, und im nächsten Moment brach etwas durch die Decke. Putz, Isoliermaterial, Zementbrocken und zerbrochene Ziegel stürzten herab, eine weiße Staubwolke folgte und legte sich wie eine dünne Schneeschicht auf die Regale, Verkaufsflächen und Bücher.

»Oh, Scheiße«, hörte man Tanja fluchen.

Einen Moment war es ganz still, dann war vereinzeltes Wimmern zu hören. Die Kinder hockten oder lagen am Boden, ängstlich zusammengekrümmt, staubbedeckt, aber – soweit Freda es auf einen Blick erfassen konnte – unverletzt.

»Ist alles in Ordnung, seid ihr okay?«, rief sie.

Steiner war schon bei den Kindern, sah sich jedes einzelne genau an, fragte, wie es ihnen gehe. »Sieht so aus, als wäre nichts passiert«, sagte er.

»Aber Sie haben was abgekriegt«, sagte Freda, »lassen Sie mal sehen.« Sie stieg über den Schotter am Boden hinweg und inspizierte vorsichtig seinen Kopf. »Eine Platzwunde.«

»Ich hole Verbandszeug.« Tanja ging ins Hinterzimmer, wobei sie ein paar herumliegende Holzlatten und Ziegel umkurvte. Ihre Pumps hinterließen zierliche kleine Spuren im Staub.

»Sollen wir nicht besser raus aus dem Laden?«, fragte Freda ängstlich. »Vielleicht kommt der Rest der Decke auch noch runter!«

Steiner warf einen prüfenden Blick nach oben. Von dort kam kein Geräusch, offenbar hatten die Arbeiter das Weite gesucht. »Ich glaube nicht, dass Einsturzgefahr besteht«, sagte er, »dafür ist das Loch nicht groß genug.« Und zu den Kindern gewandt: »Ihr bleibt trotzdem, wo ihr seid!«

Sie husteten und wischten sich den Staub von den Kleidern, blieben aber nahe an den Regalen und Wänden. Immer wieder deuteten sie nach oben, einige Jungen spielten geräuschvoll den Einsturz nach und zeigten den anderen, wie sie zur Seite gehechtet waren. Die Mädchen saßen, noch immer erschrocken und eher benommen, zusammen und sprachen nicht viel.

Tanja kam mit einem Erste-Hilfe-Reiseset zurück und reichte Freda ein Fläschchen Desinfektionsspray und Pflaster. Freda versorgte Steiners Wunde.

»Vielleicht sollten Sie doch lieber zum Arzt gehen«, sagte sie, »es könnte sein, dass man das nähen muss.«

»Später«, sagte Steiner. »Erst bringe ich die Kinder zurück.«

»Wir müssen das sofort melden«, sagte Tanja und stöckelte durch den Staub zum Ladentisch, wo das Telefon stand. Sie wählte die Nummer der Polizei und berichtete, was vorgefallen war. Dann wählte sie eine andere Nummer und blaffte: »Buchhandlung März & Freese. Herr Murke, ich rate Ihnen dringend, sofort hierherzukommen. Und am besten bringen Sie nicht nur jemanden von der Versicherung mit, sondern auch gleich Ihren Anwalt.«

Schließlich rief sie noch ihren Rechtsanwalt an. »Herr Möller? Wir hätten da ein etwas größeres Problem. Könnten Sie wohl eben vorbeikommen?«

Freda sah ihr dankbar zu. Sie war so durcheinander, dass sie nicht gewusst hätte, was als Nächstes zu tun wäre. Zum Glück war niemand ernsthaft verletzt worden, das war das

Wichtigste. Aber wenn sie daran dachte, wie lange es schon gedauert hatte, eine lächerliche Glasscheibe auszuwechseln, dann würde sie jetzt am besten Urlaub nehmen. Oder gleich ein Sabbatjahr.

Steiner kam zu Freda und legte ihr eine Hand auf die Schulter.

»Alles halb so wild«, sagte er tröstend.

»Ich weiß«, sagte Freda. »Es tut mir schrecklich leid, dass Ihr Besuch so enden musste. Die Kinder werden nie wieder eine Buchhandlung betreten.«

»Im Gegenteil«, sagte er lächelnd, »jetzt wissen sie, dass die wahren Abenteuer dort stattfinden!«

»Würden Sie noch einen Moment bleiben?«, bat Freda. »Ich möchte, dass diese Schweine von der Immobau sehen, was sie angerichtet haben. Wenn ihnen klarwird, was alles hätte passieren können, kommen sie vielleicht endlich zur Vernunft.«

»Sie meinen, das war kein Versehen?« Steiner sah sie ungläubig an.

»Was glauben Sie denn«, gab Freda zurück, »der ganze Terror hier ist ein abgekartetes Spiel. Die versuchen seit Monaten, uns loszuwerden.«

Steiner war unschlüssig. »Eigentlich würde ich die Kinder gern zurückbringen. Aber unter diesen Umständen bleiben wir natürlich noch.« Er zog sein Handy aus der Tasche und rief in der Schule an.

Freda nahm etwas Staub auf und rieb ihn zwischen den Fingern, es war fettiger, weißer Zementstaub, der sich in eine schmierige Paste verwandeln würde, wenn er mit Feuchtigkeit in Berührung käme. Aber wie sollte man ihn entfernen, wenn nicht mit Feuchtigkeit?

»Schaut euch das an«, sagte Tanja, nahm ein paar Bücher hoch und schüttelte sie aus. Der Staub lag nicht nur auf den Oberflächen, er war in jede Öffnung und jede Ritze gekrochen, nistete zwischen den Seiten.

Freda seufzte. Ein Drittel des Bestandes würden sie verramschen müssen, wenn nicht mehr. Danach könnten sie eine Putz-Olympiade veranstalten, falls sie nicht wegen akuten Asthmas vorzeitig ausgeschieden wären. Doch zunächst gab es die offene Frage, in wie vielen Jahren es die Firma Immobau schaffen würde, das Loch da oben zuzumachen? Vorher bräuchten sie nicht mit dem Aufräumen anzufangen, denn beim Reparieren würde noch mehr Dreck runterfallen.

Steiner verteilte die letzten Tetra Paks an die Kinder, sprach beruhigend auf sie ein und erklärte, dass sie noch ein bisschen warten müssten. Die meisten schienen sich von ihrem Schrecken schon erholt zu haben.

»Netter Typ«, flüsterte Tanja und sah ihm versonnen zu. »Wieso kann ich nicht mit so einem verheiratet sein?«

»Weil solche Typen immer schon verheiratet sind«, flüsterte Freda zurück. »Aber du könntest eine Affäre mit ihm anfangen.«

»Besten Dank«, murmelte Tanja mit einem Blick zur Decke, »mein Leben ist aufregend genug.«

Die Tür wurde geöffnet, und zwei Streifenbeamte traten ein. »Grüß Gott«, sagte der eine, »was ist denn hier passiert?«

Tanja und Freda beschrieben, was geschehen war. Die Beamten nahmen ihre Personalien auf und erkundigten sich, ob jemand verletzt wäre. Steiner deutete auf seine Platzwunde.

»Und die Kinder?«

»Alle gesund.«

»Dann sollten Sie die Kleinen schnell nach Hause bringen. Die haben ja sicher einen ziemlichen Schrecken gekriegt. Wir gehen jetzt mal nach oben und schauen nach, was da los ist.«

In diesem Moment sahen sie eine kleine Abordnung auf den Laden zukommen. Murke, ein weiterer Mitarbeiter von Immobau, Möller und zwei Männer, vermutlich ein Anwalt und der Versicherungsfritze, debattierten eifrig miteinander. Sie betraten die Buchhandlung, ihre Blicke wanderten zu den Polizisten, den eingestaubten Kindern, dem Loch in der Decke und wieder zurück. Das Gespräch erstarb.

Freda straffte ihren Körper, gab ihren Augen einen, wie sie hoffte, stählernen Ausdruck und sagte: »Durch Ihr absolut unverantwortliches Handeln haben Sie heute Menschenleben in Gefahr gebracht. Es hat einen Verletzten gegeben. Das weitere Ausmaß des Schadens sehen Sie selbst. Die Polizei hat die Ermittlungen aufgenommen. Und von Ihnen erwarten wir umgehend Auskunft darüber, wie Sie gedenken, diese verdammte Schweinerei in Ordnung zu bringen!«

Als sie nach Hause kam, fühlte Freda sich so erschöpft, als hätte sie drei Tage lang Bücherkisten geschleppt. Sie warf ihre Tasche und den Hausschlüssel auf einen Stuhl, zog sich aus und steckte ihre gesamte Kleidung in die Waschmaschine. Dann duschte sie und wusch den Zementstaub auch aus ihren Haaren. Sie schlüpfte in den Strampelanzug, setzte sich an den Küchentisch, schenkte sich ein Glas Wein ein und nahm einen tiefen Schluck

Nachdem Steiner mit den Kindern gegangen und die Polizisten in Begleitung von Murke in den ersten Stock hin-

aufgestiegen waren, hatte es erregte Diskussionen, Schuld-
zuweisungen und Drohungen gegeben. Der Anwalt der
Firma Immobau hatte versucht, die Verantwortung auf das
Bauunternehmen zu schieben, der Versicherungsfritze hatte
den Kopf gewiegt und erklärt, das sei eine sehr komplexe
Situation, Rechtsanwalt Möller, der zu cholerischen Aus-
brüchen neigte, hatte zwischendurch losgebrüllt und mit
einer Klage gedroht, falls die Firma Immobau – unabhängig
von der Schuldfrage – nicht umgehend die Reparatur ver-
anlasse.

Freda bezweifelte, dass ihnen das helfen würde. Gerichts-
verfahren dauerten endlos; sie hatte von einer Mietstreitig-
keit gehört, die sich über sechs Jahre hingezogen und mit
dem Konkurs beider Parteien geendet hatte. Dass die Firma
Immobau pleitegehen würde, war äußerst unwahrscheinlich. Aber Tanja und sie wären schon nach wenigen Wochen
am Ende.

Die beiden hatten sich ins Hinterzimmer zurückgezogen
und über die Lage beraten. »Wir lassen das Loch provisorisch abdecken und fangen sofort mit dem Aufräumen an«,
schlug Freda vor. »Wir können es uns nicht leisten, das Geschäft dichtzumachen, nicht mal für ein paar Tage. Jeder
potenzielle Kunde, der einmal vor verschlossener Tür steht,
überlegt sich doch, ob er nochmal kommt.«

Tanja nickte. »Du hast Recht. Wenn wir uns jetzt zurück-
ziehen, denken diese Arschlöcher von der Immobau, sie hätten uns kleingekriegt. Lass uns für heute Schluss machen,
ich kann einfach nicht mehr. Und morgen früh öffnen wir
wie gewohnt.«

Freda schenkte sich Wein nach. Sie musste etwas essen.
Essen war gut für die Nerven. Im Kühlschrank lagen nur

ein paar verschrumpelte Tomaten, eine halbe Gurke und ein paar trockene Käsescheiben. Mist. Sie hatte vergessen einzukaufen. Das war bisher Josys Job gewesen, sie musste erst wieder lernen, daran zu denken.

In der Vorratskammer fand sie eine Tüte Nudeln und eine Packung Käsesoße. Sie stellte Wasser auf, erwärmte die Soße in der Mikrowelle, deckte den Tisch.

Als sie den Topf auf dem Untersetzer abgestellt und sich zum Essen hingesetzt hatte, bemerkte sie, dass sie für zwei gedeckt hatte. Für sich und Josy.

Mit einer verzweifelten Bewegung fegte sie ihren Teller zur Seite, er fiel vom Tisch und zerbrach. Sie schlug die Hände vors Gesicht und begann zu weinen.

Josy und Luis erreichten den großen Busbahnhof, von dem aus Busse in alle Teile des Landes abfuhren. Luis kaufte Fahrkarten für die zweite Klasse.

»Die sind zwar langsamer und halten an jedem Misthaufen, aber erste ist zu teuer«, erklärte er.

Der Bus nach Oaxaca machte einen halbwegs vertrauenerweckenden Eindruck, auch wenn ein Rückspiegel herunterhing und die Klimaanlage ratterte. Eine Bäuerin mit mehreren verschnürten Pappkartons und einem Huhn im Käfig stieg ein. Sie zeterte laut, als der Fahrer ihr den Käfig wegnehmen und im Gepäckraum verstauen wollte. Schließlich setzte sie sich durch und stellte den Käfig auf den Sitz neben sich. Das Huhn saß ganz still, ruckte nur hin und wieder mit dem Kopf.

Zwei junge Indígenas in lässigen Rapper-Klamotten stiegen ein, ein älteres Paar, das seinen Proviant in einer Kühltasche verstaut hatte, zwei unternehmungslustig wirkende Amerikanerinnen, die mit ihren Khaki-Anzügen und Rucksäcken wie für eine Expedition ausgerüstet waren.

Im letzten Moment stieg noch jemand ein. Josys Herz machte einen kleinen Sprung.

»Da ist ja Miguel«, sagte sie und stieß Luis auf dem Gangplatz ihr gegenüber an. Der sah seinen Kumpel überrascht an. »Du fährst schon zurück?«

»Es geht bald los«, sagte Miguel. Er drehte Josy den Rücken zu und redete flüsternd auf Luis ein. Josy schnappte einzelne Wörter auf. *Gewalt ... Protest ... Regierung ...*

Die beiden wirkten wie zwei Verschwörer, die eine Geheimaktion planten. Sie fühlte sich ausgeschlossen.

»Wollt ihr mir nicht sagen, worüber ihr redet?«, fragte sie.

Luis legte Miguel die Hand auf die Schulter, um seinen Redefluss zu stoppen, und sah zu ihr. »Das interessiert dich bestimmt nicht.«

»Woher weißt du das?«

Miguel lächelte ein wenig abschätzig. »Es ist zu kompliziert. Mach du deinen Job im Kinderzentrum, und damit ist es gut.«

»Du könntest wirklich ein bisschen netter zu einer Ausländerin sein, die in dein Land kommt«, gab Josy patzig zurück.

Miguel grinste überrascht. »Also gut. Ich hab dir doch von der Demo auf dem Hauptplatz in Oaxaca erzählt, bei der unser Freund verletzt wurde. Die Polizei hat die Leute zusammengeprügelt und Tränengas eingesetzt ...«, begann er, aber Luis fiel ihm ins Wort. »Lass es«, befahl er. »Zieh sie da nicht mit rein.«

»Wo rein?«, fragte Josy.

»Egal«, sagte Miguel und wandte sich wieder zu Luis.

Beleidigt verschränkte Josy die Arme vor der Brust und sah aus dem Fenster. Die beiden flüsterten noch eine Weile miteinander, plötzlich stieß Miguel die linke Faust in die Luft. »Viva la Revolución!«, flüsterte er. Luis verzog genervt das Gesicht.

Josy hätte zu gern gewusst, was hier wirklich los war, aber sie hatte keine Lust, sich eine weitere Abfuhr zu holen, deshalb fragte sie nicht. Sie schaltete ihren iPod ein und konzentrierte sich auf die Musik.

Nach einer Weile setzte Miguel sich auf den freien Platz vor Luis und öffnete ein Buch, Luis lehnte sich in seinem Sitz zurück und schloss die Augen. Sie fuhren immer noch durch Außenbezirke der Stadt, die in alle Richtungen wucherte, so weit das Auge reichte. Vor ihnen tauchten zwei gewaltige Felsmassive aus dem Dunst auf, deren Gipfel mit Schnee bedeckt waren.

»Was sind das für Berge?«, fragte Josy und zog einen Ohrstöpsel raus. »Die sind ja riesig!«

»Der Popocatépetl, der ›Rauchende Krieger‹ und der Iztaccíhuatl, die ›Schlafende Frau‹«, erklärte Luis mit geschlossenen Augen, »das sind Vulkane. Die Legende sagt, der Krieger Popocatépetl sei einst aus der Schlacht heimgekehrt und habe seine Geliebte tot vorgefunden – sie war vor Trauer über die lange Trennung gestorben. Vom Schmerz überwältigt, habe er sich neben sie niedergekniet, in der Hand eine Schale dampfenden Tees. Noch heute bewacht er ihren Schlaf.«

»Was für eine romantische Geschichte«, sagte Josy.

»Weißt du, wie die zwei Vulkane auch genannt werden?«, schaltete Miguel sich ein. »Gregorio und Rosita. Die sind so was wie Romeo und Julia. Jedes Frühjahr steigen die Campesinos hoch und bringen ihnen Opfer dar. Früher waren es Menschenopfer, heute sind es Speisen, Kleidung, Musikinstrumente und Blumen.«

»Worum bitten sie?«, fragte Josy. »Darum, dass die Vulkane ihre Liebe beschützen?«

»Nein«, erwiderte Luis trocken, »darum, dass sie nicht ausbrechen und ihre Häuser zerstören.«

Josy sah den beiden Vulkanen nach, bis sie hinter der nächsten Hügelkette verschwunden waren. Als sie sich wieder gerade hingesetzt hatte, bemerkte sie Miguels Blick, der provozierend lange auf ihr ruhte.

Freda war am nächsten Morgen bereits um kurz vor neun in der Buchhandlung. Sie warf einen scheuen Blick ins Innere des Ladens. Im Licht des neuen Tages war der Anblick der von Schutt und Staub bedeckten Bücher noch bizarrer als am Tag zuvor. Sie wirkten wie die eigenwillige Installation eines Künstlers; unter ästhetischen Gesichtspunkten war das durchaus nicht ohne Reiz, man durfte sich nur nicht vorstellen, was es bedeutete, dieses Chaos zu beseitigen.

Vorsichtig stieg sie über verschiedene Hindernisse hinweg und ging zum Ladentisch. Der Anrufbeantworter blinkte. »Guten Morgen, hier Rechtsanwalt Möller. Ich wollte Ihnen sagen, dass heute Vormittag ein unabhängiger Gutachter zu Ihnen kommt, um die Schäden zu protokollieren. Danach können Sie mit den Aufräumarbeiten beginnen. Die Firma Immobau hat zugesagt, die beschädigte Stelle provisorisch zu schließen, so dass ein geordneter Verkaufsbetrieb bald wieder möglich sein dürfte.«

Ein geordneter Verkaufsbetrieb. Pah. Warum nur hatte sie das Gefühl, dass Immobau wieder eine Ausrede finden würde, um ihre Zusage nicht einzuhalten? Freda sehnte sich nach den Wochen zurück, in denen sie sich nur über eine kaputte Glasscheibe hatte aufregen müssen.

Dann kam Tanja, einen Kaffeebecher in der Hand. Offenbar hatte sie sich nicht mal Zeit fürs Frühstück genommen. Sie blieb am Eingang stehen, ließ ihren Blick durch den Laden wandern und schüttelte den Kopf. Dann zog sie kräftig am Strohhalm und feuerte den leeren Becher in den Papierkorb. »Also los. Wir ziehen das jetzt durch. Die sollen sehen, dass sie uns nicht vertreiben können, selbst wenn sie das Haus bombardieren. In einer Woche herrscht hier wieder normaler Geschäftsbetrieb.«

»Warte noch.« Während Freda von Möllers Anruf berichtete, kam bereits ein graugesichtiger, magerer Mann in einem verknitterten Anzug auf die Ladentür zu. Er drückte ihnen mit ernstem Gesicht die Hand, stellte sich mit »Kurz, Schadensgutachter« vor und begann unverzüglich mit der Arbeit. Er inspizierte jeden Quadratzentimeter, machte sich Notizen, schoss Bilder mit einer Digitalkamera und fertigte kleine Skizzen an. Tanja und Freda zogen mit Staubsauger, Wischlappen und Wassereimer hinter ihm her und begannen dort zu putzen, wo er schon fertig begutachtet hatte. Zuerst entstaubten sie, so gut es ging, die Bücher, und sortierten sie in drei verschiedene Kartons. Die zum Wegschmeißen, die zum Verramschen und die Unversehrten. Sie schrieben, auf Anweisung von Herrn Kurz, genaue Listen, damit bis auf den Cent ausgerechnet werden konnte, wie viel Schaden bei der Ware entstanden war. Danach saugten und wischten sie jedes ein-

169

zelne Regalbrett und räumten die unbeschädigten Bücher wieder ein.

»Sie sollten auch aufschreiben, wie viele Stunden Sie für die Reinigungs- und Aufräumarbeiten aufwenden«, empfahl Herr Kurz.

Die Kunden, die im Laufe des Vormittages kamen, reagierten voller Anteilnahme und erkundigten sich nach den näheren Umständen des Unglücks. Freda hätte am liebsten jedem erzählt, dass es sich um eine gezielte Schikane handelte, weil sie mit allen Mitteln aus dem Haus vertrieben werden sollten, aber sie riss sich zusammen. Die meisten versprachen, wieder vorbeizukommen, wenn es nicht mehr so staubig wäre; manche wühlten sich unbeirrt durch die Bücher, pusteten und wischten den Staub von den Deckeln, als hätten sie eine archäologische Ausgrabung gemacht.

Gegen Mittag konnte Freda nicht mehr. Sie musste einfach raus und ein bisschen frische Luft schnappen. »Ich hole uns was zu essen«, bot sie an.

»Mir bitte ein Putensandwich«, bestellte Tanja.

»Kann ich Ihnen auch etwas mitbringen?«, fragte sie Herrn Kurz, der so versunken war, dass er sie zunächst nicht hörte. Sie wiederholte die Frage, er blickte hoch und sah sie verwirrt an. »Nein, vielen Dank.«

Freda nahm ihre Tasche und verließ den Laden. Sie setzte sich in ein Straßencafé, aß einen Schinken-Käse-Toast und trank einen Cappuccino. Mit geschlossenen Augen hielt sie ihr Gesicht in die Sonne und spürte die wärmenden Strahlen auf der Haut.

Es würde schon alles wieder in Ordnung kommen. Nur Schutt und Staub, keine Toten. Sie hatte Schlimmeres erlebt.

»Frau März, was für ein Zufall!«, hörte sie eine bekannte Stimme, öffnete die Augen und blinzelte gegen die Sonne.

Johann Krummbaur lächelte sie an.

»Was machen Sie denn in dieser Gegend?«, fragte Freda überrascht.

»Ein paar Einkäufe. Ich habe heute frei.« Er blieb stehen und wirkte unschlüssig.

»Setzen Sie sich doch zu mir«, bot sie an. »Darf ich Sie auf einen Kaffee einladen?«

»Gern«, sagte er. »Aber die Einladung geht selbstverständlich auf mich.«

Während sie sich unterhielten, dachte Freda, dass nicht viele Männer es geschafft hätten, so verständnisvoll und geduldig mit einer völlig aufgelösten und traumatisierten Frau umzugehen. Es hatte Szenen gegeben, für die sie sich heute schämte; sie hatte ihn beschimpft, hatte geschrien und geweint. Niemand, nicht einmal Alex, hatte sie je in solchen Ausnahmezuständen erlebt.

Johann Krummbaur erkundigte sich nach Josy, und Freda erzählte nicht ohne Stolz, ihre Tochter sei gerade nach Mexiko abgeflogen, um dort bei einem Kinderhilfsprojekt zu arbeiten. Bestimmt sei es gut für sie, von all den Ereignissen ein bisschen Abstand zu bekommen.

»Und wie geht es Ihnen?«, fragte er. Sein Blick voll ehrlicher Anteilnahme weckte in Freda die Lust, ihren Kopf an seine Schulter zu legen und sich endlich mal so richtig auszuweinen. Sie riss sich zusammen.

»Abgesehen davon, dass gestern die Decke meiner Buchhandlung eingestürzt ist, ich meine Tochter jetzt schon entsetzlich vermisse und nie die Absicht hatte, mit dreiundvierzig Witwe zu sein, geht es mir hervorragend.«

Er sah einen Moment verblüfft aus, dann lachte er.

Freda stand auf. »Ich muss zurück in den Laden. War schön, Sie zu treffen.«

Er stand ebenfalls auf und nahm ihre Hand zwischen seine beiden. »Sagen Sie, Frau März ... dürfte ich ... würden Sie vielleicht mal mit mir zum Essen gehen?«

In einem schönen Restaurant sitzen, reden, lachen, Wein trinken, seine Wärme spüren. Wieder dazugehören. *Ins Leben zurückkehren.*

Nach kurzem Zögern sagte Freda: »Ich überleg's mir, Herr Krummbaur. Jedenfalls vielen Dank.«

Abends rief sie Arno Steiner an. Er hatte ihr keine Nummer von sich gegeben, deshalb suchte sie im Telefonbuch danach.

Eine Frauenstimme meldete sich: »Bei Steiner.«

Freda spürte einen winzigen Stich der Enttäuschung. Sie bat darum, mit Herrn Steiner sprechen zu können, und das Telefon wurde weitergereicht. Er schien überrascht, ihre Stimme zu hören.

»Wie geht's dem Loch in Ihrem Kopf?«, erkundigte sie sich. »Waren Sie beim Arzt?«

»Sie hatten Recht«, sagte er, »die Wunde war tiefer als angenommen. Jetzt habe ich ein hübsches Kreuzstichmuster auf der Stirn. Hoffentlich fallen mir die Haare nicht so bald aus.«

»Wollen Sie Anzeige gegen die Firma Immobau erstatten?«

»Ich weiß nicht. Dafür müsste man ihnen nachweisen, dass sie schuldhaft oder vorsätzlich gehandelt haben. Was hat denn die Polizei gesagt?«

»Noch gar nichts. Die haben alle befragt, die Baustelle untersucht und angekündigt, dass es demnächst einen Bericht geben werde. Danach sei zu prüfen, ob Schadenersatzansprüche geltend gemacht werden könnten.«

»Sollte ich denn Anzeige erstatten?«, fragte Steiner. »Ich hatte den Eindruck, es wäre Ihnen ganz recht, wenn die Firma Immobau ein bisschen Druck kriegen würde.«

»Einerseits schon, andererseits habe ich Angst, dass sie uns was anhängen wollen. Dass wir ohne Genehmigung keine Veranstaltung hätten machen dürfen oder irgend so was. Dann haben am Ende wir den Ärger.«

»Lassen Sie sich doch einfach von Ihrem Anwalt beraten«, schlug Steiner vor. »Und wenn ich irgendwas für Sie tun kann, sagen Sie mir Bescheid.«

»Sie können gerne vorbeikommen und ein paar Bücher abstauben«, sagte Freda in scherzhaftem Ton. »Also dann, schönen Abend noch.«

9

Es dämmerte schon, als der Bus Oaxaca erreichte. Josy war überwältigt von der Fahrt durch die grandiose Felslandschaft der Sierra Madre del Sur.

»Das sieht ja aus wie im Kino!«, hatte sie beim Anblick eines besonders dramatischen Panoramas gerufen, und Luis hatte bestätigt, dass viele Westernfilme in dieser Gegend gedreht worden waren.

Ihre Gespräche hatten sich nur noch um belanglose Dinge gedreht, die beiden Jungs hatten ihr verschwörerisches Getuschel nicht weiter fortgesetzt. Doch Josy hatte sich die ganze Zeit gefragt, was Luis und Miguel vor ihr geheim hielten. Natürlich hatte sie schnell begriffen, dass es um Politik ging. Aber in was für eine Sache sollte Miguel sie nicht hineinziehen? Sie nahm sich vor, es herauszufinden.

Am Busbahnhof erwartete sie Carlos, Luis' Vater. Er war ein zierlicher Mann mit sanften Gesichtszügen; obwohl er noch keine fünfzig sein konnte, war sein Haar völlig grau. Er schloss Luis in seine Arme und hielt ihn sehr lange fest. Die Rührung über das Wiedersehen war ihm anzumerken. Nachdem er sich von seinem Sohn gelöst hatte, wandte er sich Josy zu und blickte sie mit freundlicher Neugier an.

»Du bist also Josy. Willkommen in Oaxaca«, sagte er und küsste sie rechts und links auf die Wangen. »Hattet ihr eine gute Reise?«

»Danke«, sagte Josy, »sehr gut.« Sie spürte jeden Knochen nach der langen Fahrt in dem rumpeligen Bus, aber sie wollte sich nicht darüber beklagen.

In einem altersschwachen Ford fuhren sie zu Carlos nach Hause. Er wohnte in einem Häuschen, das noch bescheidener und ärmlicher war als das von Marta und Ramón. Es gab nicht einmal ein Bad, nur eine Toilette mit Waschbecken und eine Außendusche hinter einer rohen Ziegelwand. Es war weder aufgeräumt noch besonders sauber. Carlos schien keinen großen Wert darauf zu legen, oder er hatte keine Zeit für Hausarbeit. Sie bemerkte einen prüfenden Blick von Luis. Er konnte sich wahrscheinlich vorstellen, wie diese Umgebung auf sie wirkte.

Carlos zeigte ihr ein Kämmerchen, in dem gerade mal ein schmales Bett, ein Stuhl und ein paar Regalbretter an der Wand Platz hatten. Das kleine Fenster ging auf den Hinterhof hinaus, der düstere Raum wurde nur von einer nackten Glühbirne erleuchtet, die von der Decke baumelte. Josy schluckte.

»Das ist dein Zimmer«, sagte Carlos, »ich hoffe, es ist in Ordnung.«

»Ja, natürlich, vielen Dank«, sagte Josy und bemühte sich, zu lächeln.

Als sie allein war, setzte sie sich aufs Bett und vergrub das Gesicht in den Händen.

Sie dachte an ihr Zimmer zu Hause, an ihr Bett, den CD-Player, ihr sauberes Badezimmer, die gemütliche Wohnküche. Nie war ihr bewusst gewesen, in welchem Luxus sie lebte.

Sie stellte sich vor, wie Naomi und Lara sich in ihrer Situation verhalten würden. Die patente Naomi würde wahrscheinlich gleich Schrubber und Wischlappen zur Hand nehmen und das ganze Haus putzen. Lara, die wahnsinnig etepetete war, hätte gleich auf dem Absatz kehrtgemacht und wäre in ein Hotel gezogen.

Sie dachte daran, dass sie ihre Freundinnen viele Monate nicht sehen würde. Und sie dachte an ihre Mutter, die sich bestimmt ebenso einsam fühlte wie sie, wenn nicht noch einsamer. Kann man »einsam« überhaupt steigern?, fragte sie sich, während ihr die Tränen übers Gesicht rannen. Einsam, einsamer, am einsamsten.

Sie nahm sich vor, sich zusammenzureißen und sich an ihr neues Zuhause zu gewöhnen. Da und dort könnte sie ja auch ein bisschen saubermachen, ohne dass es Carlos auffiele und er sich gekränkt fühlte. Es würde schon gehen.

Sie packte ihren Koffer aus, verstaute ihre Habseligkeiten im Regal und übergab Carlos eine große Plastiktüte voller Kinderkleidung, die sie zu Hause gesammelt hatte.

»Ich hoffe, die Kinder können die Sachen brauchen«, sagte sie schüchtern. Plötzlich fürchtete sie, das Ganze wäre keine gute Idee gewesen. Da kam die »reiche« Deutsche und brachte ein paar getragene Klamotten mit. Musste Carlos das nicht als herablassend empfinden? Zu ihrer Erleichterung freute er sich. »Vielen Dank, Josy, die Kinder werden begeistert sein! Und jetzt können wir essen.«

Er hatte eine Art Eintopf gekocht, eine Mischung aus Fleisch, Bohnen und einer würzigen Soße. Josy merkte, wie hungrig sie war.

Carlos wollte ausführlich hören, wie es seiner geschiedenen Frau und seinem zweiten Sohn, Luis' kleinem Bruder

Jaime, gehe. Luis erzählte, und Josy spürte die Traurigkeit, die von Carlos ausging. Es musste ihm sehr schwergefallen sein, seine Kinder in Deutschland zurückzulassen, aber offenbar hatte es keine andere Möglichkeit gegeben.

»Und du, Josy, was hast du bisher gemacht?«, fragte er dann.

Josy erzählte von der abgebrochenen Schule, ihren Aushilfsjobs, kurz auch von dem Praktikum in Berlin.

»Ehrlich gesagt habe ich keine Ahnung, was ich werden will. Aber ich wollte jetzt erstmal was Sinnvolles machen. Luis hat mir von Ihrem Projekt erzählt, und da hatte ich die Idee, mit ihm hierherzufahren. Ich finde die Vorstellung einfach schön, armen Kindern zu helfen.«

Carlos lächelte. »Du stellst dir also vor, dass du damit etwas Gutes tust und den Kindern etwas gibst.«

»Ja, genau.«

»Könnte es nicht auch umgekehrt sein?«

»Wie ... meinen Sie das?«

»Nun, vielleicht geben die Kinder dir etwas. Die Chance, etwas über dich und deine Fähigkeiten zu erfahren, zum Beispiel.«

»O ja, ganz bestimmt«, beeilte sich Josy zu versichern. »Ich werde natürlich eine Menge lernen.«

»Versetz dich mal in die Lage eines armen Menschen«, sagte Carlos, »eines Menschen, der niemandem etwas geben kann, weil er nichts besitzt. Das ist sehr traurig, weil die meisten Menschen gerne geben. Auch unsere Kinder würden gerne anderen etwas geben. Deshalb haben wir uns angewöhnt, unser Zusammensein mit ihnen als ein Geschenk zu betrachten, das sie uns machen. Nicht nur wir tun etwas für sie, sondern sie tun auch etwas für uns.«

Josy nickte nachdenklich. »So habe ich das noch gar nicht gesehen. Es ist wichtig, weil ... es ihnen ihre Würde lässt, nicht wahr? Nicht sie nehmen Mildtätigkeit von uns entgegen, sondern sie geben uns etwas, was nur sie uns geben können, habe ich das richtig verstanden?«

Wieder lächelte Carlos und sagte: »Du hast es genau richtig verstanden, und ich freue mich sehr, dass du dabei bist!«

Josy atmete auf. Sie fühlte sich, als hätte sie einen wichtigen Test bestanden.

Nach dem Essen schlug Luis vor, einen Spaziergang zu machen. Carlos entschuldigte sich, er habe noch zu arbeiten, und so zogen sie zu zweit los.

Während sie an der ersten Ampel warteten, ertönte ein Zwitschern, wie von einem ziemlich großen Vogel.

»Woher kommt das?«, fragte Josy und blickte sich erstaunt um. Dann begriff sie, dass es ein akustisches Signal für sehbehinderte Fußgänger war. Bei jeder weiteren Ampel freute sie sich über das fröhliche Geräusch.

Je näher sie dem Zentrum kamen, desto deutlicher wandelte sich Oaxaca in eine hübsche, geradezu beschauliche Stadt mit Häusern im Kolonialstil, schönen alten Kirchen und Plätzen. Der hiesige Zócalo war ein belebter, von Cafés und Restaurants eingerahmter Platz mit Blumenbeeten und Bänken zum Ausruhen. In einer Ecke spielten vier Musiker, umlagert von zahlreichen Zuhörern, auf einem Instrument, das wie ein überdimensionales Xylophon aussah.

»Das sind Marimbaspieler«, erklärte Luis, »die treffen sich jeden Abend, ich kenne sie schon aus meiner Kindheit.« Einige Paare tanzten, manche legten dabei einen geradezu feierlichen Ernst an den Tag, andere machten Spaß und alberten herum. In den hell erleuchteten Restaurants wurde gegessen und getrunken, ein warmer Wind trug Stimmen und Gelächter über den Platz.

»Ist das schön hier!«, sagte Josy und sah sich begeistert um. Sie konnte sich einfach nicht vorstellen, dass hier vor kurzem Menschen zusammengeprügelt und mit Tränengas verjagt worden waren, dass hinter der friedlichen Fassade Gewalt lauerte. Sie hoffte, Miguel hätte übertrieben.

Indianerkinder verkauften überall auf dem Platz Luftballons, Schmuck und Süßigkeiten, die von den Touristen gerne genommen wurden.

»Schau mal, die niedliche Kleine!«, rief Josy beim Anblick eines besonders hübschen kleinen Mädchens, zog ihren Geldbeutel aus der Tasche und wollte ihm Nusskonfekt abkaufen.

»Lass es lieber«, sagte Luis, »das ist nicht gut.«

»Ach, ich bin nicht empfindlich«, gab Josy zurück, »ich habe einen Magen wie ein Pferd.«

»Das meine ich nicht«, sagte Luis. »Ich meine, du sollst nichts von den Indianerkindern kaufen.«

»Warum nicht? Damit helfe ich ihnen doch!«

»Im Gegenteil. Diese Kinder werden von ihren Eltern zum Arbeiten geschickt, zehn, zwölf Stunden am Tag. Wenn sie gutes Geld nach Hause bringen, schicken die Eltern sie natürlich weiter auf die Straße. Aber die Kinder sollten zur Schule gehen und was Ordentliches lernen, damit sie nicht ihr ganzes Leben lang Straßenverkäufer bleiben müssen.«

»Sie gehen nicht zur Schule?«

»Die meisten nicht.«

»Und wo lernen sie lesen und schreiben?«

»Überhaupt nicht. Hier in diesem Bundesstaat gibt es über zwanzig Prozent Analphabeten«, erklärte Luis. Geschockt sah Josy ihn an und steckte ihren Geldbeutel wieder ein. Sie hatte nicht gewusst, wie schwierig es war zu helfen.

Beim Schlafengehen entdeckte Josy eine Spinne an der Wand ihres Kämmerchens, und sie schrie laut auf. Innerhalb von Sekunden stand Luis im Zimmer. »Ist was passiert?«

Stumm zeigte sie auf das Tier. Luis näherte sich vorsichtig. Als er nahe genug war, um die Zeichnung auf dem Rücken der Spinne zu erkennen, entspannte er sich.

»Kein Grund zur Panik«, sagte er, griff nach dem Tierchen und trug es zum offenen Fenster, in dem ein mit Moskitonetz bespannter Rahmen steckte. Er hob den Rahmen ein Stück an und warf es hinaus.

»Die sind ungefährlich«, sagte er. »Es gibt andere, mit einem roten Flecken auf dem Rücken, das sind die Schwarzen Witwen, die sind echt gefährlich. Ach ja, und Skorpione gibt es hier auch. Die kleinen hellen sind übrigens giftiger als die großen dunklen.«

Josy starrte ihn entsetzt an. »Ich will weg«, sagte sie tonlos, »das halte ich nicht aus.«

Luis lächelte. »Ich habe doch nicht gemeint, dass es die alle hier gibt«, sagte er beruhigend, »in der Stadt sind sie selten. Einen Skorpion habe ich höchstens zwei- oder dreimal hier gesehen. Du solltest trotzdem vorsichtshalber deine Kleider ausschütteln und in die Schuhe sehen, bevor du sie anziehst.«

Josy starrte ihn immer noch an. »Aber ... kriechen die denn nicht ins Bett?«

»Die haben mehr Angst vor dir als du vor ihnen. Und sie stechen nur, wenn sie sich angegriffen fühlen.«

»Und das soll mich beruhigen?« Josys Augen füllten sich mit Tränen. »Ich Idiot, wieso bin ich bloß hierhergekommen? Jetzt könnte ich zu Hause in meinem Bett liegen, und morgen würde ich in irgendeinem Laden irgendwas verkaufen, statt zu versuchen, was Gutes zu tun und dabei sowieso alles falsch zu machen!«

Sie schluchzte heftig. Luis ging zu ihr, umarmte sie unbeholfen und zog sie an sich.

»Schsch, beruhige dich doch. Ist alles halb so schlimm. Schlaf erstmal, und morgen sieht alles schon ganz anders aus.«

»Schlafen? Mit Spinnen und Skorpionen und womöglich auch noch Schlangen ...?«

»... Schlangen gibt's keine, jedenfalls hab ich hier noch keine gesehen.«

»Ich ... will ... nach ... Hause«, weinte Josy. Luis verstärkte seine Umarmung, sie hob ihr tränennasses Gesicht zu ihm hoch, und im nächsten Augenblick küsste er sie.

Josy war zuerst so überrascht, dass sie es geschehen ließ, dann schob sie ihn sanft von sich und sagte: »Nicht, Luis. Wir sind Freunde.«

»Aber aus Freundschaft kann doch mehr werden«, sagte er leise.

»Bitte lass mich jetzt«, bat sie und schob ihn Richtung Tür.

»Gute Nacht«, sagte er, »schlaf schön. Du wirst sehen, alles wird gut.« Behutsam schloss er die Tür hinter sich.

Josy blieb mitten im Zimmer stehen und suchte mit den Augen jeden Winkel ab, dann ging sie zum Bett. Mit spitzen Fingern hob sie das Kissen und die Laken an und schüttelte sie aus. Sie zog das Bett von der Wand weg und sah darunter.

Als sie ganz sicher war, dass keine weiteren Tiere im Raum waren, legte sie sich hin, klemmte das obere Laken an den Seiten und unten zwischen Matratze und Bettgestell und zog es hoch bis zum Kinn. Starr vor Angst lag sie da. Dann merkte sie, dass die Lampe noch brannte. Der Schalter war neben der Tür. Mit zwei Schritten war sie dort, knipste ihn aus und hechtete zurück ins Bett.

Am nächsten Morgen war Josy todmüde. Es kam ihr vor, als wäre sie erst nach Stunden eingeschlafen und alle paar Minuten wieder aufgewacht. Ihr war so heiß gewesen, dass sie am liebsten das Decklaken von sich geworfen hätte, aber dann hätten die Tiere ja ungehindert über ihren Körper krabbeln können, also war sie still liegen geblieben.

Schlaftrunken torkelte sie in die Küche. Luis wünschte ihr einen guten Morgen, reichte ihr eine Tasse Milchkaffee und blickte sie fragend an. Josy bedankte sich, sonst sagte sie nichts. Sie schämte sich für ihren Ausbruch vom Vorabend.

Ehe sie noch ausgetrunken hatte, trieb Carlos sie schon an, damit sie rechtzeitig im »Haus der Hoffnung« einträfen. Sie rannten zur Haltestelle und erwischten gerade noch den Bus.

Das Viertel, das sie nach zwanzig Minuten Fahrt erreichten, war ärmer als alles, was Josy bisher gesehen hatte. Es gab kaum gemauerte Häuser, fast nur Wellblechhütten und Holzverschläge. Das »Haus der Hoffnung« war ein größeres Gebäude, das ein bisschen zusammengestückelt wirkte. »Erbaut aus Spenden und mit eigenen Händen«, wie Carlos stolz sagte. Immer wenn genügend Geld zusammengekommen war, konnte weitergebaut werden. Zum Glück hatte er aus seiner Zeit in Deutschland Freunde, die das Zentrum unterstützten.

Es war zehn vor neun. Die ersten Mütter mit Kindern warteten schon und begrüßten Carlos laut und herzlich. Luis und Josy wurden mit einer Mischung aus Neugier und Misstrauen gemustert.

»Das ist mein Sohn Luis«, erklärte Carlos und legte stolz den Arm um ihn, »und das ist seine Freundin Josy. Sie sind aus Deutschland gekommen, um mit euch zusammen zu sein.«

Plötzlich wurde Josy nervös. Sie hatte noch nie näher mit Kindern zu tun gehabt, schon gar nicht mit solchen aus einem anderen Kulturkreis. Ob die Kleinen sie überhaupt akzeptieren würden? Ob ihr Spanisch ausreichen würde? Was war eigentlich ihre Aufgabe, was wurde von ihr erwartet?

Schüchtern gab sie den Müttern die Hand und lächelte den Kindern zu. Ihr fiel auf, wie ordentlich sie gekleidet waren. Die Jungen hatten nass gekämmte Haare mit exakten Seitenscheiteln, die Mädchen ordentlich geflochtene Zöpfe. Ein Kind war barfuß.

Josy bückte sich und lächelte es an. »Wo sind denn deine Schuhe?«, fragte sie.

Das Kind reagierte nicht, die Mutter zog es weg.

Carlos, der die Szene beobachtet hatte, nahm sie zur Seite und raunte ihr zu: »Es hat keine Schuhe.«

Josy konnte es nicht glauben »Aber sie sind doch alle so gut angezogen!«

»Die Kinder besitzen meist nur die Kleidung, die sie am Leib tragen. Die Mütter waschen sie jeden Abend aus. Sie wollen nicht, dass man ihren Kindern die Armut ansieht. Für Schuhe hat diese Familie im Moment kein Geld, der Vater ist gerade gestorben.«

Josy war beschämt. Sie nahm sich vor, ein Paar Schuhe zu kaufen und sie dem kleinen Mädchen zu schenken. Carlos blickte sie an, und – als hätte er ihre Gedanken erraten – sagte er: »Es ist schwer auszuhalten, ich weiß. Aber du kannst nicht alle Probleme auf einmal lösen. Und wenn du eines gelöst hast, warten hundert andere.«

Die Kinder, alle zwischen drei und fünf Jahre, gingen in den »Kindergarten«, ein Zimmer, in dem es ein paar Tische und Stühle gab sowie einige Spielsachen und Lernmaterial. Auf einer Weltkarte zeigte Carlos ihnen München und Oaxaca. Er fuhr mit dem Finger auf der Karte entlang und sagte: »Wisst ihr, wie weit das ist? Zehntausend Kilometer! Josy hat euch Sachen mitgebracht, von Kindern aus Deutschland. Wollt ihr das Flugzeug malen, mit dem Luis und Josy gekommen sind?« Eifrig suchten die Kinder Stifte und Papier zusammen und begannen zu malen.

Jetzt stellte Carlos die anderen Mitarbeiter vor. Conchita und Carmen, zwei Mütter aus dem Viertel, arbeiteten in der Küche und hielten das Haus sauber. »Tequio« nannte Carlos ihre Mitwirkung, das indianische Wort für »freiwilliger Dienst für die Gemeinschaft«. Loreta, eine junge Pädagogikstudentin, die aus Oaxaca stammte, absolvierte im Zentrum ein halbjähriges Praktikum. Kristin aus Schweden war zwei Jahre älter als Josy und machte ihr soziales Jahr. Javier, ein kräftiger junger Busche aus dem Viertel, betätigte sich als Hausmeister, war zuständig für technische Fragen und den Fortgang des Hausbaus.

»Josy, du läufst heute mal bei Kristin und Loreta mit, siehst dir alles an und lernst die Abläufe kennen«, schlug Carlos vor. »Du solltest möglichst schnell Kontakt zu den Kindern aufnehmen. Sprich mit ihnen, spiel mit ihnen, lies ihnen vor, dann verlieren sie ihre Scheu.«

Luis wuschelte ihr im Vorbeigehen mit der Hand durchs Haar und wünschte ihr viel Glück, dann fuhren er und Javier mit einem verbeulten Pick-up weg, um Baumaterial zu besorgen.

Josy sah sich nach ihren neuen Kolleginnen um. Kristin lächelte ihr aufmunternd zu, Loreta wirkte eher abweisend. Als sie mit ihnen in den Kindergarten zurückkam, zeigten die Kinder aufgeregt ihre Bilder. Amüsiert betrachtete Josy die unterschiedlichen Darstellungen. Einige waren ziemlich gut gelungen, andere hatten nur entfernt Ähnlichkeit mit einem Flugzeug. Ein kleiner Junge hatte sein ganzes Bild mit winzig kleinen Insekten verziert.

»Sind das Flugzeuge?«, fragte Josy. Der kleine Junge nickte stumm. »Wie groß, glaubst du, ist ein Flugzeug?« Der Junge hob die Hand und zeigte mit den Fingern die Größe einer Stubenfliege an.

»Ist doch klar«, sagte Loreta, »er hat noch nie ein Flugzeug aus der Nähe gesehen. Und wenn sie über die Stadt fliegen, sind sie eben so klein wie auf seinem Bild.«

Sie musterte Josy prüfend. »Wohnst du bei Carlos?«

Josy nickte.

Loreta kaute auf ihrer Unterlippe. »Ist Luis dein ... Freund?«

»Er ist ein Freund von mir, aber wir sind kein Paar, falls du das meinst.«

»Ich kenne ihn von früher«, sagte Loreta, »wir haben als Kinder zusammen gespielt, bis er nach Deutschland gegangen ist.«

»Tatsächlich?«, sagte Josy überrascht. »Davon hat er mir gar nichts erzählt.«

Loretas Miene verschloss sich, und Josy wünschte, sie hätte etwas anderes gesagt.

Am nächsten Tag rückte tatsächlich ein Trupp Bauarbeiter in der Buchhandlung an und verkleidete das Loch in der Decke. Wann es endgültig verschlossen würde? Das wüssten sie leider auch nicht.

Nachmittags öffnete sich die Ladentür, und Arno Steiner kam herein. »Ich wollte mich zum Dienst melden«, sagte er.

Tanja blickte ihn entgeistert an. »Was wollen Sie?«

»Frau März bat mich gestern um Unterstützung beim Bücherabstauben. Hier bin ich.«

Freda lief rot an. »Das war doch nur Spaß«, sagte sie verlegen.

»Wieso Spaß?« Tanja drückte Steiner Lappen und Eimer in die Hand. »Wir können jede Hilfe gebrauchen. Das Regal da drüben können Sie auswischen.«

Steiner machte sich ans Werk. Die Frauen tauschten Blicke, Tanja hob anerkennend die Augenbrauen.

»Wie geht's den Kindern?«, fragte Freda. »Haben sie sich von dem Schrecken erholt?«

»Sie fanden es großartig«, sagte er grinsend und hielt einen Moment im Wischen inne, »leider haben sie mit ihren Erzählungen so übertrieben, dass der Direktor mich fragte, wie ich auf die wahnsinnige Idee kommen konnte, die Kinder zu einem Hausabriss mitzunehmen.«

Freda lachte. »Womit der Beweis erbracht wäre, dass Lesen die Fantasie anregt!«

Zu dritt putzten, wischten und räumten sie den ganzen Nachmittag. Zwischendurch kaufte Tanja Kuchen und kochte Kaffee. Freda ertappte sich bei dem Gedanken, dass sie gern mehr Zeit mit Arno Steiner verbringen würde. Aber offenbar gab es eine Frau in seinem Leben, und sie hatte absolut keine Lust auf Komplikationen. Also verbot sie sich den Gedanken.

Als er gegangen war, sagte Tanja: »Warum macht der das? Der will doch was von dir.«

»Wieso von mir? Ich trage doch das Schild ›Sparen Sie sich die Mühe, bin an keinem Mann interessiert‹ auf der Stirn.«

Tanja legte den Kopf schief und grinste. »Da täuschst du dich, meine Liebe. Seit einiger Zeit steht was anderes auf dem Schild.«

»So, was denn?«

»Sprechen Sie mich ruhig an, bin bereit für neue Erfahrungen. Um nicht zu sagen: bin ganz wild auf neue Erfahrungen!«

Freda wurde rot. »Quatsch! Das steht da ganz bestimmt nicht.«

»Und wieso kaufst du dir dann ein neues Bett? Fehlt nur noch, dass du dir die Haare schneiden lässt.«

Fredas Verlegenheit war nicht zu übersehen. »Ich habe tatsächlich einen Friseurtermin vereinbart.« Schnell fügte sie an: »Aber ich weiß noch nicht, ob ich hingehe!«

Bei ihrem ersten Mittagessen im Zentrum saß Josy da und starrte mutlos auf ihren Teller. Sie hatte sich große Mühe gegeben, aber die Kinder waren kaum auf ihre Kontaktversuche eingegangen. Manche liefen weg, wenn sie mit ihnen sprach, andere ignorierten sie einfach. Ein Junge hatte laut gesagt: »Du bist dumm.« Josy hatte gefragt: »Warum sagst du das?«, aber er hatte nicht geantwortet.

Kristin hatte ihr im Vorbeigehen die Schulter getätschelt und gesagt: »Mach dir nichts draus. Zu mir waren sie am Anfang genauso. Das ändert sich mit der Zeit.«

Mit welcher Zeit?, dachte Josy. Mit den Wochen, den Monaten? So lange würde sie es nicht aushalten.

Loreta hatte nichts gesagt oder erklärt, sondern ihr nur Anweisungen gegeben. Leg die Bücher zurück, reich mir mal den Farbkasten, setz dich dorthin. Josy wurde den Eindruck nicht los, Loreta hätte etwas gegen sie. Auf ihrem Gesicht lag ständig ein Ausdruck der Missbilligung, der sich nur veränderte, wenn jemand den Raum betrat. Zwischendurch hatte Carlos nach ihnen gesehen. Loreta hatte ihn angelächelt und einige Worte mit ihm gewechselt, doch kaum hatte er das Zimmer verlassen, war ihr Lächeln wie ausgeknipst.

Während das Essen verteilt wurde, sangen die Betreuerinnen mit den Kindern.

Josy versuchte, den Text zu verstehen. Es ging um einen dicken Elefantenpapa, der Gürtel und Hosenträger öffnet, bevor er sich zum Essen hinsetzt. Neben ihm sitzt der kleine Elefant und möchte nicht essen. Er jammert: »Ach, Papacito, ich mag Linsen und Bohnensuppe nicht, lieber möchte ich ein großes Stück Zitronentorte.« Begeistert schmetterten die Kleinen das Lied. Die Schulkinder, die inzwischen eingetroffen waren, sangen auch mit, machten aber Faxen, um zu demonstrieren, dass sie eigentlich zu groß dafür waren. Loreta klatschte kurz aber laut, darauf waren alle still und falteten die Hände. Ein Tischgebet wurde gesprochen.

Während des Essens kehrten Javier und Luis zurück und setzten sich zu ihnen.

Luis legte Josy den Arm um die Schulter. »Na, wie lief's?«

Sie seufzte. »Nicht so toll. Die Kinder lehnen mich ab. Ein Junge sagte, ich sei dumm.«

Carlos, der in diesem Moment dazukam, lächelte. Dann sagte er ernst: »Ich glaube, ich muss dir ein paar Dinge erklären«, und setzte sich neben Josy. »Das Leben für Kinder in solchen Vierteln ist gefährlich. Immer wieder kommt es vor, dass eins geraubt wird; von illegalen Adoptionsvermittlern, Organhändlern oder für die Pornoindustrie. Von klein auf bringen die Eltern ihren Kindern bei, dass Fremde gefährlich sind. Deshalb sind sie misstrauisch, ja ängstlich. Auch wir haben lange gebraucht, um ihr Vertrauen zu gewinnen.«

Josy sah ihn entsetzt an. »So was passiert wirklich?«

Carlos nickte. »Ja, leider.«

»Kein Wunder, dass sie vorsichtig sind«, sagte Josy. Dann seufzte sie. »Trotzdem habe ich es mir irgendwie einfacher vorgestellt.«

»Es wird einfacher«, versprach Carlos. »Es ist auch ein Sprachproblem. Die Kinder sind klein, sie verstehen noch nicht, dass jemand nicht oder nur schlecht Spanisch spricht. Wenn du also Fehler machst, denken sie, du bist dumm.«

Josy lächelte unwillkürlich. »Stimmt, das müssen sie ja auch denken.«

Carlos klopfte ihr aufmunternd auf die Schulter. »Lass dich nicht entmutigen. Bald siegt die Neugier bei den Kindern. Es wird nicht lange dauern.«

Das Essen war beendet, alle erhoben sich, jeder räumte sein Gedeck ab.

»Was soll ich als Nächstes tun?«, fragte Josy.

»Küchendienst«, sagte Carlos, »Carmen und Conchita brauchen Hilfe.«

Der Abwasch war bereits in vollem Gange, das Geschirr stapelte sich neben dem Spülbecken. Widerwillig zog Josy eine Schürze an und schnappte sich ein Küchentuch. Wenn sie etwas hasste, war es abtrocknen.

Wenigstens waren die zwei Indiofrauen nett zu ihr. Sie sprachen nicht viel, lächelten aber freundlich. Das war besser, als ständig Loretas finstere Miene vor Augen zu haben.

Abends gingen sie wieder zum Zócalo. Und wieder genoss Josy die entspannte, heitere Atmosphäre auf dem Platz. Sie entdeckte ein Internetcafé. Eine Stunde kostete fünfzehn Pesos, umgerechnet einen Euro.

»Ich check nur meine Mails«, rief sie Luis zu. »Wir treffen uns bei den Marimbaspielern.«

Zuerst surfte sie ein bisschen herum, schließlich musste sie wissen, wer letztes Mal bei »Deutschland sucht das Supermodel« rausgeflogen war. Janina, hah! Sie hatte also ihre Wette mit Lara gewonnen! Sie schrieb an Lara, Naomi und Zino. Dann schrieb sie ihrer Mutter.

josymaerz@gmx.net an fredamaerz@gmx.net

liebe mama, wir sind jetzt in oaxaca. ich wohne beim vater von luis, er hat ein hübsches haus, und ich habe ein eigenes zimmer. die arbeit im zentrum ist total interessant, die kinder sind sehr dankbar, dass wir uns um sie kümmern. sie

*kommen aus ganz armen familien, wo sie nicht gefördert
werden. hier haben die kleinen einen kindergarten und
die großen einen platz, wo sie hausaufgaben machen
können. in den hütten, wo sie wohnen, gibt es oft nicht
mal einen tisch und stühle. strom haben die meisten, aber
fließendes wasser gibt es nicht, einmal am tag kommt
ein wagen und bringt wasser in das viertel. ich verstehe
mich gut mit allen hier und glaube, sie sind froh, dass ich
da bin und mithelfe, denn es gibt sehr viel arbeit.*

*telefonieren ist schwierig, es gibt zwar ein telefon, aber
es ist teuer, nach deutschland zu telefonieren. ich gebe
dir hier für alle fälle die nummer, aber bitte ruf nicht einfach so aus spaß an, sondern nur, wenn ein notfall ist. ich
versuche, regelmäßig mails zu schreiben, aber dazu muss
ich immer in ein internetcafé. bitte mach dir keine sorgen,
wenn du mal ein paar tage nichts von mir hörst. mir
geht's gut, wirklich. alles liebe und viele grüße, deine josy*

Als sie aus dem Internetcafé trat, stieß sie fast mit Miguel
zusammen. Er war mit einer Gruppe ziemlich verwegen
aussehender junger Leute unterwegs. Zwei hatten Dread-
locks, andere Zöpfe, und alle hatten bunte Bänder im Haar.
Sie waren fast alle schwarz gekleidet, einer trug ein T-Shirt
mit dem Aufdruck »Hasta la victoria siempre.« – Bis zum
Sieg, immer. Miguel blieb stehen, grüßte Josy mit der ihm
eigenen lässigen Handbewegung und sagte: »Hola, guapa.«

Er hielt ihr eine Papiertüte mit irgendwas Knusprigem
vor die Nase und fragte: »Möchtest du?«

Josy griff hinein und führte die Hand zum Mund, im
letzten Moment stoppte sie und betrachtete genauer, was
sie zwischen den Fingern hielt: »Was ist das?«

»Chapulines, geröstete Heuschrecken«, sagte Miguel.

»Uuääh!«, stieß Josy angeekelt aus und warf sie weg. »Ist ja widerlich!«

Die Typen, mit denen Miguel unterwegs war, lachten sich halb kaputt.

»Was ist daran widerlich?«, fragte Miguel verständnislos. »Das ist nichts anderes als Garnelen oder Krabben, die isst du doch sicher auch?«

»Trotzdem«, beharrte Josy.

»Trotzdem«, äffte Miguel sie nach, lächelte dabei aber so unverschämt charmant, dass sie ihm nicht böse sein konnte. Sie musste über sich selbst lachen.

Die anderen hatten sich wieder beruhigt und musterten sie reserviert. Eines der Mädchen fragte: »Wer ist sie?« Miguel sagte: »Eine Deutsche. Sie arbeitet bei Carlos.« Das Mädchen lachte höhnisch. »Wieder eine, die glaubt, sie müsste uns retten.«

Josy tat so, als hätte sie nichts verstanden. Sie lächelte Miguel zu und sagte: »Wir sind drüben, bei den Marimba-spielern. Hasta luego.«

Erhobenen Hauptes ging sie an der Gruppe vorbei.

»Wenigstens sieht sie gut aus«, hörte sie einen der Jungen sagen, »nicht wie eine Deutsche. Die sehen sonst aus wie Pferde.« Die Gruppe brach in brüllendes Gelächter aus.

Luis winkte ihr zu, als er sie kommen sah. »Willst du auch ein Bier?«

Sie nickte, er tippte einen Kellner an. »Una Victoria más, por favor.«

Sie wippten mit den Füßen, während sie der Musik lauschten, und tranken aus ihren Bierflaschen. Der Kellner hatte ein Schälchen mit Knabbereien dazugestellt, Josy untersuchte vorsichtshalber den Inhalt, aber es waren nur Nüsse und Chips.

»Wieso sind hier in Oaxaca eigentlich so viele Europäer?«, fragte sie. Außer Englisch hatte sie schon Deutsch, Holländisch, Französisch und Italienisch gehört.

»Das sind Sprachstudenten«, erklärte er. »Sie kommen für zwei, drei Monate hierher, machen einen Spanischkurs und nebenher Urlaub ...«

»... und dann erzählen sie zu Hause, sie hätten in Mexiko gelebt und ganz viel über die Kultur der Indígenas erfahren«, hörten sie die spöttische Stimme von Miguel, der unbemerkt hinter sie getreten war.

Josy bemerkte einen unwilligen Ausdruck in Luis' Gesicht. »Du schon wieder«, sagte er, bemüht, freundlich zu klingen. Beiläufig legte er einen Arm um Josys Schulter, wie um zu zeigen, dass sie zu ihm gehörte. »Und, hat die Revolution schon angefangen?«, fragte er spöttisch.

»Morgen«, sagte Miguel, »spätestens übermorgen.«

»Welche Revolution?«, fragte Josy. »Ihr tut die ganze Zeit so geheimnisvoll, wollt ihr mich verarschen?«

»Wir machen bloß Quatsch«, sagte Luis beschwichtigend und zog sie an sich. Josy ärgerte sich über diese besitzergreifende Geste. Unauffällig entwand sie sich seinem Arm, indem sie ihr Bier auf einem etwas entfernteren Tisch abstellte. Dabei bemerkte sie Miguels Freunde, sie lehnten ein paar Meter weiter an der Wand und sahen lauernd zu ihnen herüber.

Miguel erzählte von einer Verfolgungsjagd mit der Stadtpolizei, die er und seine Clique sich geliefert hatten, dabei sah er ausschließlich Josy an, so als wäre Luis nicht vorhanden.

»Sie mögen nicht, wie wir aussehen«, sagte er grinsend. »Und dass wir Parolen auf Mauern sprühen, mögen sie auch nicht.«

»Was für Parolen?«, wollte Josy wissen.

»Revolution sofort! Nieder mit der Mückenplage! Freibier für alle!«, sagte Luis.

Miguel blitzte ihn aus schwarzen Augen zornig an. »Mach dich nicht lustig, amigo. Diese Schweine hatten deinen Vater in der Mangel, und nicht nur den. Willst du, dass sie ewig an der Macht bleiben?«

»Dieses Revolutionsgeschwafel ist einfach kindisch«, sagte Luis ungewohnt heftig, »man muss die Dinge auf andere Weise ändern, sanfter, subversiver.«

»Indem man Indianerkindern vorliest?« Der Hohn in Miguels Stimme war unüberhörbar.

Luis' Augen verengten sich. Er verkniff sich eine Entgegnung, nahm einen tiefen Schluck aus seiner Bierflasche und wandte sich demonstrativ ab.

Miguels Blick ruhte einen Moment auf Josy. »Hasta la vista, guapa. Wenn du genug von den Gutmenschen hast, dann komm zu uns.«

Mit raubkatzenhafter Schnelligkeit war er bei seiner Gruppe.

»Was war mit deinem Vater?«, fragte Josy.

Luis sah sie erschrocken an. »Ich ... ich kann nicht darüber reden.«

»Warum nicht?«

»Ich kann nicht, okay? Hör bitte auf, mich zu löchern.«

Jede Menge Fragen schwirrten Josy im Kopf herum, aber sie wagte nicht, sie zu stellen.

10

Freda hatte es tatsächlich gewagt. Sie hatte ihr schulterlanges, mausbraunes Haar zu einem kinnlangen Pagenkopf abschneiden und rotbraun färben lassen und kam sich unglaublich mutig, geradezu frivol vor. Fast wunderte sie sich, dass die Menschen auf der Straße sich nicht nach ihr umdrehten, weil sie so auffällig aussah.

Doktor Denglers Rat folgend hatte sie sich auch etwas zum Anziehen gekauft: einen eleganten hellgrauen Hosenanzug, zwei sportliche Sommerkleider in Pink und Apfelgrün, ein Paar enge Jeans und neue Schuhe.

Die äußere Rundumerneuerung, wie sie diese Maßnahmen bei sich nannte, löste auch in ihrem Inneren Veränderungen aus. Ihr Fühlen und Denken kreiste nicht mehr ausschließlich um die Vergangenheit, den Verlust von Alex, die Sorge um Josy. Wie eine Schildkröte, die vorsichtig tastend ihren Kopf ausstreckt, wagten sich Fredas Gedanken wieder in eine andere Richtung. Sie begann, Pläne für die Zukunft zu machen. Für eine Zukunft, an die sie lange nicht mehr geglaubt hatte.

Sie würde die Non-Book-Abteilung in der Buchhandlung aufbauen. Dem Traum von einer Italienreise »Auf den Spuren von Goethe« nachgehen, der sie schon lange verfolgte. Was könnte sie noch machen? Einen Sprachkurs? Einen

Kochkurs? Vielleicht ein bisschen Sport? Ihr Tatendrang war ihr fast ein bisschen unheimlich, aber sie genoss die neue Vitalität, die sie in sich spürte.

An diesem Abend war sie mit Johann Krummbaur verabredet, der nicht abgewartet hatte, bis sie sich meldete, sondern angerufen und seine Einladung erneuert hatte. Sie hatte spontan zugesagt. Erst jetzt, auf dem Weg in das Lokal, das er vorgeschlagen hatte, wurde ihr mulmig zumute.

Es war ihre erste Verabredung seit über zwanzig Jahren. Sie wusste überhaupt nicht mehr, wie man sich verhielt. Sie war völlig außer Übung.

Johann Krummbaur erwartete sie bereits. Als sie das Restaurant betrat, erhob er sich von seinem Stuhl und ging ihr entgegen. Ein warmer, kräftiger Händedruck, ein herzliches: »Ich freue mich, dass Sie gekommen sind!«

Freda sah sich um. Gehobenes bayerisches Ambiente. Gams- und Hirschgeweihe an den holzgetäfelten Wänden, die Kellnerinnen in edlen Leinen-Dirndln, die Speisekarte handgeschrieben. Weiß eingedeckte Tische, darauf Rosengestecke.

»Schön ist es hier«, sagte Freda. Es war offensichtlich, dass er ihr etwas Besonderes bieten wollte, und angesichts seines sicher nicht üppigen Polizistengehalts rührte sie seine Großzügigkeit.

»Sie sehen sehr gut aus«, sagte er mit einer Handbewegung in Richtung ihrer neuen Frisur. »So ... frisch.«

»Danke«, sagte sie verlegen.

»Was möchten Sie trinken?«

»Wasser. Und dazu ... vielleicht ein Glas Weißwein?«

»Hätten Sie etwas dagegen, wenn ich beim Bier bleibe?«, fragte er. »Ich vertrage Wein nicht besonders gut.«

»Kein Problem.« Freda lächelte. Er winkte dem Kellner.

Sie entschied sich für Rehrücken mit Spätzle und Preiselbeeren. Dazu würde eigentlich besser Rotwein passen, aber nun hatte sie schon Weißen bestellt.

Während er die Speisekarte studierte, beobachtete sie ihn. Bisher hatte sie immer nur den Polizisten in ihm gesehen, nie den Mann. Dabei sah er auf seine Weise gut aus; er war groß und breitschultrig, hatte ein offenes, gutmütiges Gesicht, und sein Haar war länger, als es sich für einen Polizisten gehörte. Was ihr von Anfang an Vertrauen eingeflößt hatte, war sein Blick. Er war sanft und direkt zugleich, man fühlte sich von ihm wahrgenommen, aber nicht examiniert. Auch seine Hände hatten ihr schon immer gefallen, er hatte kräftige Finger mit kurzen, gepflegten Nägeln. Wenn er die Hemdsärmel hochschob, wurden muskulöse, behaarte Arme sichtbar.

Die Vorstellung, von diesen Armen gehalten zu werden, jagte ihr plötzlich einen kleinen Schauer durch den Leib.

Auch er hatte den Rehrücken gewählt und freute sich über die offensichtliche Übereinstimmung ihrer Geschmäcker. »Wollen S' nicht doch lieber einen Roten dazu?«, fragte er.

»Nein, danke, passt schon«, erwiderte Freda, die nicht kapriziös erscheinen wollte.

Seine fürsorgliche Art, das Bemühen, es ihr so angenehm wie möglich zu machen, nahmen sie immer mehr für ihn ein.

Eine verlegene Pause entstand, sie wussten beide nicht, wie sie das Gespräch beginnen sollten.

»Haben Sie was von Ihrer Tochter gehört?«, fragte er.

Sie berichtete von der E-Mail, die sie erhalten hatte. Dass alles, was Josy geschrieben hätte, einen guten und beruhigenden Eindruck machte, dass sie trotzdem schreckliche Sehnsucht nach ihrer Tochter habe und sich ständig Sorgen machte, dass ihr etwas zustoßen könnte.

»Das verstehe ich gut«, sagte er, »nach allem, was Sie durchgemacht haben.«

»Haben Sie Kinder?«

»Leider nein. Ich war zwölf Jahre verheiratet, aber mit dem Kinderkriegen hat es nicht geklappt. Vor drei Jahren hat meine Frau mich verlassen.«

»Das tut mir leid.«

Er lachte verlegen. »Sie haben mich übrigens gleich an meine Frau erinnert. Als Sie damals das erste Mal zu mir gekommen sind und Ihren Mann vermisst gemeldet haben, da war ich wie vom Donner gerührt. Wie die Melanie, habe ich immer nur gedacht, wie die Melanie. Nur, dass meine Frau wahrscheinlich nie so verzweifelt gewesen wäre, wenn ich nicht heimgekommen wäre.«

Freda schluckte. »Warum ... ist Ihre Frau denn weggegangen?«

»Das weiß ich bis heute nicht. Der Auslöser war natürlich ein anderer Mann, ein Kollege von mir. Aber wenn zwischen ihr und mir alles in Ordnung gewesen wäre, hätte sie sich doch mit dem nie eingelassen. Ich habe aber immer gedacht, es wär alles in Ordnung. Versteh einer die Frauen.« Er lächelte traurig.

»Haben Sie denn mal versucht, herauszufinden, woran es gelegen hat?«

Er hob ratlos die Schultern und ließ sie wieder fallen. »Sie hat es nicht erklären können. Ich hätte immer alles für sie getan, sie könne mir überhaupt nichts vorwerfen, aber sie hätte sich halt in den anderen verliebt, hat sie gesagt. Und der ist vielleicht ein Hallodri, sage ich Ihnen, der hat sie schon das erste Mal betrogen, als sie auf Hochzeitsreise waren. Mit dem Zimmermädchen!«

»Und jetzt?«, fragte Freda.

»Jetzt betrügt er sie weiter, und sie denkt, wenn einer einen solchen Schlag bei Frauen hat, dann ist er ein toller Hecht, und sie muss dankbar sein, dass er sie geheiratet hat.«

Krummbaur beugte sich ein Stück vor und legte seine Hand auf ihre. »Wissen Sie, eines verstehe ich nicht. Da beklagen sich die Frauen immer, dass man mit Männern nicht reden kann, dass die nicht über ihre Gefühle sprechen wollen. Und wenn einer mal anders ist, dann ist es auch wieder nicht recht. ›Du bist einfach zu lieb‹, hat sie mal zu mir gesagt. Versteh einer die Frauen«, wiederholte er kopfschüttelnd.

Freda wusste nicht so recht, was sie sagen sollte. »Die Männer sind manchmal auch nicht leicht zu verstehen«, sagte sie schließlich. Es sollte tröstend klingen, aber er fasste es offenbar anders auf.

»Sie haben da bestimmt auch Ihre Erfahrungen gemacht.«

»Eigentlich nicht«, erwiderte Freda, »das Einzige, was ich meinem Mann vorwerfen könnte, ist, dass er so früh gestorben ist.«

»Mmh.« Krummbaur blickte sie mit einem seltsamen Ausdruck an.

»Was ist, warum schauen Sie so komisch?«, fragte sie unsicher.

Er räusperte sich. »Ähm ... ich weiß wirklich nicht, ob ich darüber sprechen soll.«

»Was meinen Sie?«

Er fühlte sich offenkundig unwohl. »Nun ja, wir haben natürlich alle Personen auf den Fotos, die kurz vor dem Unfall mit der Kamera Ihres Mannes aufgenommen wurden, befragt. Sie hatten mir ja am Telefon gesagt, es seien Freunde Ihres Mannes aus dem Alpenverein. Eine Frau gehörte aber nicht zu der Gruppe. Sie war eine alte Freundin Ihres Mannes, und zum Zeitpunkt des Unfalls stand sie wohl in einer speziellen Beziehung zu ihm ...«

»Sie sprechen von Marie Freiberger«, sagte Freda ruhig. »Ich weiß davon, ich habe mit ihr gesprochen.«

»Warum haben Sie mir das nicht gesagt?«

»Ich dachte, es spiele für die Ermittlungen keine Rolle. Und irgendwie ... war es mir peinlich.«

Er nickte. »Aber das muss doch sehr schmerzhaft für Sie gewesen sein.«

»Ach, nicht wirklich«, sagte sie abwehrend. »Ich bin nicht der eifersüchtige Typ.« Sie versuchte ein Lachen, es klang gezwungen. Er blickte sie zweifelnd an. Bevor er noch etwas sagen konnte, wurde das Essen serviert.

Krummbaur konzentrierte sich ganz und gar auf seinen Rehrücken. Er schnitt sein Fleisch sorgfältig in gleich große Stücke, teilte die Spätzle in gabelgroße Portionen, achtete auf die gleichmäßige Verteilung von Soße und Preiselbeeren. Er aß langsam und bedächtig, es sah aus, als löste er eine Aufgabe. Als er fertig war, tupfte er sich den Mund ab, faltete die Serviette auf Kante zusammen und legte sie neben seinen Teller. In diesem Moment wusste Freda, dass es ein Fehler wäre, ihm Hoffnungen zu machen.

Dieser Mann verkörperte Verlässlichkeit, Treue und Fürsorge. Liebevoll ausgewählte Restaurants, verständnisvolle

Gespräche, akkurat gefaltete Servietten. Keine Überraschungen, nichts Außergewöhnliches, kein Abenteuer. Vielleicht hatte seine Frau Recht gehabt, er war einfach zu lieb.

»Wie wär's mit einem Nachtisch?«, fragte er und reichte Freda die Karte.

»Nein, vielen Dank.« Sie sah auf die Uhr. »Es ist spät, ich muss morgen früh raus. Seien Sie mir nicht böse, aber ich würde lieber bald gehen.«

Enttäuscht fragte er: »Hab ich was falsch gemacht? Ich hätte nicht von Frau Freiberger sprechen sollen, stimmt's?«

»Nein«, wehrte Freda ab, »es hat nichts damit zu tun. Es war ein sehr schöner Abend, vielen Dank.«

Er bezahlte, gab genau zehn Prozent Trinkgeld, half ihr in die Jacke und hielt ihr die Tür auf.

»Dürfte ich Sie denn noch nach Hause begleiten?«

»Nicht nötig, vielen Dank.«

»Um diese Zeit als Frau allein, das ist nicht ganz ungefährlich. Glauben Sie einem Polizisten!«

Sie lachte. »Sehr lieb von Ihnen, aber da ist gerade mein Bus.«

Sie hauchte ihm einen flüchtigen Kuss auf die Wange und lief los.

fredamaerz@gmx.net an josymaerz@gmx.net

Liebe Josy, vielen Dank für Deine Mail. Es ist schwer für mich, nur so selten von Dir zu hören, können wir denn nicht irgendwann mal telefonieren?

Hier ist so weit alles in Ordnung, außer dass in der Buchhandlung die Decke runtergekommen ist, weil sie oben mit irgendeiner Maschine durchgestoßen sind.

Eine furchtbare Schweinerei, sage ich Dir, wir putzen
und räumen ohne Ende, dabei könnten wir Deine Hilfe gut
gebrauchen!

Ich habe ein paar Sachen in der Wohnung verändert,
aber natürlich nicht in Deinem Zimmer. Auch eine neue
Frisur habe ich. Vielleicht kann Tanja ein Foto von mir
machen, das maile ich Dir dann. Sonst gibt es nicht viel
Neues, es ist ziemlich ruhig ohne Dich. Vielleicht verreise
ich mal oder mache endlich mal einen Kochkurs. Aber
wenn keiner da ist, den man bekochen kann, macht es
nicht so viel Spaß.

Geht's Dir denn wirklich gut? Ist es sehr heiß? Wie ist
das Essen? Achte darauf, dass Du nur Abgekochtes isst, kein
Eis, keinen Salat, kein ungeschältes Obst.

Was Du über deine Arbeit im Zentrum schreibst, ist
sehr interessant. Ich bewundere Dich dafür, dass Du Dich
auf dieses Abenteuer eingelassen hast. Ich weiß nicht,
ob ich mich das in Deinem Alter getraut hätte.

Pass auf Dich auf, meine Süße, und melde Dich öfter!
Ich vermisse Dich, Mama

Johann Krummbaurs Bemerkung über die »spezielle Beziehung« von Alex und Marie bohrte sich wie ein Stachel in Fredas Fleisch. Warum hatte er davon angefangen? War es wirklich nur Ungeschicklichkeit gewesen, oder hatte er etwas damit bezweckt? Und wenn ja, was? Er hatte ja wohl kaum vorgehabt, sie zu erobern, indem er schlecht über Alex redete.

Welche Absicht auch immer er verfolgt hatte, die Wirkung auf sie war verheerend. Sie hatte sich etwas vorgemacht. Es war ihr nicht egal. Wenn sie daran dachte, litt sie Höllenqualen. Es war nicht der sexuelle Betrug, damit konnte sie einigermaßen leben. Es war das Gefühl, dass Alex sich ihr entzogen hatte, dass er etwas Wichtiges mit einem anderen Menschen geteilt und sie dabei ausgeschlossen hatte. Dass er plötzlich, zwei Jahre nach seinem Tod, ein Fremder für sie geworden war.

An ihrem nächsten freien Tag fuhr sie zur Esoterischen Buchhandlung. Sie wollte Marie überrumpeln, in der Hoffnung, dass sie preisgeben würde, was sie bisher für sich behalten hatte. Da sie nicht genau wusste, an welchen Tagen Marie arbeitete und an welchen die Elfe, musste sie es darauf ankommen lassen. Sie näherte sich dem Geschäft und warf einen Blick durchs Schaufenster. Eine Frau stand mit dem Rücken zu ihr vor einem Regal. Haarfarbe und Größe stimmten, aber es hätte auch eine Kundin sein können. Erst als die Frau ein paar Schritte ging, war Freda sicher. Sie vergewisserte sich, dass sonst niemand im Laden war, und trat ein. Das Glockenspiel ertönte.

Marie drehte sich zu ihr um. »Du?« Es klang erschrocken.

»Hallo, Marie. Ich war in der Gegend und dachte, ich schau mal rein.« Sie sah sich um. »Läuft's gut bei dir?«

»Ganz okay«, sagte Marie.

»Bei uns ist kürzlich die Decke eingestürzt, du kannst dir nicht vorstellen, was für eine Sauerei das war! Wir sind immer noch nicht fertig mit dem Putzen. Warum bist du denn nach der Trauerfeier nicht mehr in den Biergarten gekommen?«, redete sie weiter. »Es war wirklich schön.«

»Es ging nicht ... ich konnte nicht.« Marie war nervös. »Kann ich ... dir irgendwie helfen?«

»Ich würde gerne nochmal mit dir über Alex reden«, sagte Freda.

»Wofür soll das gut sein?«

»Ich möchte verstehen, was damals in ihm vorgegangen ist, was ihn beschäftigt hat. Offenbar weißt du viel mehr darüber als ich. Ich wüsste es auch gerne.«

Marie seufzte. »Muss das sein?«

»Tut mir leid, dass ich dich damit belästige. Es würde mir helfen, damit fertigzuwerden, wenigstens glaube ich das.«

»Ehrlich gesagt bezweifle ich es eher. Glaub mir, manches muss man nicht wissen.«

Freda schluckte. »Es ist immer besser, etwas zu wissen, als es nicht zu wissen. Die Ahnungen, das Unausgesprochene, das ist es doch, was einen fertigmacht.«

Die Ladentür ging auf, die Glöckchen erklangen. Eine ältere Dame trat ein. Marie ging auf sie zu, fragte nach ihren Wünschen, führte sie zu einem Regal. Die Dame stellte einige Fragen zu einer neuen Entspannungstechnik, Marie antwortete freundlich und kompetent. Ein perfektes Verkaufsgespräch, wie Freda feststellte.

Als die Kundin zwei Bücher gekauft hatte und gegangen war, sagte sie scherzhaft: »Du bist wirklich gut! Falls du mal einen Job suchst, ich stelle dich jederzeit ein.«

Marie lächelte gequält. »Also, Freda, was möchtest du wissen?«

»Hat er über mich gesprochen? Über unsere Ehe?«

Sie überlegte. »Er sagte mal, dass er in deinem Leben höchstens an dritter Stelle stehe. Erst komme Josy, dann die Buchhandlung, dann er. Er meinte, es störe ihn nicht besonders, auf diese Weise habe auch er einen großen persönlichen Freiraum. Aber ich glaube, er vermisste so etwas wie ... seelische Nähe.«

»Und ... die hat er bei dir gefunden?«

Marie zuckte die Schultern. »Ich denke schon.«

Freda zwang sich, ruhig und sachlich weiterzufragen; es fiel ihr nicht leicht. »Wodurch entstand diese Nähe? Worüber habt ihr gesprochen?«

»Worüber man halt so spricht. Was man im Leben sucht, woran man glaubt, welche Träume man hat, wovor man sich fürchtet.«

»Und mit mir hat er darüber gesprochen, wer den Wochenendeinkauf macht und die Getränke bestellt«, sagte Freda bitter.

»Vielleicht hast du andere Gespräche nicht mehr zugelassen.«

Freda nickte widerwillig. »Schon möglich. Für mich war es eine gute Ehe, weil wir uns gut verstanden und nicht gestritten haben. Es gab keine Reibung. Vielleicht war das zu wenig.« Sie kämpfte um Fassung.

Marie wartete schweigend.

Dann sah Freda sie direkt an: »Du hast gesagt, an dem Tag, als er zu der Bergtour aufbrach, hättet ihr eine Meinungsverschiedenheit gehabt, deshalb wärst du nicht mitgegangen. Um was ging es dabei?«

Marie presste die Lippen zusammen. »Ich ... erinnere mich nicht mehr.«

»Das glaube ich dir nicht.«

»Ich will nicht darüber sprechen, okay? Ich bin nicht verpflichtet, dir Auskunft zu geben.« Maries Ton war scharf geworden. »Bitte geh jetzt. Ich habe dir alles gesagt, was zu sagen ist.«

Freda spürte, dass es keinen Sinn mehr hatte, Marie weiter auszufragen. Sie bedankte sich und war schon auf dem

Weg zum Ausgang, als das Glockenspiel wieder ertönte. Die Tür war von außen geöffnet worden, die Elfe mit den roten Locken erschien, Maries kleinen Jungen an der Hand. Er riss sich los, lief zu seiner Mutter und rief: »Mama, Luca Eis gessen. Scholadeeis!«

Marie nahm ihn auf den Arm, er schmiegte sich an ihren Hals. »Also dann, Freda, mach's gut«, sagte sie eilig und ging in Richtung des Vorhanges, der den Verkaufsraum vom Hinterraum abteilte.

In diesem Moment hob der Junge den Kopf und sah sie an. Freda erstarrte. Sie brachte kein Wort heraus, stürzte an dem rothaarigen Mädchen vorbei zur Tür und lief hinaus. Besinnungslos lief sie eine Weile durch die Straßen, wusste nicht, wohin mit sich. Schließlich schlug sie den Weg nach Hause ein. Sie ließ Handtasche und Jacke fallen, warf sich auf ihr neues Bett und vergrub das Gesicht im Kissen.

Es war, als hätte sie direkt in die türkisblauen Augen von Alex geblickt.

Schlagartig war alles klar. Warum Marie so abweisend reagiert hatte, als sie zu ihr in die Wohnung kommen wollte. Warum sie nach der Trauerfeier gleich verschwunden war. Warum sie so nervös geworden war, als Freda heute in den Laden kam. Sie hatte verhindern wollen, dass Freda den Jungen zu Gesicht bekäme, zumindest aus der Nähe. Fast wäre es ihr gelungen. An dem Abend bei ihr zu Hause hatte er geweint, da hatte Freda seine Augen nicht sehen können. Bei der Trauerfeier hatte er geschlafen. Heute wusste Marie, dass ihr Sohn bald kommen würde, deshalb hatte sie versucht, Freda so schnell wie möglich loszuwerden.

Nun begriff sie auch, was der Grund für die Auseinandersetzung zwischen Alex und Marie gewesen sein könnte:

Alex war vor zwei Jahren und drei Monaten verschwunden. Luca war anderthalb. Rechnete man neun Monate dazu, musste Marie kurz vor Alex' Verschwinden von ihrer Schwangerschaft erfahren haben.

Womöglich hatte sie es ihm an diesem Tag gesagt, und er war wütend geworden, weil er kein Kind mehr wollte. Darüber hatten sie gestritten, und deshalb war Marie nicht mit auf den Berg gegangen.

Alle Teile fügten sie plötzlich zusammen, und Freda fragte sich, warum sie nicht früher darauf gekommen war. Natürlich war ihr aufgefallen, dass Marie offenbar keinen Mann hatte, aber dann hatte sie gedacht, dass sie vom Vater ihres Kindes getrennt lebte. Mit dieser Erklärung war sie der Wahrheit zwar ziemlich nahe gewesen, aber dass Alex der Vater sein könnte – dieser Gedanke war ihr einfach nicht gekommen.

Welche Konsequenzen würde ihre Entdeckung haben? An Geld war Marie offenbar nicht interessiert, sonst hätte sie die Vaterschaft bereits feststellen lassen. Der Junge war schließlich erbberechtigt. Dass sie Interesse an familiärem Umgang gezeigt hätte, konnte man nicht sagen, dabei war Josy immerhin Lucas Halbschwester. Dieser Gedanke verursachte einen schmerzhaften Stich in Fredas Magengrube.

Sie würde es Josy sagen müssen.

Ich wünsche mir nur, dass mein Vater keiner von diesen Fremdgängern war. Ich will, dass er ein anständiger Mensch war. Das ist wichtig für mich, verstehst du?

Der Schmerz in ihrer Magengegend wurde stärker.

Dieser Junge war Alex' zweites Kind. Das Kind, das sie, Freda, sich so sehr gewünscht und nicht bekommen hatte.

Wie hatte Alex das nur zulassen können! Nicht genug, dass er sie mit einer alten Freundin betrogen hatte, er hatte noch nicht einmal dafür gesorgt, dass diese Affäre keine Folgen hatte.

Freda spürte, wie eine heftige Wut gegen Alex in ihr wuchs. Das hätte er ihr nicht antun dürfen. Das nicht.

Josy hatte sich ganz gut eingelebt und den Gedanken, nach Hause zurückzukehren, vorerst begraben. Neben ihrem Bett lag eine Fliegenklatsche, mit der sie jedes Krabbeltier zu erschlagen gedachte, das sich ihr nähern wollte, auch wenn Luis und Carlos ihr davon abgeraten hatten.

»Solltest du jemals einen Skorpion in deinem Zimmer sehen, was übrigens sehr unwahrscheinlich ist, dann rate ich dir, einen von uns zu informieren«, sagte Carlos. »Es gibt eine bestimmte Technik, wie man die Viecher erledigt, du solltest da kein Risiko eingehen.«

Die Arbeit im Zentrum fiel ihr zunehmend leichter; mit jedem Tag wurde ihr Spanisch flüssiger, und die Kinder fassten allmählich Zutrauen zu ihr. Es machte ihr Spaß, sich Spiele auszudenken und den Kleinen etwas beizubringen; sie entdeckte fast so etwas wie pädagogisches Talent in sich.

Mit Kristin verstand sie sich gut, sie hatte sich schon zweimal abends mit ihr getroffen, einmal waren sie in ein Salsa-Lokal gegangen und hatten die halbe Nacht getanzt. Nur Loretas Abneigung schien unverändert, und sie ließ keine Gelegenheit aus, sie offen zu zeigen. Natürlich nur, wenn Carlos nicht in der Nähe war.

Einmal hatte Josy versucht, den Kindern ein deutsches Lied beizubringen. Sie hatte den Text aus dem Internet geholt und ihn ins Spanische übersetzt, damit sie ihn verstanden. Dann hatte sie auf Deutsch mit ihnen gesungen. Die Kinder hatten großen Spaß daran gehabt, aber Loreta hatte nur naserümpfend gesagt: »Findest du es sinnvoll, ihnen Deutsch beizubringen? Sie sollten besser richtig Spanisch lernen.«

Ein anderes Mal hatte Josy beim Tischdecken Teller entdeckt, die nicht sauber gespült waren, und sie in die Küche zurückgebracht. Loreta hatte sie vor Carmen und Conchita angefahren: »Du glaubst wohl, du bist was Besseres, nur weil du aus Deutschland kommst. Wenn dir die Teller hier nicht sauber genug sind, dann wasch sie doch selbst ab.«

Schweigend hatte Josy angefangen, die Teller zu spülen, bis Conchita sie ihr lächelnd aus der Hand genommen hatte.

Anfangs war Josy von solchen Attacken überrascht gewesen und hatte hilflos und gekränkt reagiert. Aber mit der Zeit hatte sie begonnen, sich zu wehren. Als Loreta eines Tages einen winzigen Fehler von Josy zum Anlass nahm, sie runterzuputzen, schrie sie zurück: »Du bist doch nur eifersüchtig, weil du in Luis verknallt bist! Und weil ich bei Carlos wohnen darf!«

Loreta war blass geworden, hatte sich wortlos umgedreht und war aus dem Raum gegangen. Von da an hatte sie Josy nur noch wütend fixiert, aber ansonsten in Ruhe gelassen.

Abends auf dem Zócalo. Eine Gruppe von Stelzenläufern bewegte sich an Josy vorbei, die staunend nach oben blickte. Zum schrägen Klang einer Musikkapelle führten sie einen wilden Tanz auf, und Josy fürchtete, jeden Moment könnte einer von ihnen stürzen. Wie durch ein Wunder passierte nichts.

Der Platz war voller Menschen, die fasziniert den Darbietungen von Akrobaten, Tänzern und Spaßmachern folgten. Die Honoratioren der Stadt saßen auf reservierten Stühlen rund um die improvisierte Bühne, dahinter drängten sich Einheimische und Touristen. Der Höhepunkt der Darbietungen war eine Gruppe von Bauersfrauen in traditionellen Gewändern, die riesige Holzgestelle mit brennenden Rädern auf dem Kopf balancierten, von denen aus Feuerwerkskörper mit lautem Knallen und Zischen durch die Gegend flogen. Einige Querschläger landeten in den umstehenden Bäumen, einer im Publikum. Es gab große Aufregung, aber außer ein paar angesengten Blättern keine weiteren Schäden.

Staunend verfolgte Josy das Spektakel; undenkbar, dass so etwas in Deutschland stattfinden könnte! Dort durfte man mit weniger als zwanzig Metern Abstand zu Büschen oder Bäumen nicht mal einen einfachen Gartengrill in Betrieb nehmen.

Wie aus dem Nichts tauchte Miguel auf, umschwirrt von den Leuten seiner Clique. Er grüßte Josy flüchtig, kümmerte sich aber nicht um sie. Sein Verhalten verwirrte sie. Mal war er ausnehmend freundlich zu ihr, mal tat er so, als würden sie sich kaum kennen. In manchen Momenten hatte sie schon geglaubt, er interessiere sich näher für sie, nun demonstrierte er wieder völlige Gleichgültigkeit. Sie wurde einfach nicht schlau aus ihm.

Es war schon spät, als sie heimkam, das Haus war dunkel. Luis hatte lieber mit Freunden zu einem Fußballspiel gehen wollen, deshalb war sie alleine auf dem Zócalo gewesen. Sie tastete nach dem Schlüssel, der an einem Haken neben der Haustür hing, aber die Tür war unverschlossen. Leise trat sie ein, sie wollte niemanden wecken. Als sie in die Küche ging, um sich eine Flasche Wasser zu holen, bemerkte sie eine Bewegung. Sie erschrak und wich zurück, bereit, die Flucht zu ergreifen, aber es war nur Carlos, der im Dunkeln gesessen hatte.

»Entschuldigung«, sagte Josy, »ich wollte nicht stören.«

»Du störst nicht«, sagte Carlos. »Ich kann manchmal nicht schlafen.«

»Das tut mir leid.«

»Hattest du einen schönen Abend?«

»Ich war bei dem Fest auf dem Zócalo, war ganz cool.«

Er lächelte, sah dabei aber aus, als hätte er Schmerzen.

»Geht's Ihnen nicht gut?«, fragte sie zaghaft.

»Nicht so sehr.«

Josy blieb stehen, unschlüssig, was sie tun sollte. »Kann ich ... Ihnen irgendwie helfen?«

Carlos musterte sie mit undurchdringlichem Gesicht. Nach einer Weile sagte er: »Du solltest nicht mit Miguel und seinen Leuten herumhängen. Miguel ist ein guter Junge, ein bisschen wild, aber sonst okay. Aber er ist in falscher Gesellschaft. Es kann gefährlich werden, verstehst du?«

Josy schüttelte trotzig den Kopf. »Nein, verstehe ich nicht.« Miguel klopfte schließlich nur Sprüche, das konnte man doch nicht ernst nehmen. Und gerade seine Wildheit war es, die ihr gefiel.

»Sein älterer Bruder ist bei der APPO.«

»Na und?«

»Weißt du überhaupt, was die APPO ist?«

Josy zuckte die Schultern. »Ich glaube … das ist so eine linksgerichtete Organisation, oder? Ich habe gehört, dass neulich hier eine große Demo war, bei der es Verletzte gegeben hat.«

»APPO heißt ›Asamblea popular de los pueblos de Oaxaca‹ – Volksversammlung der Völker Oaxacas –«, erklärte Carlos. »Sie setzt sich vor allem für bessere soziale Bedingungen der Indígenas ein und kämpft gegen Korruption auf allen Gebieten. Bei den Konflikten mit der Polizei und paramilitärischen Trupps sind inzwischen schon etliche Menschen getötet worden, die meisten von ihnen waren Anhänger der APPO.«

Josy schwieg erschrocken.

»Hast du nun verstanden, dass es gefährlich sein kann, mit diesen Leuten in Verbindung gebracht zu werden?«

»Aber was soll mir schon passieren?«

Carlos drehte sich schweigend um und hob sein Hemd hoch. Quer über seinen Rücken verliefen mehrere breite Narben.

»Das kann passieren. Verstehst du?«

Josy nickte stumm, die Augen schreckgeweitet.

Der Anblick von Carlos' malträtiertem Rücken ließ Josy nicht los. Schließlich bat sie Luis, ihr endlich zu sagen, was seinem Vater zugestoßen war.

»Ich traue mich nicht, Carlos zu fragen«, erklärte sie.

»Er würde es dir auch nicht erzählen«, sagte Luis, »er hat es aufgeschrieben und danach nie mehr darüber gesprochen. Wenn die Regierung hier im Bundesstaat Oaxaca irgendwann wechselt, kann man die Kerle vielleicht verklagen.«

»Aber was genau ist denn passiert?«, fragte sie erneut.

Luis vergewisserte sich, dass Carlos, der zu einer Versammlung hatte gehen wollen, nicht im Haus war. Er ging an seinen Schreibtisch, öffnete eine Schublade und holte mehrere Seiten eng beschriebenes Papier heraus. Damit kam er zu Josy in die Küche zurück.

»Wenn du mir schwörst, dass du ihm nichts davon sagst, darfst du es lesen.«

Josy hob drei Finger. »Ich schwöre.« Sie begann zu lesen.

Carlos schilderte die brutale Stürmung des Zócalo durch Polizeikräfte und bewaffnete Schlägertrupps im Jahr zuvor; den Einsatz von Tränengas, das Abfackeln der Zelte. Die Polizei hatte viele der Flüchtenden festgenommen, darunter Carlos. Er wurde ins Gefängnis gebracht, wo man ihn stundenlang verhörte. Dabei wurden ihm die furchtbarsten Dinge angedroht, wenn er ihnen nicht den Namen eines »pez gordo«, eines Anführers der APPO, nannte. Man ließ ihn auf den Knien ausharren, bis der Schmerz unerträglich wurde, wenn er sich bewegte, wurde er getreten und geschlagen. Am nächsten Morgen wurde er vor die Tür gesetzt. Man drohte ihm, ihn umzubringen, sollte er jemals ein Wort über diese Nacht verlieren.

Josy hob den Kopf. »Das ist ja grauenhaft«, sagte sie mit zittriger Stimme. »Wie kann er nur weiter in einem Land leben, in dem man ihm so etwas angetan hat?«

»Ich liebe dieses Land«, sagte Carlos hinter ihnen.

Josy und Luis fuhren herum. Carlos stand in der Tür. »Dieses Land, das sind die Menschen, die Kultur und die Natur. Dieses Land ist nicht die Regierung, es sind nicht die Politiker und nicht die Polizei. Das ist ein wichtiger Unterschied.«

Er ging zum Tisch, nahm die Blätter mit seiner Aussage und trug sie zurück zu seinem Schreibtisch, wo er sie einschloss.

»Papa ... ich ...«, begann Luis, aber Carlos hob energisch die Hand und brachte ihn so zum Verstummen.

11

Endlich war es geschafft. Drei Wochen harter Arbeit lagen hinter ihnen, und nun erstrahlte die Buchhandlung in neuem Glanz. Nur das provisorisch verschlossene Loch in der Decke minderte den positiven Gesamteindruck. Aber sie hatten die feste Zusage, dass auch dieser letzte Makel bald beseitigt würde.

Die beschädigten Bücher waren durch neue ersetzt, und anstelle der Abteilung für Sprachen und Lernprogramme gab es nun eine von Freda liebevoll dekorierte Ecke mit Geschenken, von der bemalten Blechdose über die Pralinenmischung im aufklappbaren Buch bis zum Kuscheltier mit passender Bildergeschichte. Noch immer warf Tanja verächtliche Blicke auf das neue Warensortiment, aber Freda war sicher, dass sie ihre Meinung mit steigendem Umsatz ändern würde. Tatsächlich wurde das Angebot gut angenommen; viele Kunden waren froh, dass sie zusätzlich zu einem Buch noch andere Geschenke kaufen konnten.

Arno Steiner war noch zweimal zur Putzaktion gekommen. Sollte er irgendwelche anderen Absichten verfolgen, als zwei netten Buchhändlerinnen in einer Notlage zu helfen, so ließ er es sich nicht anmerken. Er war zu Tanja und Freda gleichermaßen freundlich, nichts in seinem Verhalten deutete auf ein weitergehendes Interesse hin, und so beschloss Freda, dass er einfach ein netter Kerl war, der sich gern in Buchhandlungen aufhielt.

Ihre Gedanken kreisten hauptsächlich um Marie und das Kind. Sie hatte mit niemandem über ihre Entdeckung gesprochen, nicht einmal mit Tanja. Inzwischen waren ihr selbst wieder Zweifel gekommen. Dass der Junge grünblaue Augen hatte, war nun wirklich kein Beweis dafür, dass er Alex' Sohn war. Auch Arno Steiner hatte Augen in dieser Farbe, und sicher Hunderttausende anderer Männer. Um sich Gewissheit zu verschaffen, hatte sie Marie und den Jungen mehrmals heimlich beobachtet. Sie wollte unbedingt feststellen, ob er noch andere Ähnlichkeiten mit Alex hatte.

Einmal hatte sie Marie morgens abgepasst, als sie aus dem Haus ging. Marie hatte zusammen mit dem Kind ein paar Einkäufe gemacht, war kurz nach Hause zurückgekehrt und dann in die Esoterische Buchhandlung gegangen. An diesem Morgen war Freda ihr nicht nahe genug gekommen, um den Jungen richtig sehen zu können. Aber sie hatte eine Beobachtung gemacht, die ihr eine gewisse Genugtuung verschaffte: Marie war nicht die überlegene, souveräne Person, als die sie sich Freda gegenüber aufgespielt hatte. Die angeblich so viel über andere wusste und Probleme mit Handauflegen lösen konnte. Marie war eine ganz normale, ziemlich gestresste alleinerziehende Mutter, die den Frust über ihre Situation deutlich ausstrahlte und auch an anderen ausließ. So schnauzte sie an diesem Morgen eine Kassiererin an, die ihr die Preise nicht schnell genug eintippte. Am liebsten wäre Freda zu ihr gegangen und hätte gesagt: »Wie wär's mit ein bisschen Reiki? Das würde dir sicher guttun.«

So viel ausgeglichener, toller und verständnisvoller als sie war Marie also gar nicht, und wenn Alex das geglaubt haben sollte, war es seiner hormonellen Verwirrung zuzuschreiben, nicht ihrem Versagen.

Inzwischen wusste Freda, an welchen Tagen Marie arbeitete. Dann hatte sie den Kleinen entweder bei sich im Laden, oder ihre Mitarbeiterin kümmerte sich um ihn.

Am nächsten Nachmittag, als Freda wieder auf ihrem Beobachtungsposten war, trat die Elfe aus dem Laden und schob den Buggy die Elisabethstraße entlang und über die Leopoldstraße bis in den Englischen Garten. Dort hob sie den kleinen Jungen aus dem Wagen. Jauchzend lief er den Hunden hinterher, dann hockte er sich auf die Wiese, wo er mit großer Konzentration einen Wurm oder Käfer im Gras betrachtete. Das hatte Alex auch gekonnt: sich so auf eine Sache konzentrieren, dass er alles andere um sich vergaß.

Freda saß, mit einer Sonnenbrille und einer Baseballkappe notdürftig getarnt, auf einer Bank nicht weit von der Rothaarigen entfernt, die ihre Jeansjacke im Gras ausgebreitet hatte und dem Kleinen zusah. Der kickte jetzt unermüdlich einen Ball weg und lief ihm anschließend hinterher, um ihn wieder einzufangen. Hin und wieder hob ein freundlicher Spaziergänger den Ball auf und warf ihn in seine Richtung.

Fasziniert beobachtete Freda den Jungen. Plötzlich rollte der Ball auf sie zu und blieb höchstens drei Meter vor ihr liegen. Der kleine Luca kam angewackelt, das Windelpaket in seiner Hose schwang hin und her. Als er sich bückte, um den Ball aufzuheben, sagte sie: »Hallo, Luca.«

»Hallo«, sagte er und wollte weglaufen.

»Du hast einen schönen Ball.«

Er blieb stehen, blickte auf den Ball in seinen Händen, dann zu ihr.

»Wirfst du ihn mal zu mir?«

Ein Leuchten zog über sein Gesicht. Endlich jemand, der mit ihm spielte! Er warf den Ball mit erstaunlicher Kraft in Fredas Richtung, sie musste von der Bank aufspringen, um ihn fangen zu können.

Die Elfe warf ihnen einen nachlässigen Blick zu; sie konnte in einer Frau, die mit Luca Ball spielte, keine Gefahr erkennen und drehte sich wieder um.

»Nomal«, sagte Luca, und Freda warf ihm den Ball zu. Er verfehlte ihn, fing ihn am Boden ein, warf ihn wieder zu ihr. Unmerklich verringerte Freda die Entfernung ihrer Würfe, so dass er immer näher kam.

Als er höchstens einen Meter entfernt war, sagte Freda: »Wo ist die Mama, Luca?« Er überlegte einen Moment, zeigte dann vage in die Richtung, aus der sie gekommen waren, und sagte: »Laden.«

Freda biss sich auf die Lippen. »Und wo ist der Papa?«

Luca zögerte keinen Moment. Er streckte den Arm nach oben und sagte: »Himmel.«

Freda blieb fast das Herz stehen.

In diesem Moment stand die Elfe auf und kam auf sie zu. »Luca! Komm, wir gehen!«

Freda nahm den Ball und warf ihn in ihre Richtung, Luca drehte sich um und lief ihm nach.

»Danke!« Die Elfe nickte ihr lächelnd zu. Sie hob den Kleinen hoch, knuddelte ihn und setzte ihn in den Buggy. Dann hockte sie sich vor ihn hin und sagte etwas, dabei deutete sie auf Freda, die ihn mit großen Augen anstarrte. Luca schaute zu ihr und winkte.

»Sag auf Wiedersehen zu der Tante!«, murmelte Freda mit erstickter Stimme.

Freda konnte an nichts anderes mehr denken. Ohne Unterlass kreisten Bilder von dem kleinen Jungen durch ihren Kopf. Es waren nicht nur seine Augen. Die Kopfform, der Haaransatz, das Kinn – alles erinnerte sie an Alex. Es konnte keinen Zweifel geben. Oder doch?

Nach langem Ringen nahm sie zwei Abende später das Telefon und rief Marie an.

»Freiberger.«

»Hier ist Freda. Entschuldige, dass ich dich nochmal belästige.«

Marie seufzte genervt. »Was ist denn nun schon wieder?«

Freda suchte nach Worten. Schließlich sagte sie: »Kannst du ... dir das nicht denken?«

Sie hörte Marie am anderen Ende tief Luft holen. »Verstehe. Du hast es also gemerkt.«

»Er ist ein Abbild von Alex, was hast du erwartet?«

»Ich ... hatte gehofft, es fällt dir nicht auf. Ich hätte dir das gerne erspart.«

»Danke für die edle Absicht«, sagte Freda und rang um Fassung. Aber sie wollte sich ihre Erschütterung um keinen Preis anmerken lassen und sagte betont locker: »Und jetzt? Was wirst du jetzt machen? Du solltest zum Beispiel Lucas Geburtsurkunde ändern lassen. Er hat ein Recht darauf, zu erfahren, wer sein Vater ist.«

Marie blieb einen Moment still. »Ist das dein Ernst?«, fragte sie schließlich ungläubig. »Du hättest nichts dagegen?«

»Warum sollte ich? Das Kind kann schließlich nichts dafür. Außerdem steht ihm ein Teil des Erbes zu.«

»Oh, Gott, Freda, es tut mir alles so furchtbar leid!«, brach es aus Marie heraus. »Ich fühle mich so beschissen, und du verhältst dich so anständig, und das führt dazu, dass ich mich noch beschissener fühle.« Sie schluckte hörbar. »Kannst du mir jemals verzeihen?«

»Ich glaube schon«, sagte Freda leise. »Die Frage ist, ob ich Alex jemals verzeihen kann.«

»Entschuldige bitte«, sagte Marie, dann hörte Freda, wie der Hörer weggelegt wurde und Marie sich die Nase putzte. Als sie wieder am Apparat war, sagte sie: »Stimmt es, dass du heute im Englischen Garten mit Luca Ball gespielt hast?«

Freda überlegte, ob sie es abstreiten sollte, aber dann beschloss sie, ehrlich zu sein. »Ja. Ich wollte ihn nochmal aus der Nähe sehen, wollte sicher sein, dass ich mir nichts eingebildet habe. Hat deine Elfe mich verraten?«

»Wer?«

»Deine Mitarbeiterin. Sie hat so etwas Elfenhaftes an sich, und ich weiß nicht, wie sie heißt.«

»Cynthia«, sagte Marie. »Sie arbeitet eigentlich bei mir im Laden, aber weil meine Babysitterin krank ist, hilft sie mir zurzeit mit Luca. Ja, sie hat dich erkannt.«

»Gut, Marie«, sagte Freda betont geschäftsmäßig, »dann ist ja so weit alles klar zwischen uns. Melde dich, wenn du die Vaterschaft hast eintragen lassen, dann regeln wir alles Weitere. Mach's gut.«

Sie beendete die Verbindung und blieb wie erstarrt sitzen.

Josy hatte sich – weniger aus Angst als aus Sorge, ihn zu verärgern – an Carlos' Aufforderung gehalten und ging Miguel aus dem Weg. Seitdem versuchte der plötzlich wieder, ihre

Aufmerksamkeit zu erringen. Josy ärgerte sich über das Katz-und-Maus-Spiel, das er mit ihr trieb, gleichzeitig fühlte sie sich immer stärker von ihm angezogen.

Luis machte aus seiner Eifersucht keinen Hehl. »Kann der Kerl dich nicht in Ruhe lassen«, knurrte er, als Miguel eines Abends sogar vor dem Kinderzentrum auf Josy wartete. Lässig lehnte er an einem Moped und grinste.

»Hola, muchachos.«

Josy schlenderte auf ihn zu, Luis blieb stehen und beobachtete beide misstrauisch.

Miguel winkte Josy zu sich und flüsterte: »Kommst du mit auf eine Party?«

Sie bemerkte Luis' Blick und sagte: »Lieber nicht, das gibt nur Stress.«

Miguels schwarze Augen wurden schmal. »Bist du mit dem verheiratet, oder was?« Er legte den Arm um ihre Taille und zog sie an sich. »Komm mit«, bat er, ungewohnt sanft, »bitte!«

Josy wurde weich. »Also gut.« Sie drehte sich zu Luis um und rief: »Ich fahre bei Miguel mit. Kann spät werden.«

Luis setzte sich ohne Antwort in Bewegung und ging Richtung Bushaltestelle, die Fäuste in den Taschen vergraben. Josy stieg auf den Beifahrersitz und hielt sich an Miguel fest, der Luis beim Überholen übermütig zuwinkte.

Die angebliche Party entpuppte sich als eine Versammlung von Studenten, darunter einige aus Miguels üblicher Clique sowie sein Bruder Pablo, die Bier tranken, pausenlos rauchten und über Politik diskutierten. Miguel bemühte sich, Josy die Zusammenhänge der Diskussion zu erklären, aber das alles begann sie bald zu langweilen. Außerdem hatte sie Hunger, und es gab nichts außer Taco-Chips und Guacamole.

Miguel hatte nichts dagegen, wieder zu gehen. Er ließ das Moped stehen, und sie gingen zu Fuß die belebten Straßen entlang. Durch einen großen Torbogen fiel Josys Blick in einen von Fackeln beleuchteten, von Säulen eingerahmten Innenhof. Elegant gekleidete Menschen saßen auf Korbsesseln und tranken Cocktails, im Hintergrund lief klassische Musik.

»Wow, ist das schön«, rief Josy, »was ist das?«

»Das ›Camino Real‹, das teuerste Hotel von Oaxaca. Voller nutzloser, reicher Gringos, die hier das Geld ausgeben, das mexikanische Arbeiter für sie erwirtschaftet haben.«

Josy lachte. »Meinst du, wir könnten mal reingehen?«

»Klar. Wir müssen nur so tun, als wären wir die Kinder von reichen Gringos, die Spaß daran haben, sich absichtlich schlecht anzuziehen, dann fallen wir überhaupt nicht auf.«

»Okay, dann los.« Sie gingen durch den Torbogen, Josy versuchte, eine blasierte Miene aufzusetzen und sich so selbstverständlich in dem luxuriösen Ambiente zu bewegen, als logiere sie nur in Fünf-Sterne-Hotels. Miguel legte mit lässiger Attitüde seinen Arm um ihre Schultern und sagte laut: »Darling, möchtest du vor dem Essen einen Aperitif, oder sollen wir gleich zu Tisch gehen?«

Josy, die mühsam das Lachen unterdrückte, erwiderte: »Gern, Darling, ich hoffe nur, sie tun nicht wieder so viele Eiswürfel ins Glas. Letztes Mal war mein Caipirinha wässrig wie Kinderpipi.«

Miguel sah sie entgeistert an, dann brachen sie in Gelächter aus. Hand in Hand durchwanderten sie die Höfe, Gärten und Säle des Hotels, deren prächtige, aber geschmackvolle Ausstattung Josy begeisterte.

»Gib zu, dass es wunderschön ist!«, sagte sie überschwänglich. »Wenn ich reich wäre, würde ich hier wohnen.«

Er blieb stehen und sah sie ungläubig an. »Nach all der Armut, die du hier gesehen hast? Weißt du, dass eine Nacht hier so viel kostet, wie die meisten Familien nicht mal im Monat haben?«

Josy seufzte. »Ja, du hast Recht. Wahrscheinlich könnte ich es nicht genießen.«

Miguel schnaubte. »Hah! Das ist typisch für euch Reiche: Ihr werft uns Armen vor, dass wir euch die Freude am Reichtum vergällen!«

»Hör auf. Ich find's einfach nur schön hier, fertig.« Josy begann, sich unwohl zu fühlen, und sah sich suchend um. »Ich würde gerne zur Toilette gehen.«

»Da drüben«, sagte Miguel und zeigte hinter eine gemauerte Wand. Josy betrat die Damentoilette, freute sich an den Blumengestecken, der diskreten Beleuchtung, dem kunstvoll geschnitzten Rahmen des Spiegels. Sie genoss die Sauberkeit, das weiche Papier, die duftende Seife, die flauschigen weißen Frotteehandtücher.

Warum bloß war die Welt so verdammt ungerecht?

Als sie rauskam, sah sie, wie Miguel auf die Rückseite der gemauerten Wand mit roter Farbe ein großes R sprühte, das von einem Kreis umschlossen war.

»Bis du wahnsinnig?«, flüsterte sie.

Er warf einen zufriedenen Blick auf sein Werk und steckte die Spraydose in die tiefe Tasche seiner Armeehose zurück. »Und jetzt weg«, sagte er und setzte sich in Bewegung.

Josy folgte ihm so schnell es möglich war, ohne Aufsehen zu erregen. Einige der Hotelangestellten blickten ihnen misstrauisch nach, aber keiner versuchte, sie aufzuhalten. Josys Herz klopfte heftig, eine prickelnde Erregung bemächtigte sich ihrer. Nachdem sie das Gebäude verlassen hatten, fingen sie an zu laufen, bis sie die Plaza Santo Domingo erreicht hatten, dort fielen sie sich lachend in die Arme.

»Ich sterbe vor Hunger!«, sagte Josy.

Miguel führte sie zu einem Kiosk, wo sie für ein paar Pesos Tortillas mit Fleisch und Käse aßen. Der Betreiber, den Miguel offenbar kannte, rief ihm anerkennend zu: »Que muchacha bonita!«, und deutete mit dem Kopf auf Josy.

Miguel tat so, als würde er Josy zum ersten Mal sehen. Er legte den Kopf schief und sagte: »Stimmt! Was für ein hübsches Mädchen! Und das, obwohl sie eine Deutsche ist!«

Eng umschlungen gingen sie zum Moped zurück. Josy stieg auf, ohne zu fragen, wohin Miguel fahren würde. Er brachte sie ein Stück aus dem Zentrum heraus, parkte die Maschine, nahm sie bei der Hand und führte sie in einen Hauseingang. Sie stiegen in den zweiten Stock, Miguel schloss die Tür auf, und sie betraten eine Wohnung, die aussah, als hätte jemand versucht, die Chaostheorie in die Praxis umzusetzen. Bücher, Schuhe und Kleider waren ohne System in offene Regale gestopft, offenbar gab es keine Schränke. Die restlichen Wände waren mit Plakaten gepflastert. Ankündigungen zu Demos, politische Parolen, die Konterfeis irgendwelcher Revolutionsführer. Ein Blick in die Küche ließ sogar Josy, die inzwischen einiges an Unordnung und Dreck gewöhnt war, zusammenzucken. Miguel, der ihren Blick bemerkte, sagte schulterzuckend: »Pablo hält sich leider nicht an den Abwaschplan.«

Er zog sie in sein Zimmer, das nicht viel besser aussah als der Rest der Wohnung. Auf dem Terrazzoboden lag ein wildes Durcheinander von Kleidung, Papieren, Büchern und CDs. Das erinnerte Josy an ihr eigenes Zimmer und störte sie nicht weiter. Das Bett war ungemacht, auch das kam ihr bekannt vor. Als Miguel sein Feuerzeug aufschnappen ließ, eine Kerze anzündete und das Deckenlicht ausmachte, fand sie es richtig gemütlich.

Er schaltete den CD-Player ein, eine rhythmische Melodie, ähnlich wie die, nach der die Indianer in Mexico City getanzt hatten, erklang. Miguel blieb vor Josy stehen, die Kerzenflamme spiegelte sich in seinen Pupillen. Er streifte ihr das T-Shirt über den Kopf und zog sein Hemd aus. Mit dem Daumen fuhr er ihre Wirbelsäule entlang, dabei öffnete er geschickt ihren BH. Kleine Schauer durchrieselten Josy, als sie seine Haut auf ihrer spürte, und bereitwillig ließ sie sich von ihm zu seinem Bett führen.

Es war fast eins, als Miguel sie einen Block vor dem Haus von Carlos absetzte.

»Hasta la vista, meine kleine Rosita«, flüsterte er. »Hasta pronto, Gregorio«, erwiderte Josy lächelnd. Er wartete, bis sie das Haus erreicht hatte, erst dann hörte sie, wie er den Motor startete und wegfuhr.

Sie war bis ins Innerste aufgewühlt, an Schlaf war nicht zu denken. Niemals hätte sie sich vorstellen können, zu welcher Zartheit und Hingabe dieser Junge fähig war. Seine Aufschneiderei, die coolen Sprüche, das aufbrausende Wesen, das war Miguels eine Seite. In dieser Nacht hatte er ihr seine andere gezeigt.

Es dämmerte schon, als sie schließlich einschlief, erfüllt und beseelt von dem schönsten Gefühl der Welt.

Am nächsten Morgen, einem Samstag, war Luis ungewöhnlich still. Josy versuchte, besonders nett zu ihm zu sein. Obwohl sie kaum geschlafen hatte, war sie extra früh aufgestanden, um Kaffee zu kochen und bei einer Bäckerei in der Nähe Conchas zu kaufen, mit Zucker bestreute Hefebrötchen. Luis trank schweigend seinen Kaffee und ignorierte das Gebäck.

Josy versuchte, ihn mit Geschichten aus ihrer Kindheit aufzuheitern. »Und einmal bin ich sogar weggelaufen, ich glaube, ich wollte zu Pippi Langstrumpf ins Taka-Tuka-Land. Oder war es Lotta in der Krachmacherstraße? Jedenfalls ist mir meine Mutter gefolgt und hat so lange gewartet, bis ich die Panik gekriegt und losgeheult habe. Später wurde es immer schlimmer mit ihrer Angst um mich, da hat sie dann angefangen, mich auf Schritt und Tritt zu kontrollieren. Am liebsten wäre sie wahrscheinlich auch noch mit hierhergekommen.«

Luis schlug wütend mit der Hand auf den Tisch. »Und ich habe mir eingebildet, wenn jemand mit mir bis nach Mexiko geht, dann hat das was zu bedeuten.«

Josy verstummte. Natürlich hatte es was zu bedeuten, aber nicht das, was Luis sich erhoffte. Wahrscheinlich wäre sie mit jedem netten Jungen an jeden Ort der Welt gegangen, um der Kontrolle ihrer Mutter zu entkommen.

Sie stand auf, um ihn zu umarmen. »Ich hab dich wahnsinnig gern, Luis. Du bist mein bester Freund. Aber ich bin nicht in dich verliebt.«

»Sondern in Miguel, diesen Aufschneider«, schnaubte Luis. »Warum fallt ihr Frauen bloß auf solche Typen rein?«

Josy setzte dazu an, Miguel in Schutz zu nehmen, aber dann ließ sie es bleiben. Sie wollte Luis nicht unnötig wehtun.

Carlos, der gähnend und mit verstrubbelten Haaren in die Küche kam, bemerkte sofort, dass etwas nicht stimmte. »Was ist los?«

Josy zuckte die Schultern. »Atmosphärische Spannungen aufgrund unterschiedlicher Erwartungen«, sagte sie. Es klang weniger banal als: ›Luis ist in mich verliebt, aber ich bin in Miguel verliebt, und deshalb ist Luis jetzt sauer.‹

»Mmh«, machte Carlos und schenkte sich Kaffee ein. »Schafft ihr es, weiter zusammen zu arbeiten?«

Josy nickte, Luis zuckte die Schultern. Sein Vater sah ihn streng an. Daraufhin nickte auch er. Josy lächelte dankbar. Sie wollte unbedingt im Zentrum bleiben, sie hatte ja erst dort angefangen, und es hatte gerade begonnen, ihr Spaß zu machen.

Im gleichen Moment aber wurde ihr klar, dass sie nicht weiter hier würde wohnen können. Luis würde sie mit seiner Eifersucht verfolgen, und Carlos würde sich ständig Sorgen um sie machen. Und sosehr sie ihn respektierte, ja, bewunderte: Sie war nicht zehntausend Kilometer weit von zu Hause weggegangen, um wieder kontrolliert zu werden.

Als sie Carlos ihren Entschluss mitteilte, wiegte er den Kopf. »Es wäre mir lieber, du würdest es nicht tun. Aber ich fürchte, ich kann dich nicht davon abhalten.«

Einige Tage später zog sie bei Kristin ein, in deren Wohngemeinschaft einer von drei Räumen frei geworden war. Die Wohnung gehörte Señora Camila, einer vornehmen älteren

Dame, die Zimmer an Sprachstudenten und andere junge Leute vermietete, die sich für eine begrenzte Zeit in Oaxaca aufhielten. Josy musste sich bei ihr vorstellen und hinterließ offenbar einen guten Eindruck, denn sie bekam das Zimmer. Die Miete betrug eintausendfünfhundert Pesos, neunzig Euro. Mehr hätte Josy auch nicht aufbringen können.

Außer Kristin wohnte hier noch eine italienische Kunstgeschichtsstudentin, die drei Monate lang die Sprachschule besucht hatte und nun in einer Kunstgalerie jobbte.

Josy freute sich auf die beiden jungen Frauen; ihr fehlten ihre Freundinnen, und sie hoffte, in ihren Mitbewohnerinnen so etwas wie Ersatz zu finden.

Kristin stammte aus einer wohlhabenden schwedischen Unternehmerfamilie und hatte, wie sie sagte: »nicht die geringste Lust, den elitären Erwartungen meiner Familie zu entsprechen«. Deshalb hatte sie nach dem Abitur nicht, wie ihr Vater es gewünscht hatte, ein Wirtschaftspraktikum in Peking oder New York absolviert, sondern ihrer Neigung zur »Elendsromantik« nachgegeben, wie ihr Vater ihr soziales Engagement nannte.

»Du siehst«, sagte Kristin gelassen, »mein Vater ist ein ziemliches Arschloch, und da ich nicht so werden will wie er, habe ich mich hierher abgesetzt.«

Josy kam der Gedanke, dass vermutlich viele junge Leute, die sich irgendwo auf der Welt engagierten, in erster Linie ihren Elternhäusern entkommen wollten. Dass sie nebenbei etwas Gutes bewirkten, musste als willkommener Nebeneffekt gesehen werden.

Kristin arbeitete bereits seit einem halben Jahr im Zentrum. Josy wollte mit ihr darüber reden. »Hast du das Gefühl, du erreichst was mit deinem Einsatz?«

Kristin überlegte. »Man sollte nicht glauben, wirklich etwas verändern zu können. Wir betreiben Schadensbegrenzung, aber das ist ja schon was. Und man darf nicht erwarten, dass man mit offenen Armen empfangen wird. Im Gegenteil, die Menschen, denen wir helfen wollen, empfinden uns oft als Eindringlinge und tun sich schwer damit, unsere Hilfe anzunehmen.«

Josy nickte und erzählte von der Erfahrung, die sie gerade gemacht hatte. In der Woche zuvor hatte Carlos sie mit einer speziellen Aufgabe betraut: Es mussten Kleidung, Medikamente und ausgewählte Nahrungsmittel an die bedürftigen Familien des Viertels verteilt werden. Javier sollte den Pick-up beladen und fahren, Josy die Sachen abgeben.

»Warum ich?«, fragte Josy. »Ich bin neu hier, und ich spreche nicht gut Spanisch, es wäre doch viel besser, wenn Loreta das machen würde.«

»Gerade weil du neu bist, solltest du diese Aufgabe übernehmen, denn dadurch lernst du das Viertel besser kennen. Und Spanisch sprechen die meisten Leute hier oben schlechter als du. Sie sprechen die Indianersprachen der Dörfer, aus denen sie stammen.«

Josy fiel kein Gegenargument mehr ein. Außerdem vermutete sie, dass Carlos irgendeine pädagogische Absicht verfolgte und sich deshalb nicht von seinem Plan abbringen lassen würde.

Während Javier die Kartons auf den Wagen lud, ging Carlos mit Josy die Listen durch. Die Familien waren nur mit Namen verzeichnet, es gab keine Anschriften, da es keine befestigten Wege oder Straßen gab. Die meisten Häuser waren nicht mal amtlich registriert. »Javier weiß, wo die Leute wohnen«, sagte Carlos.

Er erklärte ihr, welche Familie zu welchem Kind gehörte, denn die Kinder kannte sie inzwischen alle mit Namen. Außerdem gab er ihr Stichworte zu speziellen Problemen, von der kranken Großmutter bis zum Baby, das hypoallergene Nahrung benötigte. Josy machte sich Notizen auf der Liste.

»Was ist mit der Kleidung?«, fragte sie.

»Es gibt Kartons mit Jungen- und mit Mädchensachen, nach Größen sortiert. Du fragst, was benötigt wird, und suchst es dann aus.«

Josy stieg ins Fahrerhaus, Javier startete den Motor. Über Schotterwege und staubige Pisten rumpelten sie dahin, vorbei an den Wellblechhütten und primitiven Holzverschlägen, in denen die Menschen hier hausten.

Als Josy die Hütte der ersten Familie betrat, traf sie fast der Schlag. Auf dem gestampften Boden lagen rund um eine offene Feuerstelle vier fleckige Matratzen. Als Kissen dienten die wenigen Kleidungsstücke, die die Familie besaß. Es gab keine Küche, nur einen Gaskocher und ein paar Teller und Tassen aus Blech, die in einer hölzernen Kiste gestapelt waren. Eine große Plastikschüssel ersetzte Waschbecken und Badewanne. An den von der Feuchtigkeit des Winters fleckigen Wänden hing nichts außer einem kitschigen Jesus am Kreuz.

Auf einer der Matratzen hockte eine uralte, verschrumpelt wirkende Frau, die vor sich hin murmelte. Eine jüngere Frau in einer abgetragenen Kittelschürze, vermutlich die Mutter der beiden Mädchen, die das Zentrum besuchten, rührte in einem Topf. Auf ihren Gesichtern lag ein Ausdruck von Hoffnungslosigkeit und Resignation, der Josy verstörte. Dass Menschen so leben konnten, hatte sie sich bisher nicht vorstellen können.

Sie grüßte schüchtern und erklärte, dass sie vom »Haus der Hoffnung« käme. Sie solle schöne Grüße von Señor Carlos ausrichten. Bei der Erwähnung dieses Namens leuchtete das Gesicht der Alten auf. »Es un santo«, murmelte sie mit ihrem zahnlosen Mund. Die andere Frau reagierte nicht, blickte sie nur stumm an.

Josy stellte den Karton mit den Sachen, die für die Familie bestimmt waren, ab und fragte, ob Bedarf an Kinderkleidung bestehe.

Die Mutter schüttelte den Kopf und rührte heftig im Topf. Josy wusste, dass die Familie zwei Töchter hatte, die dreijährige Rosa und die sechsjährige Clara. Sie war sicher, dass Kleidung dringend benötigt wurde. Sie wiederholte die Frage, vielleicht hatte die Frau sie nicht verstanden. Da hob sie den Löffel und wies mit finsterem Blick in Richtung Tür.

»Wir brauchen nichts«, sagte sie heftig.

Verwirrt ging Josy zum Wagen zurück. »Sie wollten keine Kleidung für die Mädchen«, sagte sie.

Javier hob die Schultern. »Sie sind stolz. Kann man nichts machen.« Er ließ den Motor an.

»Nein, warte noch.« Josy ging nochmal zur Ladefläche zurück und suchte einige Kleidungsstücke in der passenden Größe für Rosa und Clara raus, steckte sie in eine Plastiktüte und legte sie vor die Hütte.

Dann stieg sie ein, und sie setzten ihre Tour fort. Die gleiche Erfahrung wiederholte sich in Variationen. Mal wurde sie wenigstens gegrüßt, mal weitgehend ignoriert. Kaum jemand dankte ihr dafür, dass sie kam und dringend benötigte Dinge brachte; es wurde hingenommen, wie alles andere hingenommen wurde, die Hitze, das Elend, der Dreck.

Nach diesem Tag war Josy völlig frustriert. Sie hatte sich als eine Art Mutter Teresa gesehen, die armen Menschen etwas Gutes tut und dafür überschwänglich gefeiert wird. Und selbst wenn diese Vorstellung naiv gewesen war, hatte sie wenigstens erwartet, sich gut zu fühlen, weil sie etwas Gutes getan hatte. Stattdessen fühlte sie sich wie jemand, der andere gedemütigt und gekränkt hat: schuldig und beschämt.

Sie kehrte ins Zentrum zurück, wo Carlos schon wartete. Er sah nur ihr Gesicht und wusste Bescheid. Josy war nicht die erste Freiwillige, die von ihrem hohen Ross heruntergeholt wurde.

»Gut gemacht«, sagte er und legte den Arm um sie. »Heute hast du ein paar wichtige Dinge gelernt.«

Kristin lächelte wissend, als Josy mit ihrer Erzählung am Ende war. »Solche Geschichten könnte ich dir massenhaft erzählen. Aber, soll ich dir was sagen: Ich finde es okay. Die Leute haben sich ihre beschissene Lage nicht ausgesucht, und wenn wir, die wir mit dem goldenen Löffel im Mund geboren wurden, uns ein bisschen bemühen, ihre Lage zu erleichtern, ist das kein Grund zur Dankbarkeit, sondern nur recht und billig.«

Freda verabschiedete sich vor der Buchhandlung von Tanja, sie küssten sich rechts und links auf die Wangen und gingen in verschiedene Richtungen auseinander. Es war ein milder Spätsommerabend, und Freda beschloss, zu Fuß nach Hause zu gehen. Nach wenigen Metern trat ihr jemand in den Weg. Es war Marie, mit dem schlafenden Luca im Buggy.

»Marie.«

»Hallo, Freda. Ich hoffe, ich störe nicht.«

»Ich bin auf dem Weg nach Hause, du kannst mich gern begleiten.«

Schweigend gingen sie ein paar Schritte.

»Ich habe die Eintragung beim Standesamt ändern lassen«, sagte Marie nach einer Weile.

»Dann willst du jetzt die Sache mit der Erbschaft regeln, nehme ich an.«

Marie blieb stehen, Freda fühlte sich gezwungen, ebenfalls stehen zu bleiben.

»Ich möchte kein Geld von dir«, sagte Marie mit fester Stimme.

»Gesetz ist Gesetz, es steht Luca zu.«

»Aber ich will es wirklich nicht. Ich käme mir so schäbig vor, nach allem, was du durchgemacht hast, jetzt auch noch die Hand aufzuhalten.«

Freda überlegte. »Ich mache dir einen Vorschlag, Marie. Wir legen den Betrag, der ihm zustehen würde, auf ein Sparkonto. Wenn Luca achtzehn ist, gehört das Geld ihm.«

Marie zögerte, dann nickte sie. »Okay«, sagte sie mit gepresster Stimme, »das ist in Ordnung.«

Wie aufs Stichwort begann Luca, sich zu bewegen. Er wachte auf, sah verschlafen um sich, dann entdeckte er Freda, deutete mit dem Zeigefinger auf sie und sagte: »Tante! Ball!«

Freda schluckte. Marie lachte auf. »Du hast offenbar großen Eindruck bei ihm hinterlassen. In den Tagen nach eurer Begegnung ist er immer zu der Parkbank hingelaufen, auf der du gesessen hast, und hat gefragt: ›Tante? Ball pielen?‹«

Zu ihrer eigenen Verwirrung bemerkte Freda ein heftiges Bedürfnis, den kleinen Kinderkörper hochzuheben und an sich zu drücken. Ein Gefühl, das ebenso ihrer Sehnsucht nach Alex entsprang wie ihrer Sehnsucht nach der kleinen Josy und der Zeit, als sie noch untrennbar miteinander verbunden gewesen waren.

Sie beherrschte sich und fasste Luca nicht an. Stattdessen sagte sie fast schüchtern: »Falls du mal keinen Babysitter findest, kann ich gerne einspringen.«

Marie sah sie überrascht an. »Das würdest du wirklich tun?«

Als Arno Steiner eintrat, war Freda alleine in der Buchhandlung und dekorierte die Geschenkabteilung um. Sie bemerkte ein kleines Zittern in ihrer Magengrube.

»Hallo«, sagte sie, »schön, Sie zu sehen. Suchen Sie wieder Arbeit? Wir hätten da ein paar Kisten im Hinterzimmer ...«

»Es geht nicht«, unterbrach er sie.

»Was geht nicht?«, fragte sie perplex.

»Es geht nicht, hierherzukommen, und es geht nicht, nicht hierherzukommen.«

Freda blickte ihn fragend an. »Ich verstehe nicht ganz ...«

Steiner, der den Eindruck eines Menschen machte, der einen Entschluss gefasst hat, kam auf sie zu und sah ihr ernst ins Gesicht. »Weil Sie nicht verstehen wollen. Was glauben Sie, warum ich immer wieder hier aufgekreuzt bin? Weil ich so gern Regale auswische?«

»Die Menschen haben die merkwürdigsten Vorlieben«, sagte Freda lächelnd.

Steiner stieß die Luft aus. »Sie sind ein harter Brocken.«

Er machte ein paar Schritte Richtung Ausgang, dann kehrte er zurück und fasste Freda an beiden Schultern. »Sind Sie wirklich so ... desinteressiert, wie es aussieht?«

»Desinteressiert?«

»Es kommt mir vor, als könnte ich auf Ihrer Stirn ein Schild lesen: ›Sparen Sie sich die Mühe, bei mir haben Sie keine Chance.‹«

Freda musste lachen. »Meine Freundin Tanja behauptet, der Text hätte sich geändert.«

Steiner sah ratlos aus. »Davon habe ich nichts gemerkt.«

Sie wurde ernst. »Darf ich Ihnen eine Frage stellen?«

»Natürlich.«

»Als ich bei Ihnen angerufen habe, Sie wissen schon, nach diesem Deckeneinsturz, da hat eine Frau abgehoben. Wer war sie?«

Er schien nachdenken zu müssen, der Abend war ihm offenbar nicht mehr im Gedächtnis.

»Ach, ich weiß! Das war meine Tochter.«

»Ihre Tochter.«

»Myriam. Sie lebt in Berlin und war ein paar Tage zu Besuch.«

Fredas Erleichterung über diese Mitteilung war so groß, dass es ihr schwerfiel, sie zu verbergen.

Sie drehte sich zur Seite, schloss kurz die Augen und atmete tief durch. Dann wandte sie sich wieder zu Steiner und fragte lächelnd: »Und warum laden Sie mich dann nicht einfach zum Essen ein?«

12

Sie fuhren schon seit über zwei Stunden. Josy starrte trüb-sinnig aus dem Fenster des VW-Busses, mit dem sie, Kristin, Javier und Carlos unterwegs zu einem »Außeneinsatz« waren, wie Carlos es genannt hatte. Der wohltönende Begriff hatte Josy die Aussicht, Miguel fast zwei Wochen lang nicht sehen zu können, keineswegs versüßt. Sie empfand es als Strafe, dass Carlos darauf bestanden hatte, sie mitzu-nehmen. Er hatte nicht einmal einen Hehl daraus gemacht, dass die Spannungen zwischen Luis, Loreta und ihr einer der Gründe für seine Entscheidung waren. Luis' schlechte Laune und Loretas unübersehbare Abneigung gegen Josy vergifteten das Klima. Indem er Josy für eine Weile aus dem Verkehr zog und Luis und Loreta für die Zeit ihrer Abwesen-heit gemeinsam die Verantwortung für das Zentrum über-trug, hoffte er, die Wogen glätten zu können.

Die Straße wurde immer kurviger und stieg weiter an. Die Sonne verschwand hinter einem dunstigen Schleier, Feuchtigkeit hing in der Luft. Der Baumwuchs wurde dich-ter, die Gegend einsamer.

Sie würden mehrere abgelegene Indianerdörfer besu-chen, in denen dringend auf Kleidung, Lebensmittel und Medikamente gewartet wurde. Außerdem wollte Carlos den Stand eines Schulprojektes überprüfen, das er schon vor längerer Zeit initiiert hatte. Mobile Lehrerteams, die aus Spenden finanziert wurden, zogen von Dorf zu Dorf, gaben einige Tage Unterricht und hinterließen Aufgaben für die Wochen bis zu ihrer Rückkehr. Geeignete Personen aus dem Dorf wurden dazu angeleitet, die Kinder während dieser Zeit bei der Lösung der Aufgaben zu unterstützen. Ohne regelmäßige Kontrolle würde das Projekt jedoch über kurz oder lang zum Erliegen kommen, darüber machte Carlos sich keine Illusionen.

Josy malte sich aus, wie der Empfang in den Dörfern sein würde. Wenn sie schon in unmittelbarer Nachbarschaft des Zentrums so abweisend behandelt wurden, würden sie wahrscheinlich in der Einsamkeit des mexikanischen Hochlandes an den Marterpfahl gebunden und im großen Kupferkessel geschmort werden. Ach, richtig, Marterpfähle gab es hier nicht.

Sie sehnte sich jetzt schon nach Miguel, nach der Berührung seiner Hände, der weichen Haut über den Sehnen und Muskeln seines Körpers. Nach seinen coolen Sprüchen, sogar nach seiner Unberechenbarkeit. Noch keine Sekunde war ihr langweilig gewesen mit ihm, man konnte bei ihm mit allem rechnen. Natürlich auch damit, dass seine Gefühle sich von einem Moment auf den anderen verändern könnten, aber selbst darin lag eine Spannung, die sie erregte.

Bisher hatte sie nicht herausfinden können, wovon Miguel lebte. Als Antwort auf ihre Frage hatte er verkündet: »Ich lebe für die Revolution!«

»Das mag ja sein«, hatte sie lachend gesagt, »aber von welchem Geld?«

»Das kann ich dir leider nicht sagen«, hatte er geheimnisvoll erklärt.

Josy vermutete, er machte einen ganz normalen Job, für den er sich genierte, weil er nicht zu seinem Revoluzzer-Image passte. Luis hatte sich zu der Vermutung verstiegen, er sei ein Spitzel, der sich bei den APPO-Leuten eingeschlichen habe und der Polizei Informationen zuspiele. Josy hatte ihn nur ausgelacht.

Carlos' Entschluss zu diesem »Außeneinsatz« war sehr plötzlich gefallen; Josy hatte gerade noch eine E-Mail an ihre Mutter schicken können, in der sie ihr ankündigte, dass sie für zehn bis vierzehn Tage nicht erreichbar sein würde, da sie mit Carlos und zwei anderen Mitarbeitern im Hochland unterwegs sei. Dann schrieb sie noch: *übrigens bin ich verliebt! miguel würde dir gefallen, er ist total lieb und zuverlässig und passt gut auf mich auf. ich erzähl dir mehr, wenn ich zurück bin. ich hoffe, dir geht's gut! in liebe, deine Josy.*

Sie fand es besser, Miguel nicht allzu realistisch zu beschreiben. Bestimmt entsprach er nicht ganz der Wunschvorstellung, die Freda vom Freund ihrer Tochter haben mochte.

Ob ihre Mutter sich irgendwann wieder verlieben würde? Der Gedanke, dass ein anderer Mann den Platz ihres Vaters einnehmen könnte, war beunruhigend. Niemand sollte Alex ersetzen! Manchmal glaubte sie, nie über den Verlust ihres Vaters hinwegzukommen. Natürlich lebte sie weiter, sie konnte sich sogar verlieben und Spaß haben. Aber ihr toter Vater fehlte immer, er war wie eine Leerstelle in einem Bild, die der Maler auszufüllen vergessen hatte.

Der Wald wurde immer dichter, menschliche Ansiedlungen schien es keine mehr zu geben. Umso erstaunlicher war es, dass alle paar Kilometer kleine Stände am Straßenrand zu sehen waren, an denen halbwüchsige Jungen Motoröl, Trinkwasser, Kugelschreiber und Tüten mit Chips zum Kauf anboten. Und das, obwohl höchstens jede halbe Stunde ein Auto vorbeifuhr.

Einmal hielten sie an einem der Stände, und Carlos kaufte eine Dose Motoröl. Josy wollte Chips. Die zwei jungen Verkäufer starrten sie neugierig an.

»Gringa?«, fragte der eine keck.

»Alemana«, antwortete Josy. Die zwei blickten sich ratlos an. »Europa«, versuchte es Josy. Sie zuckten die Schultern. Offensichtlich hatten sie noch nie von Europa gehört.

»Wie ist denn das möglich?«, fragte Josy ungläubig.

Carlos breitete die Arme aus. »Wo denkst du, ist hier die nächste Schule?«

»Keine Ahnung.«

»Es gibt keine. Die beiden kriegen ein bisschen Unterricht in ihrem Dorf, und das war's.«

»Was für eine verdammte Ungerechtigkeit«, rief Josy. »Bei uns werden die größten Idioten auf teuren Privatschulen mit Nachhilfe zum Abi getragen, und hier kannst du so intelligent sein, wie du willst, du hast keine Chance.«

»Wieder was gelernt«, sagte Carlos mit gutmütigem Spott in der Stimme.

Sie fuhren weiter, Josy nickte ein, wachte wieder auf.

»Ich muss mal«, sagte sie.

»Wir halten bei der nächsten Gelegenheit.«

Die nächste Gelegenheit war eine leichte Einbuchtung an der Straße, wo der Bus gerade stehen bleiben konnte, ohne die Fahrbahn zu blockieren. Josy stieg aus und sah sich um. »Und wohin soll ich gehen?« Auf ihrer Seite stiegen die Felsen steil an, zur anderen Seit fiel der Berg ab. Carlos machte eine vage Bewegung in Richtung des Gebüschs auf der linken Seite, kurz vor dem Abgrund.

»Ich bin nicht schwindelfrei«, sagte Josy. »Hier geht es nicht.«

»Na, dann nicht«, sagte Carlos ungerührt. Kristin kicherte. Josy warf ihr einen strafenden Blick zu und stieg wieder ein. Nach einer weiteren Viertelstunde hielt sie es nicht mehr aus.

»Kannst du bitte nochmal halten?«

Carlos bremste. Hier war die Straße noch enger, und es gab keinerlei Gebüsch am Straßenrand. Kurz entschlossen befahl Josy: »So, ihr schaut jetzt alle nach vorn. Und du, Carlos, klappst den Rückspiegel hoch.«

Sie setzte sich direkt hinter das Auto, wo sie von den Insassen nicht gesehen werden konnte. Das Risiko, dass ein anderes Auto käme, musste sie eingehen.

Als sie wieder einstieg sagte Carlos grinsend: »Wenn's gehen muss, dann geht's auch.«

Josy verzog das Gesicht. Campen hatte sie schon immer gehasst, und dieser »Außeneinsatz« versprach eine Art Camping-Urlaub unter verschärften Bedingungen zu werden.

Nach fast fünf Stunden Fahrt erreichten sie das erste Dorf. Wenn Josy es nicht besser gewusst hätte, wäre sie überzeugt gewesen, es handele sich um eine Trapper-Siedlung in Kanada. Ordentlich gezimmerte Häuschen zogen sich einen breiten Hang hinauf. Auf dem Hochplateau befand sich ein etwas größeres Gebäude, von Carlos scherzhaft »Rathaus« genannt, mit einer Art Versammlungsplatz davor. Hinter einem Bretterverschlag ratterte ein Motor, offenbar ein Dieselgenerator. Klar, woher sollte hier sonst der Strom kommen.

»Wovon leben die Leute hier?«, fragte Kristin, die auch zum ersten Mal bei einem Außeneinsatz dabei war.

»Na, denk mal nach«, forderte Carlos sie auf.

»Vom Holzfällen?«

»Erraten. Zumindest die Männer. Die Frauen schnitzen Figuren und fertigen Körbe aus Rinde und Zweigen. Die meisten jungen Leute verlassen das Dorf, deshalb ist es, wie so viele dieser Dörfer, vom Aussterben bedroht.«

»Das ist schade«, sagte Kristin, »aber kann man es den Jugendlichen verübeln? Was sollen sie denn hier machen?«

»Das ist eine Frage der Perspektive«, sagte Carlos, »jahrhundertelang haben die Menschen so gelebt. Aber sobald sie mit der modernen Welt in Kontakt kommen, entstehen Bedürfnisse und Sehnsüchte. Die meisten von ihnen erreichen nichts, sie enden in den Slums der großen Städte.«

Er parkte das Auto auf dem Platz, sie stiegen aus und streckten sich. Ein magerer Hund kläffte sie an, schnupperte an ihnen und beruhigte sich dann.

Zwei ältere Männer mit wettergegerbten Gesichtern kamen auf sie zu, streckten Carlos die Hand entgegen und grüßten den Rest der Gruppe mit einem freundlichen Nicken. Ihr Spanisch war bruchstückhaft, Josy fragte sich, wie die Verständigung funktionieren sollte. Jetzt kam Javier ins Spiel. Er beherrschte die Sprache, die hier gesprochen wurde, und konnte übersetzen. Staunend lauschte Josy den Lauten, die mit keiner Sprache, die sie kannte, Ähnlichkeit hatten.

Als Nächstes luden sie die Kartons und Säcke aus und stapelten sie in der Bretterbude, die Carlos Rathaus genannt hatte. Das Einzige, woran hier kein Mangel herrschte, war Holz, sonst war das übrige Dorf ebenso arm wie das Viertel rund ums Zentrum. Trotzdem kam Josy die Armut hier weniger trostlos vor, was vielleicht mit der idyllischen Natur ringsum zu tun hatte.

Das Märchen von der späten Liebe

Es war einmal eine Müllerstochter, die lebte bei ihrem alten Vater und pflegte ihn. Sie war noch nicht alt, sie war nicht mehr jung, sie war nicht hässlich und nicht schön, sie war nicht reich, und sie war nicht arm, kurz: Sie war nichts und niemand.

Die Jahre waren an ihr ebenso vorübergegangen wie die Liebe, und sie erwartete nichts mehr vom Leben, als in Frieden zu altern.

In seltenen Momenten erinnerte sie sich daran, dass sie einmal jung gewesen war und die Liebe erfahren hatte. Aber ihr Geliebter war in den Krieg gezogen und nicht mehr zurückgekehrt, und wie sie seine Berührungen vergessen hatte, so hatte sie vergessen, was Liebe ist.

Eines Tages kam ein Wanderer an der Mühle vorbei und begehrte zu rasten. Er war noch nicht alt, er war nicht mehr jung, er war nicht hässlich und nicht schön, er war nicht reich, und er war nicht arm. Die Müllerstochter wies ihm einen Platz im Heuschober zu, brachte ihm einen Laib Brot und einen Krug Milch, und als sie am anderen Morgen nach ihm sah, war er schon weitergewandert. Auf seinem Platz im Heu lag ein Federkiel, der ihm wohl aus seinem Ranzen gefallen war.

Sie bewahrte den Federkiel auf und vergaß den Wanderer.

Einige Zeit später stand er wieder vor der Tür. Er begehrte zu rasten, und sie wies ihm wieder den Heuschober zu, brachte ihm einen Laib Brot und einen Krug Milch, und wie sie am nächsten Morgen nach ihm sah, war er schon weitergewandert. Auf seinem Platz im Heu lag ein gefülltes Tintenfässchen, das ihm wohl aus seinem Ranzen gefallen war. Sie bewahrte das Tintenfässchen auf und vergaß den Wanderer.

Einige Zeit später stand er zum dritten Mal vor der Tür, und alles trug sich ebenso zu wie beim letzten und vorletzten Mal. Diesmal lagen auf seinem Platz im Heu drei Bogen schönstes Bütten. Die Müllerstochter nahm das Bütten und bewahrte es mit dem Tintenfässchen und dem Federkiel in ihrer Kommode auf.

Doch diesmal konnte sie nicht mehr aufhören, an den Wanderer zu denken, und hoffte darauf, er möge ein weiteres Mal kommen, um bei ihr zu rasten. Die Zeit verging, und die Müllerstochter hatte die Hoffnung bereits aufgegeben. Da stand der Wanderer eines Tages wieder vor ihrer Tür. Diesmal schickte sie ihn nicht in den Heuschober, sondern bereitete ihm ein weiches Bett und teilte das Nachtlager mit ihm. Am nächsten Morgen wollte sie ihm seinen vergessenen Besitz zurückgeben. Doch wie sie die Schublade öffnete, war der Federkiel benutzt, das Tintenfässchen leer und das Bütten beschrieben. Erstaunt nahm sie die Bogen in die Hand und las: Es war einmal eine Müllerstochter, die lebte bei ihrem alten Vater und pflegte ihn. Sie war noch nicht alt, sie war nicht mehr jung ...

Freda ließ das Buch sinken und lächelte versonnen. Sie fing Tanjas Blick auf.

»Willst du mir nicht endlich sagen, was mit dir los ist? Heute Morgen fällst du fast über die Bücherkisten, mittags hast du angeblich keinen Hunger, und jetzt siehst du aus, als hättest du eine Marienerscheinung, sofern eine Atheistin darüber in Ekstase verfallen kann.«

Freda lachte. »Kannst du den Text auf meinem Schild nicht mehr lesen?«

Tanja kniff die Augen zusammen und betrachtete Fredas Stirn. »Ich benehme mich völlig ballaballa, und jeder, der mich sieht, muss annehmen, dass ich auf Drogen bin oder verliebt.«

»Na bitte, geht doch«, sagte Freda.

Tanja riss die Augen auf. »Wie jetzt? Auf Drogen oder verliebt?«

»Ist das nicht irgendwie dasselbe?«

»Wer ist es? Dieser Polizist?«

Freda winkte ab.

Triumphierend rief Tanja: »Steiner! Ich wusste es doch!«

»Ich nicht«, sagte Freda. »Ich habe es wirklich nicht gemerkt. Oder vielleicht wollte ich es nicht merken.«

»Was hast du da eben gelesen?«, fragte Tanja und griff nach dem aufgeschlagenen Buch. »›Das Märchen von der späten Liebe‹, ich glaub's ja nicht.«

»Das hat er mir geschickt«, sagte Freda und hatte wieder diesen versonnenen Ausdruck im Gesicht.

Sie dachte an den Moment zurück, als es begonnen hatte.

Und warum laden Sie mich dann nicht einfach zum Essen ein?

Kaum hatte Freda den Satz ausgesprochen, war er ihr so ungeheuerlich vorgekommen, dass sie erschrocken die Hand vor den Mund geschlagen hatte. Das war doch nicht sie, die solche Sätze sagte, dazu war sie viel zu schüchtern.

Arno Steiner hatte nur gelächelt und gesagt: »Ja, warum eigentlich nicht.« Aber plötzlich hatte sich sein Gesicht verdüstert, und er hatte den Kopf geschüttelt. »Oje.«

»Was ist?«, hatte Freda zaghaft gefragt.

»Es ist ... wie soll ich das erklären? Ich fürchte, dass jeder Satz, den ich jetzt sagen könnte, abgedroschen klingt. Dass alles, was ab jetzt geschieht, eine Art Inszenierung ist, in der wir beide die uns zugeteilten Rollen spielen. Wir können schließlich nicht so tun, als erlebten wir es zum ersten Mal.«

Freda fuhr fort: »Außerdem haben wir es im Kino gesehen, in Büchern gelesen. Und deshalb kann alles, was wir tun und sagen, nur Zitat sein.«

»Genau.« Steiner schien überrascht. »Ich sehe, Sie verstehen mich.«

Freda zuckte die Schultern. »Vielleicht müssen wir nur unsere Rollen so gut wie möglich spielen. Bei gelungenen Inszenierungen gehen Spiel und Wirklichkeit irgendwann ineinander über.«

»Also gut.« Er setzte sich wie ein Schauspieler in Positur. »Darf ich Sie, liebe Freda, am kommenden Samstag zu mir nach Hause einladen? Ich bin ein recht passabler Koch und würde mich freuen, Ihnen ein schmackhaftes Essen zuzubereiten.«

Freda musste ein Kichern unterdrücken. »Es wird mir eine Freude sein, lieber Arno! Ich habe eine Schwäche für Männer, die kochen können, da ich selbst diese Kunst nicht beherrsche.«

»So geht's«, stellte er zufrieden fest. »Also dann, bis Samstag. Meine Adresse steht im Telefonbuch.«

Zwei zarte Küsse auf Fredas Wangen, ein türkisblauer Blick, Abgang.

Arno Steiners Wohnung bestand aus zwei Zimmern, die beide mit Büchern vollgestopft waren, und einer großen Küche. Er empfing Freda in Jeans und einem blau-weiß gestreiften Hemd, darüber trug er eine karierte Schürze. Wieder küsste er sie rechts und links auf die Wangen, dabei zog er sie so eng an sich, wie er es bisher noch nie getan hatte. Fredas Knie wurden weich.

Sie hatte zwei Flaschen sehr teuren Rotwein gekauft, von dem sie hoffte, dass der Geschmack den Preis rechtfertigte. Da sie sich mit Wein nicht auskannte, war der Preis das einzige Kriterium, das ihr zur Verfügung stand. Außerdem hatte sie eine Schokoladentorte gebacken, die sie ihm nun überreichte.

»Mmh, die duftet ja wunderbar! Bitte folgen Sie mir in die Küche.«

Er zog einen der sechs schwarzen Thonet-Stühle, die um den großen hölzernen Esstisch standen, ein Stück heraus. Freda setzte sich und stellte die Flaschen vor sich auf den Tisch.

»Ich hoffe, Sie mögen Rotwein«, sagte sie und errötete über die Albernheit dieses Satzes. O ja, sie wusste genau, was er in der Buchhandlung gemeint hatte. Die Plattitüden des Balzrituals waren einem mit über vierzig zu vertraut, als dass man sie noch unbefangen zelebrieren könnte.

Verlegen stand er neben dem Tisch. »Ähm, wie geht denn der Text jetzt weiter?«

»Wie wär's mit: Was möchten Sie trinken?«, schlug Freda vor.

»Ach ja, natürlich, entschuldigen Sie, wie blöd von mir. Was möchten Sie trinken?«

»Wein und Mineralwasser, bitte.«

»Rot oder weiß?«

»Das hängt davon ab, was Sie gekocht haben.«

Er beschrieb das Menü, und Freda lief buchstäblich das Wasser im Mund zusammen. Als Vorspeise würde es mariniertes Thunfisch-Carpaccio mit rosa Pfeffer geben, zum Hauptgang geschmortes Lamm mit Polenta und grünen Bohnen.

»Und zur Torte hätte ich noch Vanilleeis und ein bisschen exotischen Früchtesalat.«

»Dann würde ich mich erst für Weiß, dann für Rot entscheiden«, sagte Freda, »vorausgesetzt, Sie trinken mit.«

Er holte eine Flasche Weißwein aus dem Kühlschrank, entkorkte sie und schenkte zwei Gläser ein. Zum Anstoßen stand Freda von ihrem Stuhl auf, so dass sie sich gegenüberstanden. Plötzlich machte sich wieder die bekannte Verlegenheit zwischen ihnen breit.

»Die Inszenierung ist bisher nicht schlecht«, sagte Freda und lächelte.

»Von leichten Textunsicherheiten abgesehen«, ergänzte Arno.

Sie verloren sich einer in den Augen des anderen, bis er sich einen Ruck gab und sagte: »Willkommen in meinem bescheidenen Heim, liebe Freda. Es macht mich glücklich, dass Sie heute mein Gast sind.«

Freda neigte lächelnd den Kopf. »Ich danke Ihnen sehr für die Einladung, lieber Arno.«

Sie stießen an und sahen sich sogar während des Trinkens in die Augen.

Camping-Urlaub, dachte Josy, ich hab's befürchtet. Sie hatten den VW-Bus an den Rand einer Wiese gestellt und ein Vorzelt aufgebaut, so dass vier Schlafplätze entstanden waren.

»Drinnen oder draußen?«, hatte Carlos die Mädchen gefragt. Und als Kristin wissen wollte, was für Tiere es denn hier oben gebe, und Javier »Bären, Berglöwen, Hyänen, Luchse ...« aufzählte, hatten beide Mädchen wie aus einem Mund gekreischt: »Drinnen!«

Javier lachte sich kaputt, und ihnen war klar, dass er sie auf den Arm genommen hatte. Trotzdem waren sie der Meinung, im Auto sicherer zu sein.

Der Bürgermeister hatte sie zum Abendessen in seine Hütte eingeladen, und bald saßen sie im Kreis ums Feuer, aßen Stücke von Trockenfleisch und Tortilla und tranken selbst gebrautes Maisbier dazu. Die Frau des Hauses trug zur Feier des Tages ein traditionelles Gewand aus bunt gewebtem Stoff.

Sie stießen mit den Gläsern an, der Bürgermeister sagte ein paar Worte in seiner Sprache, Javier übersetzte, alle nickten und lächelten.

»Danke, dass wir bei euch im Dorf sein dürfen«, sagte Carlos, »und danke für die Einladung in euer Haus.«

Josy fand Geschmack am Maisbier und ließ sich aus einem Krug nachschenken. Javier tippte sie an. »Sei vorsichtig, Ausländer kriegen davon Kopfweh!«

»Das wollen wir doch mal sehen«, sagte sie lachend und stieß mit ihm an.

Die Männer besprachen, was es in den nächsten Tagen zu tun gäbe, und Josy korrigierte für sich den Begriff »Camping-Urlaub« in »Survival-Camp«.

Eine Schulbaracke musste gebaut werden. Das Holz dafür lag bereit, aber es fehlte an Arbeitskräften. Viele der männlichen Dorfbewohner sahen keine Zukunft im Holzgeschäft und verdingten sich wochenweise auf Baustellen.

Das mobile Lehrerteam war seit zwei Monaten nicht mehr hier gewesen, die Kinder hatten keine Aufgaben mehr. Ein Mädchen war krank geworden, weil seine Mutter ihm versehentlich falsche Tabletten gegeben hatte. Der Dorfälteste bat darum, die Beipackzettel der Medikamente stichwortartig zu übersetzen. Einen Arzt gab es nicht, der nächste wohnte mehrere Dörfer entfernt.

»Na, dann wissen wir ja, was wir zu tun haben!«, stellte Carlos gut gelaunt fest.

Josy hatte bemerkt, dass er immer heiterer und lockerer geworden war, je weiter sie sich von der Stadt entfernt hatten. Es schien, als würde er hier in der Natur regelrecht aufblühen und alles vergessen können, was ihn belastete. Wenn sie Carlos so erlebte, musste sie an ihren Vater denken. Sie war sicher, die beiden hätten sich gut verstanden.

Spät am Abend, die anderen schliefen schon, musste Josy nochmal pinkeln. Sie stieg leise aus dem Bus. Vor ihr lag ein weites Tal, von einer Hügelkette begrenzt, vom Mond silbrig beschienen. Noch nie in ihrem Leben war sie an einem Ort gewesen, an dem eine solche Stille geherrscht hatte. Diese Stille war so allgegenwärtig und gewaltig, dass es fast beängstigend war. Schon das Knacken eines Zweiges oder das wispernde Geräusch eines Blattes ließ sie hochschrecken.

Jahrhundertelang haben die Menschen so gelebt.

Wahnsinn, dachte Josy. Und heute leben sie in Städten, wo ihnen Tag und Nacht die Ohren vollgedröhnt werden. Richtig gesund kann das nicht sein.

Am nächsten Tag war keine Zeit für besinnliche Gedanken. Kurz vor sechs wurden sie von Carlos geweckt. Josy hatte heftige Kopfschmerzen; stöhnend presste sie die Fäuste gegen ihre Schläfen. Das Maisbier!

Das Frühstück bestand aus dünnem Tee und Tortillas mit Bohnenmus. Josy zwang sich dazu, etwas zu essen. Zum Glück hatte sie in ihrem Gepäck einige Aspirin, sie schluckte zwei davon, und nach einer Stunde fühlte sie sich besser.

Carlos und Javier hatten, assistiert von zwei weiteren Männern aus dem Dorf, bereits mit dem Bau der Schulbaracke begonnen. Schwere, vierkantige Balken wurden ausgesägt, Bretter zurechtgeschnitten und gehobelt. Für das Dach wurde ein flacher Dachstuhl gezimmert. Gedeckt wurde mit ineinander verflochtenen Zweigen, die ein nahezu undurchdringliches Gewebe bildeten. Trotz des Einsatzes von vier Männern würde es mehrere Tage dauern, bis das Gebäude fertig wäre.

Josy und Kristin saßen mit den Kindern des Dorfes in einem viel zu kleinen Raum des Rathauses und ließen sich die Aufgaben zeigen, die das mobile Lehrerteam zurückgelassen hatte. Zwölf Jungen und Mädchen zwischen vier und vierzehn Jahren waren gekommen; die älteren hatten das Dorf wohl schon verlassen oder waren mit ihren Vätern unterwegs. Die Kinder gingen ohne Feindseligkeit oder Scheu auf Josy und Kristin zu. Sie sprachen kaum Spanisch und versuchten sich mit Handbewegungen und Zeichnungen zu verständigen, was immer wieder Anlass zu Gelächter gab.

Ein ungefähr achtjähriges Mädchen wich nicht von Josys Seite. Sie zeigte auf sich und sagte: »Lomasi.« Sie zeigte auf Josy und hob fragend die Schultern.

»Josy«, sagte Josy und schrieb ihren Namen auf ein Stück Papier. Lomasi nahm ihr den Stift aus der Hand und malte mit großen, runden Buchstaben ihren Namen daneben. Dann malte sie eine Blume.

»Lomasi heißt Blume?«, fragte Josy.

Das Mädchen bewegte die Hand in einer Wellenbewegung und zeigte ihr damit, dass es nicht ganz stimmte. Sie malte eine weitere Blume mit zerrupften Blütenblättern und einem krummen Stängel und schrieb »feo« darunter, das spanische Wort für hässlich. Unter die andere Blume schrieb sie »no feo«.

»Ah, ich verstehe«, sagte Josy, »Lomasi heißt schöne Blume!«

»Si, si«, sagte das Mädchen strahlend.

Josy malte eine Reihe von Alltagsgegenständen und daneben ein Fragezeichen. Dann drückte sie Lomasi den Stift in die Hand und sagte langsam: »Wie sagt man auf Spanisch?«

Lomasi klemmte die Zunge in den rechten Mundwinkel und beugte sich über die Skizzen, die ein Haus, ein Auto, ein Pferd, ein Schiff, einen Berg und ein Boot zeigten. Langsam und bedächtig schrieb sie die Worte darunter.

Die Aufgaben der Lehrer stammten aus den Bereichen Spanisch, Rechnen und Weltkunde, darunter fiel alles von Biologie über Geografie zu Geschichte. Es gab drei Schwierigkeitsgrade, je nach Alter der Kinder. Josy und Kristin korrigierten, erklärten, machten Verbesserungsvorschläge. Den Kindern, die gerade nicht dran waren, gaben sie spontan kleine Aufgaben, so dass sie beschäftigt waren.

Sie merkten gar nicht, wie die Zeit verging, und als sie Mittagspause machten, stellte Josy fest, dass sie sich lange nicht so wohlgefühlt hatte wie an diesem Vormittag. Auch im Zentrum machte es ihr am meisten Spaß, die Kinder zu unterrichten, aber Loreta hatte immer wieder andere Aufgaben für sie gefunden, deshalb war sie selten dazu gekommen. Der Moment, in dem ein Kind etwas begriffen hatte, wenn sich der Horizont seiner Welt ein bisschen erweiterte, gab ihr das Gefühl, nach dem sie gesucht hatte: etwas wirklich Sinnvolles zu tun.

13

Sie blieben eine Woche in diesem Dorf, und Josy fiel der Abschied schwer. Das kleine Schulhaus war fertig geworden und wurde von den Kindern in Besitz genommen. Zusammen mit ihnen hatten sie eine mitgebrachte Weltkarte aufgehängt, außerdem Papier und Stifte dagelassen und so viele Aufgaben verteilt, dass die Kinder bis zur Rückkehr des Lehrerteams beschäftigt sein würden.

Einen ganzen Tag lang hatten sie gemeinsam mit Javier die Beipackzettel von Medikamenten übersetzt und aufgeschrieben, wie welches Präparat wirkt und wann und wie oft man es verabreichen sollte. Außerdem wiesen sie eine Frau ein, die unter den Bewohnern als heilkundig galt. Die zahnlose Alte ließ ihr Misstrauen der modernen Medizin gegenüber deutlich spüren und zeigte immer wieder auf die Kräuter und Tinkturen, mit denen sie Kranke behandelte. Carlos betonte, dass zuerst natürlich ihre Methoden angewendet werden sollten. Erst wenn keine Besserung eintrete, solle sie es auch mit den Tabletten versuchen.

An einem der Abende hatten sie ein Lagerfeuer gemacht und ein Wildschwein gegrillt, das einer der Indígenas im Wald geschossen hatte. Dazu gab es wieder das köstliche Maisbier, bei dem Josy sich diesmal zurückhielt.

»Jetzt fehlt nur noch die Gitarre«, hatte Kristin festgestellt, »dann wär's wie im Film.«

Javier stand auf und ging zum Auto. Er brachte zwar keine Gitarre mit, aber eine Trommel, etwa so groß wie ein Eimer, die er sich im Schneidersitz zwischen die Füße klemmte. Er schlug mit den Händen einen Rhythmus, erst langsam und leise, dann schneller und lauter. Nach ein paar Minuten sagte Josy: »Hört mal!«

Javier hielt einen Moment inne, aus der Ferne trug der Wind die Antwort einer anderen Trommel zu ihnen. Javier schlug eine bestimmte Abfolge von Tönen, der andere antwortete mit demselben Rhythmus. Über viele Kilometer hinweg entspann sich so ein Dialog der beiden Trommeln.

Plötzlich fühlte Josy sich vollkommen glücklich. Schon für diesen Moment hatte sich die ganze Reise nach Mexiko gelohnt.

Als der Augenblick des Abschieds aus dem Dorf gekommen war, hingen zwölf Kinder an Kristin und Josy und wollten sie nicht gehen lassen.

Lomasi klammerte sich an Josys Hand.

»Nicht gehen«, wiederholte sie flehentlich, »Josy nicht gehen.«

Josy umarmte alle Kinder der Reihe nach und versprach, zurückzukommen. Sie stieg in den Bus ein und winkte, bis sie keines mehr sah.

»Wieso versprichst du etwas, das du nicht halten wirst?«, fragte Carlos.

»Woher weißt du das denn?«, fragte Josy. »Ich fand es superschön mit den Kindern. Ich könnte mir gut vorstellen, nochmal wiederzukommen.« Im Rückspiegel sah sie, wie Carlos lächelte.

Das nächste Dorf lag vier Stunden entfernt, die Fahrt ging die meiste Zeit über kurvige Straßen bergab. Javier kämpfte mit Übelkeit, auch Kristin sah etwas blass aus. Nur Josy war bester Dinge. »Wir Bayern sind eben ein Bergvolk«, sagte sie übermütig.

Es wurde wärmer, die Vegetation veränderte sich. Josy entdeckte Mangobäume. »Wisst ihr, was bei uns Mangos kosten? Vier, fünf Euro das Stück! Und hier wachsen sie einfach so auf Bäumen!«

Die anderen lachten. »Wo sollen sie sonst wachsen?«, fragte Javier, und Josy genierte sich für ihre naive Bemerkung.

Sie erreichten ein Dorf, das umgeben von Maisfeldern in einer Ebene lag. Es bestand aus windschiefen, löcherigen Hütten, die aus Plastikplanen, Kartons, Wellblech und Holz zusammengebaut waren und so aussahen, als würden sie beim nächsten Windstoß wegfliegen. Das einzige gemauerte Gebäude war eine kleine Kirche in der Mitte des Dorfes, deren hellblauer Putz abbröckelte. Schmutzige, halbnackte Kinder spielten im Staub, dazwischen pickten Hühner. Überall lag Abfall herum, und es stank nach einer Mischung aus Diesel, vermodernden Pflanzen und Kot.

»Pfui Teufel«, rief Josy und verzog angewidert das Gesicht. Sie kurbelte die Scheibe hoch.

»Wir sind da.« Carlos stellte den Motor ab.

»Hier bleiben wir?« Kristin sah entsetzt aus.

»Ja, hier bleiben wir.«

Die beiden jungen Frauen wechselten einen Blick, Josy verdrehte die Augen. »Wenn du das geahnt hättest, wärst du vielleicht doch lieber nach New York gegangen«, flüsterte sie Kristin zu. Die überlegte nur kurz, schüttelte dann aber energisch den Kopf. »Hier weiß man wenigstens, woher der Gestank kommt. In meinen Kreisen darf man nicht mal sagen, dass es stinkt.«

Die Kinder scharten sich um den VW-Bus, als sie ausstiegen. Nach den guten Erfahrungen im Bergdorf ging Josy unbefangen auf einen Jungen zu, lächelte ihn an und sagte: »Hallo, ich bin Josy. Und wie heißt du?« Dazu wies sie erst auf sich und dann auf den Jungen. Der sah sie starr an. Als ihr Finger auf ihn zeigte, packte er ihre Hand und biss hinein.

»Au!«, schrie Josy und riss die Hand zurück. Die Haut war nur geritzt, aber sie hatte einen gehörigen Schrecken bekommen.

»Vorsicht, bissiger Indio«, sagte Carlos gelassen. »Du darfst nicht vergessen, dass du eine Fremde bist. Und Fremde können gefährlich sein. Bevor man gebissen wird, beißt man lieber selbst. Zeig mal her.«

Josy streckte ihm anklagend die Hand entgegen. Er suchte im Gepäck, förderte ein Erste-Hilfe-Set zutage und desinfizierte den Kratzer. Dann klebte er ein Pflaster darüber.

Die Kinder hatten sich um den Missetäter geschart und blickten mit einer Mischung aus Angst und Feindseligkeit zu ihnen herüber.

»Na, das kann ja heiter werden«, brummte Josy.

»Nur Mut, weiße Frau!«, sagte Carlos spöttisch. »Bisher ist es noch immer gelungen, die Wilden zu zähmen.«

Und plötzlich fühlte sich Josy wieder als das, was sie waren: Eindringlinge. Wenn auch mit den besten Absichten. Aber woher sollten diese Menschen hier das wissen?

Am meisten gefiel Freda an diesem Abend mit gutem Wein und feinem Essen, dass Arno das Gegenteil eines routinierten Verführers war. Immer wieder zeigte er eine plötzliche Unsicherheit, verhielt sich linkisch oder sagte Dinge, die nicht in die Inszenierung des Stücks »Das Märchen von der späten Liebe« passten.

So erklärte er ihr, dass er Lehrer geworden sei, weil er nicht den Mut gehabt habe, Schriftsteller zu werden. Sein Leben lang habe er davon geträumt, zu schreiben. Manches sei sogar veröffentlicht worden, ein paar Artikel, einige Kurzgeschichten für Anthologien. Aber auf jede Sicherheit zu verzichten, womöglich jahrelang Taxi zu fahren, um den Traum von einem Roman zu verwirklichen, für den sich aller Voraussicht nach kein Schwein interessieren würde, wenn er überhaupt jemals erschiene – nein, dazu habe er sich nicht durchringen können.

»Wahrscheinlich halten Sie mich jetzt für einen Feigling«, sagte er schulterzuckend, »und wahrscheinlich haben Sie sogar Recht. Aber lieber ein zufriedener Feigling als ein unglücklicher Versager, was meinen Sie?«

Freda lächelte voller Sympathie für diese Selbstdarstellung. Jeder andere Mann, den sie kannte, hätte ihr erklärt, was für ein grandioser und talentierter Autor er sei, wie Agenturen und Verlage sich um ihn rissen, wie er aus schierem Altruismus dennoch beschlossen habe, dieses großartige Talent den Schülern einer Brennpunktschule zur Verfügung zu stellen.

»Sie sind kein Feigling«, sagte sie. »Es zeugt von viel mehr Mut, sich die eigenen Grenzen einzugestehen, als einen Traum zu verfolgen, dessen Scheitern einen nur unglücklich machen würde. Ich wäre gern Lektorin geworden, aber ich habe es mir nicht zugetraut, weil ich zu viel Respekt vor Schriftstellern habe. Nie hätte ich es gewagt, einen Schriftsteller zu korrigieren oder zu kritisieren. So habe ich eine Buchhandlung eröffnet, da habe ich die Autoren um mich, kann ihre Bücher lesen und insgeheim kritisieren, aber es ist ganz ungefährlich für mich.«

Er schenkte ihr Rotwein nach. Sie waren inzwischen beim Nachtisch angekommen, und die Schokoladentorte harmonierte nicht nur mit den Früchten und dem Eis, sondern auch hervorragend mit dem Wein.

»Es hätte also sein können, dass wir uns auf ganz andere Weise begegnet wären, wenn wir beide mehr Mut gehabt hätten«, stellte er fest. »Sie wären vielleicht meine Lektorin geworden, und wir hätten eines dieser interessanten Sado-Maso-Verhältnisse angefangen, wie es sich zwischen Autoren und Lektoren entwickeln kann.«

Diese Vorstellung brachte beide zum Kichern. Freda merkte, dass sie ziemlich betrunken war.

»Ich glaube, ich sollte mich jetzt auf den Weg machen«, sagte sie. »Würden Sie mir ein Taxi rufen?«

»Sind Sie sicher, dass das der richtige Text ist?«

Sie lachte. »Kommt drauf an, ob wir noch im selben Stück spielen.«

»In meinem Stück hat der Wanderer so lange darauf gewartet, dass die Müllerstochter ihn erhört, dass er eigentlich davon ausgegangen ist, dass sie das Nachtlager mit ihm teilt.«

»Das kommt in meinem Stück auch vor, aber erst im nächsten Akt.«

Er nickte. »Die Sache mit dem Timing ist schwierig, auf der Bühne wie im Leben. Aber das kriegen wir noch hin, wir haben ja gerade erst angefangen zu proben.«

Er rief ein Taxi an. Als es klingelte, begleitete er Freda zur Tür. Er sah in ihre Augen. »Es war ein wunderbarer Abend, vielen Dank. Das war jetzt echt, kein Theatertext, okay?«

Sie legte ihm die Arme um den Hals und ihre Lippen auf seine. Er reagierte sofort, und um ein Haar wäre ihr Entschluss ins Wanken gekommen, dann aber gab sie sich einen Ruck und sagte: »Gute Nacht, Arno. Vielen Dank für diesen Abend und ... nicht nur dafür.«

Sie lief schnell die Treppe hinunter, ihre Absätze klapperten auf den Stufen, und sie fühlte sich so beschwingt und glücklich wie seit Jahren nicht mehr.

Endlich, dachte sie. Ich bin ins Leben zurückgekehrt.

Die erste Nacht in dem neuen Dorf. Es hatte sich herausgestellt, dass sie die Moskitonetze vergessen hatten; jeder hatte gedacht, der andere hätte sie eingepackt, und so waren sie zu Hause liegengeblieben. Josy hatte das Gefühl, Milliarden von Stechmücken hätten sich zusammengerottet, um sie gemeinschaftlich um den Verstand zu bringen. Sie hatte sich von Kopf bis Fuß mit Autan eingesprüht, was dazu führte, dass sie kaum atmen konnte und ihre Augen tränten, die Stechmücken aber ließen sich davon nicht vertreiben. Im Auto war es ihr zu heiß gewesen, sie hatte sich zu den Männern ins Vorzelt gelegt, aber da war es nicht viel besser. Wütend und verzweifelt schlug sie um sich, aber das nervtötende Sirren hörte einfach nicht auf.

Schließlich zog sie ihr Laken bis über den Kopf und steckte die Finger in die Ohren, vor lauter Erschöpfung schlief sie irgendwann ein.

»Hier bleibe ich keinen Tag länger«, erklärte sie am nächsten Morgen.

»Und wo willst du hin?«, fragte Carlos freundlich.

»Nach Hause, ich meine zurück nach Oaxaca.«

»Und wie willst du da hinkommen?«

»Mir egal. Notfalls trampe ich.«

Carlos wiegte den Kopf. »Ich glaube nicht, dass das eine gute Idee ist.«

Kristin steckte ihr verschwollenes Gesicht aus dem Bus. »Ich bin auch total zerstochen«, sagte sie, »wir müssen was unternehmen. Ist das nicht Malaria-Gebiet?«

»Was?« Josy schrie auf.

»Keine Panik«, sagte Carlos, »ich kümmere mich darum. Nehmt euch Frühstück aus unseren Vorräten.«

Er bat Javier, ihn zu begleiten, die beiden gingen in Richtung der Hütten.

Das Frühstück bestand aus trockenen Keksen und Pulverkaffee, für den sie das Wasser über einem Campingkocher heiß machten.

»Ich will hier weg«, sagte Josy, über ihrer Tasse brütend. »Ich wollte mich sozial engagieren, nicht in einem verrotteten Indianerdorf an Malaria sterben.«

Selbst Kristin hatte ihre gute Laune verloren. »Nur gut, dass mein Vater mich nicht sehen kann. Er würde triumphieren.«

Wenig später kam Carlos mit Javier zurück. »Heute Abend haben wir Moskitonetze«, kündigte er an, »so, und nun an die Arbeit!«

»Was machen wir denn überhaupt?«, fragte Josy. Sie war so müde, dass sie glaubte, keinen Fuß vor den anderen setzen zu können.

»Wie ihr am Geruch gemerkt habt, gibt es hier gewisse Probleme mit dem Abwasser. Als Erstes werden wir den Männern helfen, eine Sickergrube auszuheben.«

Entsetzt sah Josy ihn an. »Das meinst du jetzt nicht ernst, oder?«

»O doch«, sagte Carlos fröhlich.

Am Abend war Josy so erschöpft, dass sie sich kaum noch rühren konnte. Jeder Muskel schmerzte, sie hatte einen Sonnenbrand auf den Schultern und im Nacken und Blasen an den Händen. Die Dorfbewohner hatten neugierig zugesehen, wie sie gegraben hatten, vor allem die Kinder hatten sich ständig in der Nähe herumgedrückt, aber Josy hatte kein Bedürfnis gehabt, den Kontakt zu vertiefen. Der kleine Beißer war auch wieder dabei gewesen, Josy hatte ihm einen bösen Blick zugeworfen, auf den er nicht reagierte.

Es fiel auf, dass es in diesem Dorf nicht nur Alte und Kinder gab, sondern auch junge Frauen und Männer. Josy hatte eine wunderschöne, hochschwangere Frau gesehen, die kaum noch gehen konnte und sich ständig den schmerzenden Rücken hielt. Dieses Dorf würde also nicht so bald aussterben.

Sie lag wieder unter ihrem Laken, über sich das Moskitonetz, das Carlos aufgetrieben hatte, und lauschte auf die Geräusche ringsum. Bellende Hunde, das Zirpen von Zikaden, vereinzelte Stimmen und Rufe. Es war immer noch drückend heiß, die Luft war so feucht, dass es einem schwerfiel, zu atmen.

Wo Miguel wohl gerade war? Ob er an sie dachte? Oder ob er sich längst mit einer anderen muchacha bonita getröstet hatte? Es gab viele hübsche Mädchen in Oaxaca, warum sollte er ausgerechnet ihr treu sein? Und selbst, wenn er auf sie wartete, welche Zukunft hätte ihre Liebe? Spätestens in einem Jahr würde sie nach Deutschland zurückkehren, und sie würden sich wahrscheinlich nie wiedersehen.

Eine große Traurigkeit überfiel sie. Früher hatte sie es sich so schön und aufregend vorgestellt, erwachsen zu sein. Aber inzwischen merkte sie, dass die Probleme nur komplizierter werden und niemand mehr da ist, der sie für einen löst.

In der Nacht wurden sie von einem Schrei geweckt. Josy fuhr gleichzeitig mit Carlos und Javier von ihrer Matte hoch, Kristin steckte den Kopf aus dem Bus.

»Was war das?«, fragte sie.

Alle lauschten. Bald darauf ertönte der nächste Schrei, heiser, verzweifelt, fast tierisch. Josy schauderte. »Das klingt ja grauenvoll! Als würde jemand geschlachtet werden!«

»Das klingt nach einer Geburt«, sagte Carlos. Er kroch unter dem Moskitonetz hervor. »Ich geh mal nachsehen, ob Hilfe gebraucht wird.«

»Warte, ich komme mit«, sagte Kristin, »ich habe schon bei Geburten hospitiert.«

»Ich komme auch mit«, sagte Josy, die nicht allein zurückbleiben wollte. Javier hatte etwas Unverständliches gebrummt und sich umgedreht; er schlief bereits wieder.

Sie folgten Carlos mit einer Taschenlampe durch das nächtliche Dorf. Der Mond war nicht zu sehen, die einzigen Lichtquellen waren zwei Fackeln, die rechts und links von der Kirche brannten. Die Türen der Kirche, die tagsüber geschlossen gewesen waren, standen nun weit offen; einige Frauen knieten am Boden und beteten im Schein von Kerzen für die Gebärende. Josy vernahm das vertraute Gemurmel, das sie aus dem Gottesdienst in Deutschland kannte.

Die Hütte, aus der die Schreie drangen, war erleuchtet; aufgeregte Frauenstimmen waren von drinnen zu hören, davor standen einige Männer und diskutierten, darunter ein jüngerer, vermutlich der werdende Vater. Carlos ging zu ihnen, sie sprachen und gestikulierten. Schließlich kam er zu Josy und Kristin zurück und erklärte, es sei eine sehr schwere Geburt, die Frau gehöre eigentlich in ein Krankenhaus, aber das sei über zwei Stunden entfernt.

»Kann ich irgendwie helfen?«, fragte Kristin. Er schüttelte den Kopf. »Es gibt eine Hebamme, und auch die anderen Frauen sind erfahren mit Geburten.«

Josy war zu aufgewühlt, um weiterschlafen zu können. Das Schreien und Stöhnen hörte sich aus der Nähe noch schrecklicher an.

Kristin war ganz entspannt. »Es klingt meistens schlimmer, als es ist«, erklärte sie, »manche Frauen führen sich ziemlich auf, andere geben keinen Mucks von sich, das ist ganz unterschiedlich.«

Ein letzter, markerschütternder Schrei, dann für kurze Zeit gespenstische Stille. Doch plötzlich setzte Weinen und Wehklagen in der Hütte ein, der Plastikvorhang, der in der Türöffnung hing, wurde zur Seite gerissen, eine ältere Frau stürmte heraus, ein Bündel im Arm. Sie lief über den kleinen Platz vor der Kirche, genau an Kristin und Josy vorbei.

Josy blickte auf das Neugeborene, das noch voller Blut und Schleim war. Es hatte einen unnatürlich großen, deformierten Schädel und gab keinerlei Lebenszeichen von sich. »O, mein Gott!«, stieß sie hervor und sah zu Kristin, deren weit aufgerissene Augen im flackernden Lichtschein ganz schwarz wirkten.

»Hydrocephalus«, flüsterte Kristin, »Wasserkopf.«

Die Frauen in der Kirche hatten beim Anblick des Kindes begonnen, zu jammern und schrille Schreie auszustoßen. Ein Mann in einer Art Priestergewand vollzog einen Taufritus. Dann wurde das Kind auf den Boden gelegt, Josy sah, wie eine der Frauen ein heftig flatterndes schwarzes Huhn aus einem Käfig nahm, ihm mit einer raschen Bewegung die Kehle aufschlitzte und mit seinem Blut einen Kreis um das Neugeborene zog. Alle Frauen begannen, mit wiegenden Bewegungen um das Kind herumzutanzen, dazu erklang ein monotoner Gesang, der sich steigerte und sie in eine Art furiose Euphorie versetzte.

Auf dem Platz wurde es unruhig, Männer- und Frauenstimmen riefen durcheinander, aus der Hütte wurde eine in Tücher gewickelte Gestalt herausgetragen und auf einen Pick-up verladen. Einer der Männer stieg mit auf die Ladefläche, der andere setzte sich ans Steuer und jagte davon.

Carlos löste sich aus der Gruppe und kam zu Kristin und Josy.

»Sie droht zu verbluten, sie müssen versuchen, sie ins Krankenhaus zu bringen. Das Kind war schwerstbehindert, es ist während der Geburt gestorben. Das ist schon der zweite Fall in diesem Jahr.«

»Der zweite Fall in einem so kleinen Ort«, rief Kristin aus, »wie ist das möglich?«

Josy schauderte. »Vielleicht ist es so was wie ... ein Fluch?«

Carlos' Miene verfinsterte sich. »O ja, der Fluch des modernen Lebens!«

»Was hat denn das moderne Leben damit zu tun?«, fragte Josy verständnislos.

»Das kann ich dir erklären«, sagte Carlos, und hinter seiner Beherrschung spürte sie unbändige Wut. »Jahrhundertelang haben die Indígenas in dieser Gegend ein Getreide namens Amaranth angebaut, von dem sie sich überwiegend ernährt haben, und zwar von den Körnern und den Blättern der Pflanze. Seit vielen Jahren bauen sie kein Amaranth mehr an, sondern nur noch Mais, weil die Nachfrage auf dem Weltmarkt größer ist und sie mehr verdienen. Dadurch haben sich auch ihre Ernährungsgewohnheiten verändert. Ihnen fehlt nun nicht nur das Protein aus dem Amaranth, sondern vor allem die Folsäure aus den Blättern. Folsäure ist ein sehr wichtiges B-Vitamin, das besonders Schwangere in ausreichender Menge zu sich nehmen müssen, sonst werden die Kinder mit offenem Rücken oder schweren Gehirnanomalien geboren, wie dieses Kind heute Nacht.«

»Aber das muss man den Leuten doch erklären!«, rief Josy sofort.

Carlos lachte bitter auf. »Das wird ja gemacht. Es gibt Organisationen, die von Dorf zu Dorf ziehen und versuchen, den Indígenas klarzumachen, dass sie zu ihrer ursprünglichen Ernährungsweise zurückkehren müssen, wenn sie diese Missbildungen verhindern wollen. Aber wenn's ums Geld geht, glauben die Menschen nur, was sie glauben wollen.«

Schweigend kehrten sie zum Bus zurück. Josy konnte lange nicht einschlafen. Immer wieder hörte sie die Schmerzensschreie der Gebärenden, sah den verformten Kinderkopf, den leblosen kleinen Körper.

Am frühen Morgen hatte es zu regnen begonnen. Im Laufe der Stunden hatte sich das Wasser, das im ausgetrockneten Boden nicht versickern konnte, zu einem kleinen See aufgestaut. Josy wachte davon auf, dass ihr Wasser in die Augen lief. Die Schlafmatten, Laken und Kissen waren nass, ebenso alles, was sie am Leib trug.

Sie setzte sich auf und strich die tropfenden Haare aus dem Gesicht. Alles an ihr klebte und war verdreckt. Sie sah sich um.

Schlagartig kamen die Bilder der vergangenen Nacht zurück. Die Frau! Ob sie überlebt hatte?

»Carlos? Bist du schon wach?«

Carlos gab ein Geräusch von sich und schlug die Augen auf. Er schien den Regen nicht mal zu bemerken.

»Ob die Frau überlebt hat?«

»Ich hoffe es.«

Javier wachte auf und verzog gequält das Gesicht.

»Was ist mit dir?«, fragte Josy. »Du hast doch die ganze Nacht geschlafen.«

»Ich fühle mich nicht gut.«

»Kein Wunder«, sagte Josy, »wahrscheinlich hast du schon die Malaria oder irgendeine andere schreckliche Tropenkrankheit.«

Kristin erschien in der Tür des Busses, auch sie erschöpft von der kurzen Nacht, aber als Einzige trocken.

Sie spannten ein Seil und hängten die nassen Sachen auf, in der Hoffnung, dass sie später, wenn die Sonne zurückkäme, trocknen würden. Dann frühstückten sie Kekse und Pulverkaffee. Die Stimmung war gedrückt, Javier war noch schweigsamer als sonst, und sogar Carlos wirkte abwesend.

Die am Vortag mühsam ausgehobene Grube war mit Wasser vollgelaufen und teilweise eingesunken. Sie würden warten müssen, bis das Wasser abgelaufen wäre, bevor sie weitermachen könnten. Ratlos standen sie zu dritt auf dem Platz vor der Kirche, deren Türen wieder geschlossen waren, und beratschlagten die Lage. Javier hatte sich im VW-Bus hingelegt.

»Bitte frag, ob die Frau überlebt hat«, bat Josy, »ich muss die ganze Zeit daran denken.«

Carlos ging zu der Hütte, in der das Kind zur Welt gekommen war, und schlug die Plastikplane zurück. Er blieb eine Weile dort, dann kam er zurück und sagte: »Als sie im Krankenhaus angekommen sind, hat die Frau noch gelebt. Was inzwischen ist, weiß man nicht, es gibt ja hier kein Telefon. Ihr Mann ist dort geblieben, der Freund, der sie gefahren hat, ist wieder da. Man hat ihm gesagt, er solle in zwei bis drei Tagen wiederkommen.«

Als sie zum Bus zurückkamen, fanden sie Javier zusammengekrümmt daliegen. Er klagte über Bauchschmerzen.

»Wo tut es weh?«, fragte Carlos, und Javier deutete auf die rechte Seite seines Unterbauchs.

»Stell dich mal hin«, forderte Carlos ihn auf. Unter Mühe folgte Javier seiner Anweisung.

»Und nun heb das rechte Knie.«

Javier versuchte es. »Geht nicht«, stöhnte er, »tut so weh.«

»Okay«, sagte Carlos, »wir packen zusammen und fahren auf dem schnellsten Weg nach Oaxaca. Das sieht nach Blinddarm aus.«

»Und die Sickergrube?«, fragte Javier mit schmerzverzerr-tem Gesicht.

»Muss warten, bis wir zurückkommen.«

Josys Herz machte einen Freudensprung. Das bedeutete, sie würde schon heute Abend Miguel wiedersehen!

Sie packten den Bus und verabschiedeten sich. Carlos erklärte den Männern, wie sie weiterarbeiten sollten, wenn das Wasser weg wäre, und versprach, in den nächsten Wochen zurückzukehren, um die Arbeit zu beenden.

fredamaerz@gmx.net an josymaerz@gmx.net

Liebe Josy,
ich hoffe, Du hattest eine interessante Zeit und bist
wohlbehalten nach Oaxaca zurückgekehrt. Ich bin schon
gespannt, was Du mir erzählen wirst!

Ich muss Dir zwei Mitteilungen machen. Eine gute
und eine, nun ja, »schlechte« trifft es nicht wirklich. Sagen
wir »schwierige«.

Mit welcher soll ich beginnen? In den Ratgebern, die wir
in der Buchhandlung verkaufen, habe ich gelesen, man soll
mit dem Schwierigen anfangen und mit dem Schönen
aufhören. Keine Ahnung, ob das richtig ist, ich mache es
jetzt einfach so.

Du hast mich neulich gefragt, warum Du keine
Geschwister hast, und aus Deiner Frage habe ich ein
gewisses Bedauern herausgehört. Nun, ich kann Dir sagen:
Du hast einen kleinen Halbbruder. Dein Vater hat in den
Monaten vor dem Unglück eine alte Freundin wieder-
getroffen und ein »Verhältnis« mit ihr angefangen, wie

man so sagt. Aus dieser Beziehung ist ein kleiner Junge entstanden, der jetzt anderthalb ist. Ich habe ihn kennengelernt und mich mit der Mutter ausgesprochen (die auch eine alte Freundin von mir ist. Marie. Du wirst dich nicht mehr an sie erinnern, sie ist aus München weggezogen, als Du noch klein warst.) Nach dem ersten Schock habe ich eine furchtbare Wut auf Alex bekommen, was nach der ganzen Trauer um ihn vielleicht gar nicht so schlecht war. Inzwischen haben sich meine Gefühle verändert. Auch wenn Du es Dir vielleicht schwer vorstellen kannst, die Existenz dieses kleinen Jungen (der Deinem Vater übrigens unheimlich ähnlich sieht) rührt mich. In ihm lebt Dein Vater – ebenso wie in Dir natürlich – weiter, und auch wenn ich Alex diese Affäre (oder genauer: die Lüge, mit der er mich zurückgelassen hat) sehr übelgenommen habe, so überwiegt doch die Liebe, die ich für ihn empfunden habe und immer noch empfinde.

Mein liebes Kind, diese Nachricht ist sicher auch für Dich ein Schock, und Du wirst Zeit brauchen, um sie zu verarbeiten. Ich hoffe, dass Du Deinem Vater irgendwann verzeihen kannst. Und vielleicht kann Luca der kleine Bruder für Dich werden, den Du Dir gewünscht hast.

Die zweite Mitteilung lautet ganz einfach: Ich bin auch verliebt! Das mag Dir seltsam erscheinen, weil ich gerade gesagt habe, dass ich Deinen Vater geliebt habe und noch immer liebe, aber das ist kein Widerspruch. Alles Weitere würde ich Dir gerne selbst erzählen. Bitte lass uns telefonieren, wenn Du zurück bist in Oaxaca!

Ich freue mich wahnsinnig darauf, von Dir zu hören, bis dahin umarmt Dich

Deine Mama

14

Er gab ihr einen Stoß. Sie fiel zu Boden. Die Tür hinter ihr schloss sich, ein Riegel wurde vorgeschoben. Schritte entfernten sich.

Sie versuchte zu erkennen, wo sie lag, aber es war dunkel. Sie konnte nicht sehen, wie groß der Raum war, in dem sie sich befand. Sie konnte nicht sehen, ob sie allein war oder ob im Dunkeln jemand lauerte. Diese Dunkelheit war das Schlimmste.

Ruhig, befahl sie sich. Du musst ruhig bleiben. Bloß jetzt nicht die Nerven verlieren.

Vorsichtig tastete sie mit der Hand ihre Umgebung ab. Nackter Fußboden, rau und staubig. Im Sitzen robbte sie Zentimeter für Zentimeter rückwärts, bis sie an eine Wand stieß, an die sie sich zusammengekauert anlehnte.

Sie lauschte. Von draußen hörte sie Rufe und Schritte, ein Motor wurde gestartet. Dann nichts mehr. Die Stille, die danach eintrat, legte sich auf ihren Körper wie eine schwere Decke, unter der sie kaum atmen konnte.

Panik kroch in Josy hoch. Sie wollte schreien, aber aus ihrer Kehle kam nur ein Keuchen. Atmen, befahl sie sich, ruhig atmen. Wenn du panisch wirst, bist du verloren. Das ist alles nur ein großes Missverständnis. Spätestens morgen werden sie merken, dass sie sich geirrt haben, und werden dich freilassen. Du hast nichts mit alldem zu tun.

Ihre Gedanken kehrten zum frühen Abend zurück, der nicht Stunden, sondern Wochen zurückzuliegen schien. Sie waren gegen fünf in Oaxaca angekommen und hatten Javier in die Notaufnahme des Krankenhauses gebracht, wo er sofort operiert wurde. Carlos hatte richtig getippt: akute Blinddarmentzündung. Sie waren keinen Moment zu früh gekommen.

Erschöpft und verdreckt, wie sie waren, setzte Carlos sie an der Wohnung ab und sagte: »Ihr wart großartig. Ich habe euch ganz schön was zugemutet. Wie wär's mit ein bisschen Urlaub?«

Josy und Kristin hatten sich angesehen und gelächelt. »Warum nicht?«, hatte Kristin gesagt. »Wie lange kannst du uns denn entbehren?«

»Bis Montag?«

Es war Freitag, am Wochenende war das Zentrum ohnehin geschlossen.

»Wirklich großzügig«, sagte Josy grinsend.

»Ihr seid eben unentbehrlich«, sagte Carlos lächelnd. »Nochmal vielen Dank für euren Einsatz.«

Kristin und Josy losten, wer zuerst unter die Dusche dürfte. Josy gewann. Genießerisch ließ sie das heiße Wasser über ihren Körper laufen und schäumte sich von oben bis unten ein. Was für ein unglaublicher Luxus!

Sie zog frische Sachen an, und während Kristin unter der Dusche stand, föhnte und schminkte sie sich.

Ihr einziger Gedanke galt Miguel. Sie hoffte, sie würde ihn am Zócalo finden. Falls er nicht dort wäre, würde sie vielleicht einen seiner Freunde treffen, der ihr sagen könnte, wo er war.

Es war schon dunkel, als sie das Haus verließen, und während sie Richtung Zentrum gingen, bemerkten sie, dass etwas anders war als sonst. Menschen hasteten an ihnen vorbei, Polizeiautos kurvten herum, in der Ferne hörte man Lautsprecherstimmen. Je näher sie dem großen Hauptplatz kamen, desto mehr Menschen drängten sich in den Straßen, und es war nichts von der friedlichen Stimmung zu spüren, die sonst hier herrschte.

»Eine Demo«, sagte Kristin. »Wir sollten umkehren. Carlos hat gesagt, so etwas kann gefährlich werden.«

»Ich kehre nicht um«, sagte Josy entschlossen, »ich will Miguel sehen.«

»Du bist verrückt«, sagte Kristin. »Lass uns gehen, du kannst ihn morgen sehen.«

»Mach dir keine Sorgen, mir passiert schon nichts. Vielleicht bleibe ich sogar die nächsten zwei Tage bei Miguel, ich habe ja ›Urlaub‹!« Sie lächelte spöttisch.

Kristin machte eine resignierte Bewegung. »Pass auf dich auf, okay?« Sie küsste Josy auf die Wangen und drehte um.

Josy näherte sich von der Independencia, die für den Verkehr gesperrt und voller Polizeiautos war. Der Platz war schwarz von Menschen, Uniformierte mit Schlagstöcken und Pistolenhalftern am Gürtel patrouillierten mit finsterer Miene durch die Menge. An einer Seite des Platzes war eine Bühne aufgebaut, oben stand ein Redner und schleuderte den Zuhörern Parolen entgegen, auf die diese mit Gebrüll reagierten.

Josy drängelte sich so weit sie konnte nach vorne und sah sich suchend um. Da und dort drückten Polizisten die Menschen grob zur Seite, der Lärm dröhnte ihr in den Ohren, ständig wurde sie geschubst und gestoßen.

Da war Miguel! Endlich! Josy riss den Arm hoch und rief seinen Namen. Er reagierte nicht, konnte sie vermutlich gar nicht hören. Sie schob sich in seine Richtung, wurde von der Menge weggezerrt, kämpfte sich zurück und erreichte ihn schließlich.

»Miguel!«, rief sie.

Er drehte den Kopf und sah sie erschrocken an. »Rosita, mi guapa! Was machst du denn hier?«

Wenn er sie Rosita nannte, was das immer ein Ausdruck besonderer Zärtlichkeit gewesen. Josy wurde innerlich ganz warm.

»Endlich habe ich dich gefunden«, sagte Josy atemlos, »Javier ist krank geworden, deshalb sind wir früher zurückgekommen. Ich bin so froh, dich zu sehen!« Sie wollte ihn umarmen, er wehrte ab, sah sich nervös um. »Es wäre besser, du würdest gehen!«, sagte er hastig.

»Aber wenn das die Revolution ist, will ich bei dir sein!«, protestierte Josy.

»Scheiße, Josy«, rief Miguel, der plötzlich wütend wurde, »das ist kein verdammter Kinofilm! Hier geht gleich die Post ab! Ich will, dass du sofort von hier verschwindest!«

Josy stand mit hängenden Armen vor ihm und starrte ihn an. Dann fing sie an zu weinen. »Du willst mich nicht mehr!«, schluchzte sie. »Ich habe solche Sehnsucht nach dir gehabt. Und du schickst mich weg!«

»Das ist der absolut falsche Moment für 'ne Szene«, fauchte Miguel.

Das war zu viel. Josy wurde wütend. Auf ihn, aber noch viel mehr auf sich selbst. Wie hatte sie nur annehmen können, es wäre ihm ernst! Er war ein Angeber, ein unberechenbarer, launischer Junge. Sie hätte es wissen müssen.

»Ich hau schon ab, keine Sorge!«, zischte sie, blieb aber stehen. Einen Augenblick lang hoffte sie, er würde es sich anders überlegen, vielleicht sogar mit ihr zusammen weggehen. Aber er machte ihr noch einmal Zeichen, sie solle verschwinden, dann drehte er sich wieder zur Bühne und stieß mit der Faust in die Luft.

In diesem Moment ging ein Aufschrei durch die Menge, eine heftige Wellenbewegung entstand, die Demonstranten wurden auseinandergerissen und in verschiedene Richtungen abgedrängt.

»Miguel!«, schrie Josy, dann verlor sie ihn aus den Augen.

Die Polizei ging zum Angriff über, durch Megafone gebrüllte Befehle sollten die Menschen vertreiben, aber die bildeten Ketten und stellten sich den Uniformierten entgegen. Josy wurde hin und her geschoben, verzweifelt hielt sie Ausschau nach einer Lücke, durch die sie hätte entkommen können. Ein lauter Knall ließ die Menge aufschreien. »Sie schießen! Sie schießen!« Im nächsten Moment war keine Luft mehr da zum Atmen, die Leute husteten, röchelten, rissen ihre T-Shirts vors Gesicht. Josy hatte das Gefühl, zu ersticken, verzweifelt schnappte sie nach Luft.

In diesem Moment entdeckte sie Loreta, die von einer Menschenwoge auf sie zugespült wurde. Sie trug eine Flasche Cola in der Hand und presste ihr braun beflecktes T-Shirt vors Gesicht. Als sie Josy entdeckte, die noch immer nach Atem rang, blickte sie erst zur Seite, dann kam sie zu ihr und machte ihr ein Zeichen. Josy zog ihr T-Shirt ein Stück vom Körper weg, Loreta schüttete Cola drauf und bedeutete ihr, es vor Mund und Nase zu drücken. Tatsächlich wurde es etwas besser. Mit einem Blick bedankte sie sich bei Loreta, die sich schnell abwandte.

Rechts, in Richtung Benito-Juárez-Markt, schien es sich zu lichten, Josy nutzte jede Lücke, und es gelang ihr, Stück für Stück aus dem Hexenkessel zu entkommen. Mit ihr flüchteten andere Demonstranten, verabredeten sich schreiend mit ihren Freunden, bevor sie in verschiedene Seitenstraßen auseinanderliefen.

Josy rannte weiter, ihre Augen tränten heftig. Noch immer war Loreta auf ihrer Höhe. Hinter ihnen heulte ein Motor auf, sie drehte im Laufen den Kopf und sah, dass ein Pick-up mit zwei Männern auf der Ladefläche in rasantem Tempo hinter ihnen her war. Die Leute stoben zur Seite, verschwanden in Gässchen und Hauseingängen. Josy hielt verzweifelt Ausschau nach einem Ausweg, da stolperte sie und schlug der Länge nach hin. Sekunden später bremste der Wagen neben ihr, Stiefel landeten hart auf dem Asphalt, Kommandos wurden gebrüllt. Sie legte schützend die Hände über den Kopf und schloss instinktiv die Augen.

Lieber Gott, bitte hilf mir.

Ihr rechter Arm wurde gepackt, sie wurde nach oben gerissen, ihre Beine schwebten in der Luft, ein Schlag in die Seite, ihr Körper krachte auf die Ladefläche des Pick-ups. Zwei andere Personen landeten neben ihr, der Wagen fuhr holpernd an, und das Letzte, was Josy sah, bevor jemand sie nach unten drückte und eine Decke über sie warf, waren die Augen von Loreta.

Stöhnend veränderte sie ihre Position, streckte die Beine aus. Ihre linke Seite, wo der Schlag sie getroffen hatte, schmerzte. Ihre Handflächen und ein Knie waren aufgeschürft, aber das nahm sie kaum wahr.

Ihr mit Cola getränktes T-Shirt klebte und fühlte sich kalt an, sie rollte es ein Stück hoch. Dann fiel ihr ein, dass sie Ersatzunterwäsche und zwei T-Shirts in ihrem Beutel hatte. Sie war ja naiv genug gewesen zu hoffen, das Wochenende bei Miguel verbringen zu können. Sogar ihre Pille und eine Zahnbürste hatte sie dabei.

Das Handy hatten sie ihr natürlich abgenommen, aber wenigstens war sie nicht gefesselt worden. Wahrscheinlich bedeutete das nur, dass sie ohnehin keine Chance hätte, zu entkommen. Der Stille nach zu schließen befand sie sich ein ganzes Stück außerhalb der Stadt; sie schätzte, die Fahrt hatte fast eine Stunde gedauert. Wenn sie wenigstens nicht allein wäre! Aber die zwei anderen hatten sie irgendwo abgesetzt, dann waren sie mit ihr weitergefahren.

Ihre Augen hatten sich an die Dunkelheit gewöhnt, ein wenig Mondlicht drang durch schmale Ritzen in den Wänden, die offenbar nur aus Brettern bestanden. Die Umrisse eines Karrens und irgendwelcher Maschinen zeichneten sich ab, vermutlich landwirtschaftliche Geräte.

Sie war todmüde, gleichzeitig total aufgeputscht von der Aufregung und der Angst. Sie bettete ihren Kopf auf den Beutel. Ihre Gedanken rasten, gleichzeitig entspannte sich ihr übermüdeter Körper, und irgendwann bekam die Erschöpfung die Oberhand. Sie schlief ein.

Als sie aufwachte dauerte es eine Weile, bis sie sich orientiert hatte. Dann kehrte die Erinnerung schlagartig zurück, und mit ihr die Angst. Mit einem Ruck setzte sie sich auf.

Es war bereits hell draußen, durch ein winziges Fenster fiel Tageslicht, und so konnte sie ihr Gefängnis näher in Augenschein nehmen. Es war, wie sie vermutet hatte, ein Schuppen für Maschinen und Geräte, in einer Ecke waren Autoreifen gestapelt, auf der anderen Seite lagerten Säcke mit Zement und anderen Baumaterialien.

Vorsichtig stand sie auf und erkundete den Raum. Sie musste dringend pinkeln und suchte nach einem passenden Gefäß, fand einen alten Farbeimer, stellte ihn in die hinterste Ecke und hockte sich darauf.

Dann zog sie einen Holzbock unters Fenster und stieg hinauf. Vor ihr lag ein staubiger Platz. Ein zweiter, ähnlicher Schuppen stand links von ihrem, ansonsten ging der Blick über eine hügelige Landschaft, die mit trockenem Gras und Gestrüpp bewachsen war, in die Ferne. Weit und breit kein Anzeichen von Zivilisation, nicht mal eine Straße.

Noch während der Fahrt hatte einer der Männer sie grob angestoßen und gefragt, wie sie heiße und wo sie wohne. »Ich verstehe nicht«, hatte sie gesagt, »ich bin Deutsche.« Eine Ausländerin würden sie doch nicht festhalten, das gäbe nur Ärger und schlechte Presse. Der Fall der vier Spanier, die bei der letzten Demo aufgegriffen und eine Woche festgehalten worden waren, hatte international für Schlagzeilen gesorgt und heftige Proteste ausgelöst. So was würden sie doch jetzt nicht wieder tun! Aber der Typ hatte nur irgendetwas geflucht, was sie nicht verstanden hatte.

Ein Auto näherte sich. Schnell stieg sie von dem Holzbock und setzte sich zurück an »ihren« Platz. Der Motor wurde ausgeschaltet, zwei Autotüren schlugen zu, Schritte näherten sich dem Schuppen. Stimmengemurmel. Josy begann zu zittern.

Die Tür wurde geöffnet. Sie verbarg ihr Gesicht hinter ihren verschränkten Armen, blinzelte nur vorsichtig in Richtung Tür. Es war derselbe Mann, der sie in den Wagen gestoßen hatte. Er trug noch immer die schwarze Hose und das schwarze T-Shirt vom Abend zuvor. Sein Kopf war kahlrasiert, ein Tuch bedeckte seine untere Gesichtshälfte, so dass sie nur seine Augen sehen konnte. Dunkle, zusammengekniffene Augen unter erstaunlich zart gezeichneten Brauen. Er war höchstens ein paar Jahre älter als sie.

Hinter ihm folgte ein anderer Mann, älter und kräftiger. Er hatte sich nicht die Mühe gemacht, sein Gesicht zu verbergen, offenbar fühlte er sich seiner Sache völlig sicher. Beide hatten Schlagstöcke in ihren Gürteln stecken. Bei diesem Anblick verließ Josy aller Mut. Was, wenn die beiden ihr nicht glaubten, dass sie keine Mexikanerin war? Wenn sie annahmen, sie spiele ihnen etwas vor? Wenn sie irgendwelche Informationen von ihr wollten und sie schlügen, um sie zu erhalten? Was, wenn sie mit ihr das Gleiche machten wie mit Carlos …?

Bei diesem Gedanken hätte sie fast zu weinen begonnen, aber sie beherrschte sich und stieß nur ein Wimmern aus.

Der Jüngere stellte eine Tüte neben ihr ab. Sie erkannte zwei Wasserflaschen sowie eine Packung Toastbrotscheiben. Der Ältere baute sich vor ihr auf und sagte, jedes Wort einzeln betonend: »Mein Kollege sagt, du bist Ausländerin?«

Josy nickte.

»Gringa?«

Sie schüttelte den Kopf. »Alemana«, sagte sie leise.

»Pasaporte.« Er streckte die Hand aus.

Josy wühlte in ihrem Beutel. Ihren Pass hatte sie zu Hause versteckt, aber Carlos hatte ihr geraten, immer eine Kopie bei sich zu tragen. Sie zog das fotokopierte Blatt heraus und reichte es ihm. Er warf einen Blick darauf, sah ihr ins Gesicht, gab es zurück. Dann dreht er sich zu dem Jüngeren und ließ eine Kanonade von Beschimpfungen auf ihn niederprasseln.

Josy verstand nur einen Teil davon, aber sie begriff, dass er ihm vorwarf, sie überhaupt mitgenommen zu haben.

»Sie sieht nicht aus wie eine Deutsche«, verteidigte sich der Jüngere.

Josy musste daran denken, wie einer von Miguels Freunden das Gleiche über sie gesagt hatte. Damals war es ein Kompliment gewesen, nun war ihr diese Tatsache zum Verhängnis geworden.

»Was machst du in Oaxaca?«, fragte der Ältere.

Vermutlich wäre es keine gute Idee, das Zentrum oder gar Carlos zu erwähnen, deshalb sagte Josy in absichtlich schlechtem Spanisch: »Ich besuche ... Sprachkurs in Instituto Cultural Oaxaca.«

»Du weißt, dass Ausländer sich nicht politisch betätigen dürfen?«

Josy gab vor, nicht zu verstehen. Daraufhin sagte er mit erhobener Stimme: »Ausländer ... Politik ... nein!«

»Ich nicht bei ... Demonstration, ich nur zufällig ... in Nähe«, sagte Josy und bemühte sich, möglichst typische Fehler zu machen.

»Wie lange willst du in Oaxaca bleiben?«

»Zwei Monate mehr.«

Er blickte sie durchdringend an, als sei es ihm außerordentlich lästig, sich mit ihr befassen zu müssen. Dann murmelte er einen weiteren Fluch, drehte sich um und stampfte hinaus. Der Jüngere folgte eilfertig.

Josy hörte, wie der Riegel wieder vorgeschoben wurde.

Als das Auto sich entfernte, atmete sie auf. Dann griff sie nach der Wasserflasche und trank in großen Zügen. Sie bürstete ihre Zähne und wusch mit ein paar Tropfen ihr Gesicht. Gierig riss sie die Packung mit dem Brot auf und biss in eine der laschen Scheiben. Weiter unten in der Tüte fand sie sogar eine Rolle Klopapier.

Josy überlegte: Welche Chance hatte sie, dass jemand nach ihr suchte? Im Zentrum würde sie vor Montag niemand vermissen. Das waren noch zwei volle Tage.

Was war mit Kristin?

Mach dir keine Sorgen, mir passiert schon nichts. Vielleicht bleibe ich sogar die nächsten zwei Tage bei Miguel, ich habe ja Urlaub!

Verdammt. Auch Kristin würde sie also nicht vermissen.

Und Miguel? Wie sie sich vor ihm gedemütigt hatte! Sie biss sich vor Wut auf die Lippe. Dann kam ihr eine Erinnerung.

Hier geht gleich die Post ab. Ich will, dass du sofort von hier verschwindest.

Hatte das nicht irgendwie besorgt geklungen? Aber diesen Satz hatte er gesagt, als noch gar nichts passiert war. Als noch nicht zu erkennen war, dass die Polizei zuschlagen und mit Tränengas gegen die Menge vorgehen würde. Woher also hatte er so genau gewusst, dass die Situation eskalieren würde?

Nein, dachte sie, du spinnst. Das kann nicht sein. Nur, weil du sauer auf Miguel bist, verfällst du in dieselbe Paranoia wie Luis.

In diesem Moment fiel es ihr wieder ein: Loreta hatte sie gesehen! Sie könnte den entscheidenden Hinweis geben! Die Frage war nur, ob sie es auch tun würde. Dass sie ihr Cola aufs T-Shirt geschüttet hatte, war die erste menschliche Regung gewesen, die sie ihr gegenüber gezeigt hatte. Und nun sollte alles davon abhängen, dass Loreta sich vielleicht entschließen würde, ihr zu helfen?

Josys Zuversicht sank schlagartig.

Freda und Arno hatten eine Verabredung getroffen: Sie wollten so wenig wie möglich über Vergangenes sprechen. Sie fürchteten beide, der Zauber ihrer Begegnung würde verfliegen, wenn sie zu viel über die Geschichte des anderen erführen. Vergangene Lieben, vergangene Verletzungen, all das wollten sie einander ersparen, um die Leichtigkeit und Unbefangenheit zu erhalten, mit der sie sich gegenübergetreten waren. Nur die Gegenwart sollte zählen, und, vielleicht, die Zukunft.

Freda hatte die Massagen bei Stavros beendet und nutzte ihre freien Nachmittage, um Arno zu treffen. Diesmal hatten sie sich im Englischen Garten verabredet, hinter dem Haus der Kunst. »Ich möchte dir jemanden vorstellen«, sagte Freda, als sie mit dem Buggy auf ihn zukam.

»Hast du etwa ...«, begann Arno überrascht, aber Freda unterbrach ihn lachend. »Nein, weder habe ich ein zweites Kind, noch bin ich schon Großmutter. Luca ist sozusagen vom Himmel gefallen und ziemlich unsanft in meinem Leben gelandet.«

Luca versuchte, aus dem Buggy zu klettern. »Ball, Ball«, verlangte er.

Freda hob ihn heraus und gab ihm seinen Ball, worauf er sein Lieblingsspiel begann. Ball wegkicken, Ball zurückholen ...

Sie hatte den Jungen inzwischen mehrmals betreut. Sogar abends hatte sie schon, mit einem Buch und einer Flasche Rotwein ausgestattet, an Maries Küchentisch gesessen und seinen Schlaf bewacht. Sie empfand immer noch diese unerklärliche Zärtlichkeit ihm gegenüber und war froh, ein wenig an seinem Leben teilhaben zu können. Marie, skrupellos wie alle alleinerziehenden Mütter, wenn es darum ging, für ein paar Stunden der auf ihr lastenden Verantwortung zu entkommen, nahm Fredas Babysitterdienste mit Freuden in Anspruch.

»Erzähl schon, wer ist er?«, fragte Arno.

»Der Sohn meines Mannes.«

»Aber nicht dein Sohn?«

»Nein.«

»Ich dachte, dein Mann ist ...«

»Ja, er ist tot. Mein Mann hat dieses Kind wenige Wochen vor seinem Bergunfall mit einer gemeinsamen Freundin gezeugt. Ich habe erst vor kurzem davon erfahren.«

Arno zog die Brauen hoch. »Oh.«

»Du findest es vermutlich seltsam, dass die betrogene Ehefrau die Frucht des ehebrecherischen Verhältnisses durch den Park schiebt? Ja, es ist seltsam, ich weiß. Aber ich mag den kleinen Kerl. Und ich wollte, dass du ihn kennenlernst.«

Eine Weile ging Arno schweigend neben ihr.

»Ist es ... weil er dich an deinen Mann erinnert?«

Freda blieb stehen und blickte ihn an. »Würde dir das etwas ausmachen?«

»Wie könnte es das?«, wehrte er ab. »Nein, ich versuche nur, zu verstehen.«

»Ein bisschen«, räumte Freda ein. »Ich hätte auch gern ein zweites Kind gehabt. Mit ihm hole ich etwas davon nach.«

»Vielleicht sollte ich dir auch die Geschichte meines Kindes erzählen. Aber dann sind wir mitten drin in der Vergangenheit.«

»Macht nichts«, sagte Freda. »Ich glaube, es geht nicht ohne.«

Arno erzählte, wie er sich mit Anfang zwanzig in eine Kommilitonin verliebt hatte. »Sie war schön, klug und humorvoll. Ich verfiel ihr komplett. Ich schlief nicht mehr, ich aß nicht mehr, ich liebte nur noch. Nach wenigen Wochen teilte sie mir mit, sie sei schwanger. Ich war überglücklich, konnte mir nichts Schöneres vorstellen, als ein Kind mit dieser Frau zu haben und mein Leben mit ihr zu teilen. Unsere Tochter Myriam wurde geboren, ein bisschen früher als geplant, aber gesund. Die ersten Jahre waren ungetrübtes Glück, dann wurde meine Frau unzufrieden. Sie fühlte sich zu jung für ein bürgerliches, geordnetes Leben, hatte das Gefühl, etwas zu versäumen. Sie verließ mich. Myriam blieb bei mir. Einerseits war ich entsetzt, dass meine Frau es fertigbrachte, ihr Kind zu verlassen, andererseits war ich glücklich, meine Tochter auf diese Weise behalten zu haben. Du kannst dir nicht vorstellen, was für eine innige Beziehung zwischen uns besteht! Eines Tages hatte ich einen schweren Autounfall. Ich verlor sehr viel Blut und sollte eine Bluttransfusion bekommen. Myriam, die mit im Krankenhaus war, stellte sich sofort für eine Spende zur Verfügung. Beim Test der Blutgruppe zeigte sich, dass sie auf keinen Fall meine Tochter sein kann.«

Freda überlegte kurz. »Das heißt, deine Frau war schon schwanger und hat dir das Kind untergejubelt?«

»Ich denke schon, auch wenn sie es bestreitet. Sie sagte, sie hätte nie Zweifel daran gehabt, dass das Kind von mir ist.«

Freda stieß die Luft aus. »Ganz schöner Hammer. Hat es die Beziehung zu deiner Tochter verändert?«

»Nein«, sagte er, »und deshalb erzähle ich es dir. Es ist völlig egal. Sie ist meine Tochter, ganz egal, wer ihr Erzeuger ist. Und wenn Luca für dich dein zweites Kind ist, dann ist es eben so. Übrigens würde ich mich freuen, wenn du Myriam kennenlernen würdest!«

Freda seufzte. »Ich wünschte, ich könnte dir auch Josy bald vorstellen. Aber das wird noch dauern.« Sie lächelte. »Jetzt haben wir unsere Abmachung gebrochen.«

Arno zog Freda an sich und küsste sie. Plötzlich spürten sie zwei energische kleine Hände, die sie auseinanderschoben.

»Tante, Ball pielen!«, befahl Luca.

Seit dem ersten Besuch der zwei Männer war nur der jüngere noch einmal gekommen, um ihr Lebensmittel zu bringen. Diesmal schleppte er zwei Tüten mit Wasser, Brot, abgepacktem Käse und Schinken an, die er mit einer fast zornigen Bewegung vor sie hinwarf. Außerdem eine Decke, über die sie heilfroh war, denn die Nächte hier oben waren kühl.

»Vielen Dank ... ist sehr freundlich«, sagte sie und versuchte, zu lächeln. Dann nahm sie all ihren Mut zusammen.

»Was ihr wollen von mir? Ich nichts weiß über Politik. Ich nur Sprachstudentin. Warum mich hier festhalten?«

»Sei ruhig«, fuhr er sie an.

»Warum mich nicht freilassen? Ich gebe dir Geld!«

Er zögerte einen winzigen Augenblick, dann funkelte er sie drohend an.

»Sei jetzt ruhig, sonst kannst du was erleben!«

Sie zuckte zusammen und gab auf. Mit dem Kerl war nicht zu reden. Offenbar hatte er Angst, und Menschen, die Angst haben, sind gefährlich. Sie kauerte sich in ihrer Ecke zusammen und schwieg.

Er warf ihr einen letzten finsteren Blick zu. Dann ging er. Als das Motorengeräusch des Wagens sich entfernt hatte und Josy zurücksank in ihre Einsamkeit, fühlte sie zu ihrer Überraschung etwas wie Bedauern.

Die Menge an Vorräten ließ darauf schließen, dass die Männer nicht die Absicht hatten, sie so bald wieder freizulassen. Aber immerhin hatten sie wohl auch nicht vor, sie zu beseitigen. Wenigstens nicht sofort. Josy schob den Gedanken an das, was sie mit ihr vorhaben könnten, weit weg. Sie nahm sich vor, nur von einem Moment zum anderen zu denken.

Heute war Sonntag. Morgen früh würde Carlos sie als vermisst melden. Vielleicht gab es noch mehr Zeugen, die beobachtet hatten, was passiert war. Wer immer die Leute waren, die sie festhielten, sie würden unter Druck geraten. Und sie laufen lassen. Es war nur eine Frage der Zeit.

Sie richtete es sich in ihrem Gefängnis ein, so gut es ging. Aus Ziegeln baute sie sich eine Art Lager und versteckte Gegenstände, die sich potenziell als Waffe eigneten, in ihrer Nähe. Sie hatte eine Abdeckung für den Toiletteneimer gefunden und benutzte einen Teil des kostbaren Trinkwassers, um sich notdürftig zu waschen.

Wenn sie nichts zu tun hatte, war sie schon immer unruhig geworden. Hätte sie doch nur ein Buch! Aber in ihrem Stoffbeutel fanden sich nur ein paar leere Zettel und ein Kuli. Sie kritzelte die Zettel voll, bis kein Millimeter Papier mehr frei war.

Mit jeder Stunde, die verging, ertrug sie das Eingesperrtsein weniger. Sie musste versuchen, hier rauszukommen!

Das Fenster war definitiv zu klein, nicht einmal ihr Kopf passte durch. Sie rüttelte an der Tür, die durch einen Riegel und ein Vorhängeschloss gesichert war. Nichts zu machen. Dann klopfte sie die Wände ab, untersuchte jedes einzelne der massiven Holzbretter, aus denen der Schuppen bestand. Sie hätte eine Motorsäge gebraucht, um auch nur eine winzige Öffnung zustande zu bringen. Aber ein Brett ließ sich ein kleines Stück hin und her schieben, da waren wohl einige Nägel lose. Wenn sie irgendein Werkzeug fände, mit dem sie Nagel für Nagel lockern könnte, würde sie es vielleicht schaffen, das Brett so weit zu verschieben, dass sie hindurchpasste.

Sie versuchte es mit allem, was als Werkzeug in Betracht kam. Stücke eines zerschlagenen Ziegels, ein Stück Blech, das von einer der Maschinen abgefallen war, sogar ihren Hausschlüssel setzte sie ein. Sie arbeitete verbissen, ihre Fingernägel brachen ab, sie zog sich Holzspreißel in die Haut, die sie mit den Zähnen wieder herauszog. Als es dämmerte, musste sie aufhören.

Dann saß sie auf ihrem Lager und versuchte, die mit der aufkommenden Dunkelheit zunehmende Verzweiflung und Angst zu bekämpfen, indem sie sich alle Gedichte und Liedtexte vorsagte, die sie kannte. Schon immer hatte sie gerne Gereimtes auswendig gelernt, manch gute Deutschnote war ihrer Gabe zu verdanken, sich ellenlange Balladen zu merken und fehlerlos vorzutragen.

Zum Glück hatte sie sich inzwischen eine ganze Reihe mexikanischer Kinderlieder gemerkt, so dass der Vorrat ein bisschen größer geworden war. Aber irgendwann fiel ihr kein Lied, kein Gedicht mehr ein. Nicht einmal eines von den Haikus, die sie eine Zeit lang gelesen hatte. Das Problem war, dass die sich nicht reimten. Nicht gereimte Texte konnte sie sich nicht so gut merken.

15

Oaxaca, 8. Oktober 2007. Am vergangenen Freitag fand auf dem Zócalo eine nicht angemeldete Demonstration der APPO statt, bei der es zu gewaltsamen Ausschreitungen seitens der Demonstranten kam. Um die öffentliche Sicherheit zu gewährleisten, wurden einige Demonstranten festgenommen, im Laufe des Wochenendes aber freigelassen. Es gab fünfzehn Verletzte, die ambulant behandelt werden mussten.

Carlos ließ die Zeitung sinken und musterte Kristin streng. »Warum hast du zugelassen, dass sie dorthin geht?«, fragte er.

»Ich konnte sie nicht davon abhalten«, sagte Kristin verzweifelt, »sie wollte unbedingt Miguel treffen. Sie sagte, sie würde das Wochenende bei ihm verbringen, deshalb habe ich mir keine Gedanken gemacht. Bis heute Morgen.« Sie schluchzte auf.

»Wenn sie sich bloß nicht mit diesem Typen eingelassen hätte«, murmelte Luis mit zusammengepressten Zähnen.

Loreta saß am Tisch und knetete ihre Hände »Sie wird schon wieder auftauchen«, sagte sie und sah erst Carlos, dann lange und sehnsüchtig Luis an.

»Wir müssen etwas unternehmen.« Carlos stand auf. »Ich ... melde sie als vermisst.«

Er spürte den überraschten Blick seines Sohnes auf sich. Ein Gang zur Polizei war das Letzte, was Carlos freiwillig tun würde. Er glaubte längst nicht mehr daran, dass man der Polizei vertrauen konnte. Aber ohne offizielle Vermisstenmeldung war nichts zu unternehmen.

Luis stand ebenfalls auf. »Ich versuche, Miguel zu finden.« Er fixierte Kristin. »Hat Josy dir gesagt, wo er wohnt?«

Kristin hob ihr tränenfeuchtes Gesicht. »Nicht genau, irgendwo auf der Höhe der Moctezuma. Er wohnt mit seinem Bruder Pablo zusammen. Ich weiß nicht mal seinen Nachnamen.«

»Sánchez Martínez«, sagte Luis, »ich kenne ein paar Leute, dir mir sicher weiterhelfen können. Ich werde ihn finden, verlasst euch drauf.«

»Und wir halten hier die Stellung, okay?«, sagte Kristin und sah zu Loreta. Die nickte kaum merklich.

Carlos näherte sich dem Polizeihauptquartier. Mit jedem Schritt ging er langsamer. Es widerstrebte ihm zutiefst, das Gebäude zu betreten, in dem er ein Jahr zuvor festgehalten und misshandelt worden war. Langsam stieg er die breiten Steintreppen in den zweiten Stock hinauf, wo die Vermisstenanzeigen aufgenommen wurden. Der breite Gang wirkte trotz der hohen Fenster düster und furchteinflößend, seine Schritte hallten unangenehm laut.

Er klopfte an die Tür zur zuständigen Abteilung. Eine Frauenstimme rief ihn herein. Die Vorzimmerdame nahm seine Daten auf und fragte, worum es ginge. Dann ließ sie ihn auf der Bank vor der Türe warten.

Es vergingen zehn Minuten, zwanzig Minuten, eine halbe Stunde, und nichts geschah. Carlos war sicher, dass man ihn längst identifiziert hatte. Da niemand vor ihm wartete, war nicht verständlich, warum es so lange dauerte. Reine Schikane, dachte er. Sie wollen demonstrieren, dass sie die Macht haben. Als ob ich das nicht wüsste.

Nach annähernd einer Dreiviertelstunde streckte die Frau den Kopf heraus und bedeutete ihm, nach nebenan zu gehen. Auf einem Schildchen, das neben der Tür angebracht war, stand »Comandante L. M. Cortez«. Carlos klopfte wieder und trat ein. An einem wuchtigen Schreibtisch saß ein Uniformierter, den Kopf über einen Aktenstapel gesenkt. Er wies mit der Hand auf einen Stuhl, ohne hochzusehen, las etwas zu Ende, setzte einen Stempel und seine Unterschrift auf ein Papier. Dann blickte er auf.

Carlos traf es wie ein Blitzschlag. Nach der längsten Nacht seines Lebens, von der er dachte, er würde sie nicht überleben, hatte am Morgen jemand den Raum betreten, dem verhörenden Beamten ein Zeichen gegeben und Carlos befohlen, sich zu erheben. Schwankend und halb ohnmächtig vor Schmerzen, hatte er den Befehl befolgt. Der Mann war ganz nah zu ihm getreten, hatte ihn mit kalten Augen gemustert und gesagt: »Mein Freund, diese Nacht hat nie stattgefunden, haben wir uns verstanden? Andernfalls ...« Er hatte den Satz unvollendet in der Luft hängenlassen und mit der Hand eine unmissverständliche Bewegung quer über seinen Hals gemacht.

Genau dieser Mann saß nun vor ihm und musterte ihn. Natürlich wusste er genau, wer Carlos war, aber er verzog keine Miene.

»Worum geht es?«

Carlos räusperte sich und versuchte, das Zittern in seiner Stimme zu unterdrücken. »Eine meiner Mitarbeiterinnen ist verschwunden. Sie war am Samstagabend bei der Veranstaltung auf dem Zócalo und kam nicht nach Hause.«

Er sagte bewusst »Veranstaltung«, nicht »Demonstration«. Dann kramte er einen Zettel mit Josys und Kristins Daten hervor und diktierte alle notwendigen Angaben. Der Comandante machte sich Notizen. Dann sah er auf.

»Sie wissen, dass Ausländern jegliche politische Betätigung verboten ist. Und Sie wissen sicher auch, dass Sie als ...«, er dehnte das nächste Wort höhnisch in die Länge, »... Arbeitgeber mitverantwortlich für das Verhalten Ihrer Mitarbeiter sind.«

Carlos begriff sofort die unterschwellige Drohung. Ruhig sagte er: »Ich habe meine Mitarbeiter diesbezüglich instruiert, aber was sie in ihrer Freizeit machen, entzieht sich meiner Kenntnis. Ich betreibe ein Kinderzentrum, kein Gefängnis.«

Die Augen seines Gegenübers verengten sich. »Señor Fernández de León«, sagte Cortez schneidend, »Sie sollten sehr vorsichtig sein mit Ihren Äußerungen, das ist Ihnen sicher klar.«

»Wie könnte ich das vergessen«, sagte Carlos. Sie blickten sich einen Moment an, schweigend, hasserfüllt. Dann senkte Comandante Cortez den Blick und schrieb etwas auf.

»Warten Sie draußen«, befahl er.

Carlos erhob sich und ging mit zitternden Knien zur Tür. Draußen nahm er wieder auf der Bank Platz. Nach wenigen Minuten kam die Sekretärin und hielt ihm ein Papier unter die Nase.

VERMISSTENANZEIGE

Vermisst wird Josefine März, deutsche Staatsangehörige, geb.
am 15. 6. 1989 in München/Deutschland, derzeit wohnhaft in
Morelos 82, Oaxaca de Juárez. Am 5. 10. 2007 gegen 20 Uhr
wurde Josefine März auf der Independencia von ihrer Mit-
bewohnerin Kristin Smaland, geb. 11. 4. 1987 in Stockholm/
Schweden, zuletzt gesehen. Die Vermisste war auf dem Weg
zur nicht angemeldeten Demonstration auf der Plaza de
Armas.
Anzeigensteller Carlos Fernández de León
8. 10. 2007

Sie reichte ihm einen Stift, er unterschrieb. Und wurde das
unangenehme Gefühl nicht los, dass diese Anzeige für immer in den Tiefen eines Aktenschranks verschwinden würde.

Das Klingeln des Telefons riss Freda aus dem Schlaf. Der
Wecker zeigte fünf Uhr früh. Sie griff nach dem Hörer, murmelte schlaftrunken: »März.«

»Frau März, hier ist Luis. Luis Fernández, der Freund von
Josy.«

Freda fuhr im Bett hoch. Plötzlich war sie hellwach. »Luis?
Warum rufst du mitten in der Nacht an, ist was passiert?«

»Entschuldigen Sie bitte die Störung, Frau März, es ist
mir sehr unangenehm, aber ... Josy ist ... verschwunden.«

»Verschwunden? Was soll denn das heißen?« Fredas
Stimme überschlug sich.

»Wir wissen nichts Genaues, es gibt aber einige Möglichkeiten, wo sie sein könnte. Sie sollten sich erstmal nicht zu

viele Sorgen machen. Ich dachte nur ... ich müsste Ihnen auf jeden Fall Bescheid sagen.«

Der Raum begann sich um Freda zu drehen. »Aber ... ich dachte, sie ist im Hochland unterwegs. Ist sie von dort nicht zurückgekommen?«

»Doch, sogar schon am Freitag Abends war sie auf einer Demo. Das Wochenende wollte sie bei ihrem Freund verbringen. Heute Morgen kam sie nicht ins Zentrum. Mein Vater war schon auf der Polizei.«

»Oh, mein Gott.« Freda griff sich mit der Hand an die Stirn, versuchte, einen klaren Gedanken zu fassen. »Was kann denn passiert sein? Gibt es irgendeinen Anhaltspunkt?«

»Wir haben versucht, ihren Freund zu finden, Miguel. Vielleicht weiß der etwas. Aber wir konnten noch nicht mit ihm sprechen.«

Freda hatte das Bett verlassen und lief aufgeregt im Zimmer hin und her.

»Kann ich irgendwas tun? Ich muss etwas tun, das halte ich sonst nicht aus! Ich steige morgen ins Flugzeug und komme, okay?«

»Ich weiß nicht«, sagte Luis zögernd, »das ist wahrscheinlich total übertrieben. Vielleicht klärt es sich ja ganz schnell auf, und sie ist nur spontan mit Miguel weggefahren und hat vergessen, uns Bescheid zu sagen, oder so was. Ich würde an Ihrer Stelle erstmal gar nichts tun. Ich rufe Sie sofort an, wenn ich irgendwas Neues weiß, okay?«

»Okay«, murmelte Freda mit dünner Stimme. Sie ließ die Hand mit dem Telefon sinken. Ihr Inneres fühlte sich an, als wäre es ausgehöhlt. Schwarze, abgrundtiefe Angst hatte sie ergriffen.

Sie riss den Hörer wieder hoch und wählte eine Nummer.

»Johann?«, rief sie ins Telefon. »Entschuldigen Sie die Störung, aber es ... es ist was ... Furchtbares passiert!«

»Bleiben Sie ganz ruhig«, sagte Johann Krummbaur, »ich bin sofort bei Ihnen.«

Sie öffnete beim ersten Klingeln, fiel Krummbaur um den Hals und brach in Tränen aus. Er hielt sie fest, strich mit der Hand über ihren Rücken.

»Ganz ruhig, Freda. Beruhigen Sie sich.«

»Ich ... ich versuche es ja«, schluchzte Freda.

Kurz darauf saßen sie sich gegenüber am Küchentisch. Krummbaur hielt Fredas Hand. »Der Junge hat Recht, es kann alle möglichen Gründe für Josys angebliches Verschwinden geben. Fast immer klärt sich so was schnell auf. In jedem Fall war es richtig, dass Sie mich informiert haben. Ich werde jetzt gleich ins Präsidium fahren und herausfinden, wie der Ablauf in solchen Fällen ist, also wenn ein Angehöriger im Ausland ... vermisst wird. Natürlich nur für den Fall, dass wir in den nächsten ein, zwei Tagen nichts Neues aus Mexiko hören. Ich rufe Sie sofort an, wenn ich mehr weiß.«

Er bat sie, ihm sämtliche Namen, Adressen und Telefonnummern der Personen in Oaxaca zu geben, mit denen Josy zu tun hatte. Freda kannte nur den Namen des Zentrums, die dortige Telefonnummer und die Nummer, die Luis ihr gegeben hatte, vermutlich eine Handynummer.

»Wann wurde sie zuletzt gesehen?«

»Am Freitagabend. Angeblich war sie auf einer politischen Demonstration. Und dann gibt es da noch einen Freund, Miguel. Aber von ihm weiß ich weder den Nachnamen noch die Adresse oder Telefonnummer.«

Krummbaur notierte alles, dann verabschiedete er sich und ging.

Freda blieb zusammengesunken am Küchentisch sitzen. Sie fühlte sich, als würde sie jeden Moment auf den Boden gleiten und wegfließen.

Nach anderthalb Stunden meldete sich Krummbaur. »Also, es läuft folgendermaßen: Wir würden uns jetzt ans Auswärtige Amt wenden. Das dortige Länderreferat informiert die Deutsche Botschaft in Mexiko. Der Botschafter muss sich dann ans mexikanische Außenministerium wenden, dieses schaltet die Generalstaatsanwaltschaft ein. Die wiederum hat einen Vertreter in Oaxaca, und der würde dann mit dem Fall betraut werden.«

»Warum ist denn das so kompliziert?«, rief Freda verzweifelt. »Gibt es keinen direkten Weg?«

»So sind nun mal die Abläufe«, sagte Krummbaur bedauernd. »Aber Sie können sicher sein, dass alle ihr Bestes tun werden.«

»Toll. Und was mache ich so lang? Ich dreh doch hier durch!«

»Ich muss Sie um Geduld bitten, im Moment können Sie nichts anderes tun als warten.«

»Warten, warten«, sagte Freda heftig, »Sie wissen, wie viel ich in den letzten Jahren gewartet habe! Das ertrage ich nicht noch einmal!« Sie begann zu weinen.

Josy hatte es geschafft. Ihre Finger waren aufgerissen und blutig, die Muskeln in ihren Schultern und Armen schmerzten, aber sie hatte eines der Bretter so weit gelockert, dass sie es zur Seite schieben konnte. Sie hängte ihren Stoffbeutel um, kroch nach draußen und schob das Brett so an seinen Platz zurück, dass von außen nichts zu sehen war.

Sie blickte sich um; weit und breit waren keine Spuren einer menschlichen Ansiedelung zu sehen. Einfach weglaufen wäre also eine Dummheit, bei der sie sich nur unnötig in Gefahr bringen würde. Wenn sie in die falsche Richtung ginge, würde sie womöglich tagelang herumirren, ohne Lebensmittel und Wasser, und sich immer mehr verirren. Dann würde sie niemand mehr finden können.

Sie hatte einen anderen, besseren Plan.

Sie versteckte sich hinter dem zweiten Schuppen und wartete. Bisher waren die Männer immer um die Mittagszeit gekommen. Nach dem Stand der Sonne zu schließen war es ungefähr elf. Wenn sie heute kämen, dann wahrscheinlich in den nächsten ein, zwei Stunden.

Sie setzte sich in den Schatten, sah in den blauen Himmel hinauf, sog tief die warme Luft ein und wunderte sich, wie ruhig sie war. Aber vielleicht wird man so ruhig, dachte sie, wenn man weiß, dass man nur eine einzige Chance hat.

Nach einer guten Stunde näherte sich ein Auto. Josy sprang auf, ihr Körper spannte sich. Sie drückte sich tiefer in den Schatten hinter dem Schuppen, schob den Kopf nur so weit vor, dass sie den Platz übersehen konnte.

Der Wagen, ein Jeep, hielt an, die Fahrertür wurde aufgestoßen, dann die Beifahrertür, beide knallten zu. Breitbeinig marschierten die beiden Männer zum Schuppen. Der eine öffnete das Vorhängeschloss, der andere zog den Riegel zur Seite. Sie gingen hinein und zogen die Tür von innen zu.

Das war der Moment, auf den Josy gewartet hatte. Sie spurtete los, rannte über den Platz und auf den Jeep zu. Sie riss die Wagentür auf, oh, Gott sei Dank, der Schlüssel steckte! Sie war zwar durch die Führerscheinprüfung gefallen, aber sie hatte über zwanzig Fahrstunden gehabt. Sie würde mit diesem Auto von hier wegfahren, so lange, bis sie irgendwo auf eine Straße stieß. Zu Fuß würden die beiden sie nicht einholen können.

Sie drehte den Schlüssel im Zündschloss, der Motor sprang nicht an. Panisch sah sie zum Schuppen, die Tür war noch zu. Sie startete nochmal, gab mehr Gas, der Motor kam, sie legte den ersten Gang ein, ließ die Kupplung kommen und wendete. Im Rückspiegel sah sie, wie die Schuppentür aufflog und die beiden Männer hinter ihr her rannten; sie ließ die Kupplung zu schnell los, der Wagen machte einen Satz, dann fuhr sie.

Es war kein richtiger Weg, nur ein steiler Pfad, der durch Gebüsch und zwischen Felsbrocken hindurch nach unten führte, sie konnte nicht schnell fahren. Sie sah die brüllenden Männer hinter sich. Schweiß brach ihr aus allen Poren, sie umklammerte das Lenkrad und starrte nach vorn, um nur ja kein Schlagloch oder große Steine zu übersehen.

Der Pfad wurde breiter, dafür kurviger, sie fuhr trotzdem schneller, verlor die Männer im Rückspiegel zeitweise aus den Augen. Unvermittelt gabelte sich der Weg. Sie bremste und überlegte kurz, wählte dann den rechten, der ins Tal zu führen schien. Schon nach wenigen Metern begriff sie, dass sie einen Fehler gemacht hatte. Der Weg verengte sich, wurde immer steiler, mündete in ein kleines Wäldchen und endete dort plötzlich. Panisch trat sie auf die Bremse, der Motor starb ab, sie steckte fest. Die Männer waren schon ziemlich nah.

Sie stieg aus und lief los, suchte Schutz zwischen den Bäumen, stolperte über Steine und Wurzeln, verlor die Orientierung, lief wieder aus dem Wäldchen heraus – und direkt den Männern in die Arme.

Der Jüngere bekam sie zu fassen, packte sie und schloss seine Arme wie eine eiserne Zange um ihren Körper. Sie schrie und strampelte, trat gegen sein Schienbein, aber sein Griff lockerte sich keinen Millimeter.

»Du Dreckstück, du Schlampe!«, zischte er.

Der Ältere trat vor sie hin, fixierte sie mit einem zornigen Blick, dann schlug er ihr mit der flachen Hand ins Gesicht. Josy schnappte nach Luft, Tränen schossen ihr in die Augen. Eine wilde Wut kochte in ihr hoch, Wut über diese Demütigung, Wut über ihr eigenes Versagen. Am liebsten hätte sie ihn angespuckt.

Er ging zum Wagen, öffnete den Kofferraum und holte mehrere Gummiseile mit Haken heraus, die man verwendet, um Gepäck auf dem Dachträger zu befestigen.

Der Junge riss ihre Arme nach hinten und überkreuzte die Handgelenke, dann fesselte er sie. Er schubste sie zum Wagen, befahl ihr, sich auf die Rückbank zu legen, und band ihre Füße aneinander.

Die nächste halbe Stunde brachten sie damit zu, den Wagen wieder flottzukriegen. Mit Hilfe eines Baumstammes, den er als Hebel verwendete, sowie der zwei Gummifußmatten, die er unter die Antriebsräder legte, schaffte es der Jüngere, anzufahren, und quälte sich mit qualmendem Motor den Hang hoch.

Josy konnte in ihrer Lage nichts sehen, aber ihr war klar, dass sie zurück zum Schuppen fuhren. In ihr war trotz allem der Funke eines wilden Triumphes. Sie hatte es einmal geschafft, die Kerle zu überlisten, sie würde es auch ein zweites Mal schaffen!

Als sie angekommen waren, öffnete der Jüngere die Autotür und löste ihre Fußfessel. Er befahl ihr, wieder in den Schuppen zu gehen. Die Tür stand noch offen. Widerwillig setzte sie einen Fuß vor den anderen, blickte verstohlen um sich, suchte nach einer Möglichkeit, doch noch wegzulaufen. Aber hier oben würde sie sofort wieder erwischt werden, es hatte keinen Sinn.

Sie betrat den Schuppen, und die Verzweiflung packte sie. Wie ein verletztes Tier verkroch sie sich auf ihrem Lager. Die Männer suchten die Wände des Schuppens nach der Öffnung ab, durch die sie entkommen war. Schnell hatten sie das verschiebbare Brett gefunden. Der eine ging raus und kam mit einem Hammer wieder. Er begann, die Nägel einzuschlagen, die Josy in anderthalbtägiger Arbeit herausgezogen hatte. Schlag für Schlag verschloss er ihr Gefängnis von neuem.

Aber das war noch nicht alles. Josy hoffte schon, dass sie es vergessen würden, doch da fiel es dem Jüngeren noch ein. »Warte kurz«, sagte er zu seinem Kumpel, holte die zweite Gummistrippe aus dem Wagen und fesselte Josys Füße wieder aneinander. Sie zeigte keine Regung, obwohl sie am liebsten laut losgeschrien hätte.

Beim Hinausgehen sagte der Ältere zu seinem Komplizen: »So kann es nicht weitergehen. Wir müssen uns was überlegen.«

Josy erstarrte. Was wollte er damit sagen? Sie würden doch nicht etwa ... Wenn sie ihr was hätten antun wollen, hätten sie es schon längst getan. Sie würden sie nicht tagelang gefangen halten ... und am Ende doch umbringen? Das ergab einfach keinen Sinn!

Die Schuppentür schlug zu, der Riegel wurde vorgeschoben. Schritte, Autotüren, sich entfernendes Motorbrummen. Stille. Stille. Stille.

Ein Geräusch ließ sie erschreckt zusammenzucken. Im nächsten Moment begriff sie, dass es ihr eigenes Weinen war.

Wieder näherte sich ein Auto. Josy schreckte hoch. Sie musste eingeschlafen sein, denn nun war es plötzlich dunkel. Panisch setzte sie sich auf, die Füße an den Körper gezogen.

Eine Autotür wurde geöffnet und zugeschlagen. Josy suchte mit den gefesselten Füßen nach einem der Steine, die sie sich zurechtgelegt hatte, und hielt ihn fest.

Die Tür schwang auf, die Umrisse eines Mannes zeichneten sich im Mondlicht ab.

»Nein!«, schrie Josy, zog die Knie an, streckte dann mit aller Kraft die Beine und schleuderte den Stein in seine Richtung. Er fiel einen halben Meter vor ihm zu Boden. Sie hörte ihn fluchen.

Es war die Stimme des Jüngeren, der sich näherte und beruhigend auf sie einsprach. »Hör auf zu schreien, niemand kann dich hören! Sei vernünftig, dann geschieht dir nichts.«

Josy fiel plötzlich eine Fernsehsendung ein, die sie vor einiger Zeit gesehen hatte. Es ging um einen Bauern, der seinen Betrieb biologisch bewirtschaftete. Man sah Getreide, das ohne Pestizide heranwuchs, Hühner, die glücklich im Mist scharrten. Dann wurde gezeigt, wie Kälber auf einen Anhänger verladen wurden. Sie muhten verzweifelt und keilten mit ihren Hufen um sich. Der Bauer versuchte, sie zu beruhigen, und seine Stimme hatte genauso geklungen wie die Stimme des Jungen. Als die Kälber verladen waren, erklärte der Bauer, dass sie nun zum Schlachten gebracht würden.

»Hau ab!«, schrie Josy und schleuderte einen weiteren Stein, der den Jungen nur knapp verfehlte. Mit einem Sprung stürzte er sich auf sie und hielt sie fest. Josy bemerkte, dass er das Tuch nicht mehr trug. Im schwachen Mondlicht sah sie zum ersten Mal sein Gesicht. Er war noch jünger, als sie gedacht hatte. Zu ihrer Überraschung löste er die Fesseln an ihren Händen und Füßen. Im nächsten Moment verschloss er ihren Mund mit seinen Lippen.

Sie begriff sofort und hörte auf, sich zu wehren. Eine Vergewaltigung erschien ihr unter den gegebenen Umständen als annehmbare Alternative. Vielleicht war sie sogar ihre Chance.

Sie machte ihren Körper weich, schmiegte ihn an seinen, stellte sich vor, es wäre Miguel. Es war gar nicht so schwer, der Junge hatte einen ähnlichen Körperbau und eine ähnlich zarte Haut. Er war nur viel ungeschickter, fasste sie grob an und stieß vulgäre Worte aus. Als er bemerkte, dass sie sich nicht wehrte, hielt er verwirrt inne. Josy zog ihn an sich und stammelte in gebrochenem Spanisch: »Du schön ... mir gefallen ... mit dir Liebe machen ...« Das ließ er sich nicht zweimal sagen.

Sie war froh, in all den Tagen das kostbare Trinkwasser auch zum Waschen verwendet zu haben, so konnte sie sicher sein, keinen unangenehmen Körpergeruch zu haben, der ihm den Spaß an der Sache vielleicht genommen hätte. Sie wollte, dass ihm der Sex mit ihr gefiele, hoffte, er würde sich vielleicht sogar in sie verlieben. Dann würde er doch nicht zulassen können, dass man sie umbrachte.

16

Oaxaca, 10. Oktober 2007. Seit den Ausschreitungen vom vergangenen Freitag wird eine junge Deutsche vermisst, die zuletzt während der Kundgebung auf dem Zócalo gesehen wurde. Zeugen wollen beobachtet haben, wie zwei Männer und eine Frau gewaltsam auf die Ladefläche eines Pick-ups geworfen und weggebracht wurden. Die beiden Männer sind inzwischen wieder auf freiem Fuß, sie haben keine Angaben über den Vorfall gemacht. Über den Verbleib der jungen Frau ist nichts bekannt. Es ist unklar, ob es sich bei ihr um die vermisste Deutsche handelt. Der Polizeichef weist jeden Zusammenhang mit den polizeilichen Festnahmen vom Freitag ausdrücklich zurück.

Luis war blass geworden. »Lies!«, sagte er tonlos und schob seinem Vater die Zeitung hin. Sie saßen beim Frühstück, beide hatten schlecht geschlafen.

Carlos überflog die Meldung. »Dios mio«, murmelte er.

»Aber woher wissen die beim ›Diario‹ überhaupt von Josy?«, fragte Luis. Er hielt sich mit beiden Händen an seiner Kaffeetasse fest, als suchte er Halt.

»Du kennst doch meinen alten Freund Benito«, sagte Carlos. »Er arbeitet inzwischen dort. Ich habe ihn gebeten, über Josys Verschwinden zu berichten, um den Druck auf die Polizei zu erhöhen. Wenn die Öffentlichkeit davon weiß, müssen sie etwas unternehmen. Offenbar haben sich die Angehörigen der beiden Männer auch an die Zeitung gewandt, und die Journalisten haben eins und eins zusammengezählt.«

»Glaubst du, die verschleppte Frau ist wirklich Josy?«

»Ich kann nur hoffen, dass es nicht so ist«, sagte Carlos düster, »denn sonst ist sie in allergrößter Gefahr.«

Luis sprang auf und ging unruhig auf und ab. »Nehmen wir einmal an, sie ist es«, sagte er und dirigierte mit den Händen in der Luft, »was können wir dann tun?«

»Nichts, wenn die Polizei dahintersteckt.«

»Wer sollte sonst dahinterstecken?«

»Private Schlägertrupps, die an dem Abend eingesetzt waren. Du weißt, dass sich die Polizei gerne mal Verstärkung holt.«

»Aber diese Leute stehen doch auch unter Polizeibefehl«, sagte Luis.

»Das sind dumme Jungs, die sich wichtig vorkommen«, sagte Carlos mit unterdrückter Wut. »Stell dir vor, sie fangen im Eifer des Gefechts ein paar Demonstranten, packen ein bisschen härter zu, es gibt Prellungen und Schürfwunden. Dann stellen sie zu ihrem Schrecken fest, dass sie eine Ausländerin erwischt haben. Wenn sie die freilassen, rennt sie womöglich zum Konsulat, es gibt unangenehme Schlagzeilen, und die Jungs haben ein Problem. Also sperren sie die Frau erstmal ein und überlegen. Was ihnen zu diesem Zeitpunkt nicht klar ist: Je länger sie sie einsperren, desto größer wird ihr Problem. Also werden sie irgendwann überlegen, wie sie die Frau loswerden können.«

»Hör auf!«, schrie Luis. »So was darfst du nicht einmal denken!«

»Verlier jetzt nicht die Nerven«, sagte Carlos, der in Wahrheit längst nicht so ruhig war, wie er vorgab. »Überleg lieber weiter, was wir tun können. Hast du schon mit Miguel gesprochen?«

Luis schüttelte den Kopf. »Ich war zweimal bei ihm zu Hause, aber er war beide Male nicht da. Auf meine Nachrichten hat er nicht geantwortet. Ich habe auch versucht, seinen Bruder zu erreichen, aber der scheint seit der Demo untergetaucht zu sein.«

»Bleib weiter dran«, befahl Carlos. »Ich werde versuchen, mit den beiden Männern in Kontakt zu treten. Vielleicht erfahre ich von ihnen etwas, was uns weiterhilft.«

»Was soll ich Josys Mutter sagen?«, fragte Luis. »Sie ist halb verrückt vor Sorge und ruft mich ungefähr jede Stunde an.«

»Ich spreche mit ihr«, versprach Carlos. Er stand auf, ging zu Luis und packte ihn bei den Schultern. »Hör zu, mein Sohn. Es kann auch alles ganz anders sein. Vielleicht ist Josy einfach nur mit Miguel unterwegs, oder es gibt eine andere, harmlose Erklärung für ihr Verschwinden.«

Luis nickte, aber er wirkte alles andere als überzeugt.

Seit drei Stunden saß Luis im Treppenhaus vor Miguels Wohnung. Er war entschlossen, seinen Posten nicht zu verlassen, ehe er mit Miguel gesprochen hätte. Bei mehreren Nachbarn hatte er gefragt, ob sie die Mieter der Wohnung in den letzten Tagen gesehen oder Licht bei ihnen bemerkt hätten.

Zwei behaupteten, Miguel getroffen zu haben; sein Bruder Pablo hingegen war seit Freitag von niemandem mehr gesehen worden.

»Ist auch besser für ihn«, hatte ein alter Mann gemurmelt, »wenn er schlau ist, bleibt er für eine Weile verschwunden.«

Luis hatte sich dumm gestellt. »Warum denn?«

Der Mann hatte ihn misstrauisch angesehen und die Türen geschlossen. Seither saß Luis da und wartete.

Hin und wieder kamen Leute und gingen freundlich grüßend an ihm vorbei in ihre Wohnungen. Der Geruch nach frisch zubereiteten Frijoles zog durchs Haus.

Immer wieder kreisten Luis' Gedanken um den Moment, als er Josy vorgeschlagen hatte, mit ihm nach Mexiko zu gehen. Sie hatte ihm zuvor von ihrem Vater erzählt, von der quälenden Ungewissheit des Wartens. Davon, dass ihre Mutter nicht wahrhaben wolle, dass er nicht zurückkommen würde, dem innigen Verhältnis zu ihrer Mutter und wie sie ihr durch den Verlust des Vaters noch näher gekommen sei. Aber sie hatte auch erzählt, dass sie sich kontrolliert und eingeengt fühle, weil ihre Mutter es nicht ertrage, wenn sie nur einen Schritt von ihr weg mache.

»Dann musst du so weit weggehen, dass sie keine Chance mehr hat, dich zu kontrollieren«, hatte er gesagt, und sie hatte zustimmend genickt. »Ja, schon. Aber wohin soll ich denn gehen?«

»Komm mit mir nach Oaxaca«, hatte er spontan vorgeschlagen. »Das ist eine wunderschöne Stadt, und im Kinderzentrum können wir Hilfe gebrauchen.«

»Nach Mexiko? Das wird meine Mutter nie zulassen!«

»Aber du bist erwachsen, du kannst selbst entscheiden, wohin du gehst.«

»Das kann ich ihr nicht antun. Nicht nach dem, was passiert ist. Nicht gerade jetzt.«

Er hatte gelächelt. »Immer ist gerade jetzt.«

Ein paar Tage später hatte sie ihn gefragt: »Hast du das wirklich ernst gemeint, ich meine, das mit Oaxaca?«

Er hatte sie angesehen und voller Überzeugung gesagt: »Ich hab noch nie etwas so ernst gemeint.«

Sie hatte tief Luft geholt. »Also gut, dann komme ich mit. Aber du passt auf mich auf, klar?« Lächelnd hatte sie ihn in die Seite geboxt. Und er war so glücklich gewesen.

Luis vergrub das Gesicht in den Händen. Er war schuld. Wenn er Josy nicht überredet hätte, wäre das alles nicht passiert. Wie sollte er jemals ihrer Mutter unter die Augen treten, wenn ihr etwas zugestoßen wäre? Mit aller Kraft bemühte er sich, nicht an diese Möglichkeit zu denken.

»Miguel, du Mistkerl, warum kommst du nicht?«, murmelte er mit zusammengepressten Zähnen. Die Angst, die er um Josy hatte, die Schuldgefühle, die ihn quälten, alles mischte sich zu einer diffusen Wut auf Miguel. Am liebsten hätte er ihn sofort verprügelt, schließlich war Josy seinetwegen zu der Demo gegangen. Und wer weiß, dachte Luis, was er noch mit ihrem Verschwinden zu tun hat.

Er sah auf die Uhr, es war fast neun.

Unten ging die Haustür, das Licht schaltete sich ein, schnelle Schritte eilten die Treppe hoch. Ein schwarz gekleidetes Mädchen mit roter Umhängetasche kam, zwei Stufen auf einmal nehmend, auf ihn zu. Sie grüßte ihn flüchtig, dann nahm sie einen Schlüssel aus der Tasche und öffnete die Tür zur Wohnung der Brüder.

Luis sprach sie an. »Ich bin mit Miguel verabredet. Weißt du, wann er kommt?«

Sie drehte sich kurz um. »Keine Ahnung.« Dann zog sie die Tür hinter sich zu.

Er hörte sie in der Wohnung hin und her gehen. Nach ungefähr zehn Minuten erschien sie wieder, eine Reisetasche in der Hand.

Luis sprang auf und stellte sich ihr in den Weg. »Hör mal, ich muss unbedingt mit Miguel sprechen. Bitte sag mir, wo er ist!«

»Lass mich!«, sagte sie unwillig und wollte an ihm vorbei. Luis hielt sie an der Schulter fest. »Du sagst mir jetzt, wo Miguel ist, sonst ... sonst verrate ich der Polizei, dass du mit der APPO zusammenarbeitest.«

Sie lachte verächtlich auf. »Interessant. Wie kommst du denn darauf?«

»Da, die Reisetasche. Da sind bestimmt Sachen für Pablo drin.«

Das Mädchen wurde blass. »Du Hurensohn«, zischte sie.

Sie riss sich los und sprang überraschend auf die andere Seite des Treppenabsatzes, drängte sich an ihm vorbei und rannte die Stufen hinunter.

Luis folgte ihr so schnell er konnte. Vor dem Haus bog sie rechts ab und lief auf ein wartendes Moped zu. Luis erkannte Miguel auf dem Fahrersitz, beschleunigte sein Tempo und erreichte das Moped gleichzeitig mit dem Mädchen.

»Miguel!«, keuchte er. »Ich muss mit dir reden! Es geht um Josy!«

Miguel drehte am Gasgriff, der Motor jaulte auf. Das Mädchen sprang auf den Rücksitz, die Reisetasche an sich geklammert. »Fahr los«, schrie sie, »der Typ ist ein Verräter!«

Miguel gab Gas, Luis hielt mit aller Kraft die Lenkstange fest. »Josy ist verschwunden!«, schrie er. »Wenn du irgendwas für sie empfindest, dann hör mir jetzt zu!«

Der Motor erstarb mit einem jammernden Geräusch.

»Was redest du da?«, fragte Miguel.

»Fahr endlich los!«, kreischte das Mädchen.

Miguel drehte sich zu ihr um. »Jetzt halt mal die Klappe, okay?«

»Josy ist seit Freitagabend weg«, sagte Luis atemlos, »hast du eine Ahnung, wo sie ist?«

Miguel hatte offenbar kapiert, dass es ernst war. »Nein, ich habe sie zuletzt auf der Demo gesehen. Wir hatten Streit. Dann ist sie weggerannt und hat sich nicht mehr bei mir gemeldet. Ich dachte, sie ist sauer.«

Luis sank in sich zusammen. »Scheiße«, sagte er. Dann blickte er wieder hoch. »Hast du heute den ›Diario‹ gelesen?«

»Da steht doch sowieso nur Mist drin«, gab Miguel verächtlich zurück.

»Immerhin stand heute drin, dass sie nach der Demo drei Leute verschleppt haben, zwei Männer und eine Frau. Die zwei Typen sind wieder aufgetaucht, die Frau nicht.«

»Na und?«

»Denk gefälligst mal nach, Schwachkopf!«, schrie Luis.

Miguel packte ihn an den Jackenaufschlägen. »Den Schwachkopf nimmst du zurück, klar?« Dann begriff er, was Luis hatte sagen wollen. »Du meinst, sie haben Josy entführt? Und ... woher willst du wissen, dass sie die Frau ist?«

»Überleg mal. Es ist doch gut möglich, dass sie Josy mitgenommen haben, dann ist ihnen klargeworden, dass sie Ausländerin ist und Ärger auf sie zukommen könnte. Sie haben Schiss gekriegt und halten sie jetzt irgendwo fest.«

Miguel war plötzlich nachdenklich geworden. »Verdammter Mist«, flüsterte er leise. Luis blickte ihn scharf an. »Wenn du irgendwas weißt, dann lass es raus!«

»Spinnst du? Was soll ich denn wissen?«

»Schließlich sagt man dir gewisse Verbindungen nach«, sagte Luis lauernd.

»Ich hab's ja gesagt, der Typ ist ein Verräter!«, rief das Mädchen.

»Wenn Josy etwas zustößt, bist du dran, das verspreche ich dir!«, sagte Luis drohend.

Miguel bedachte ihn mit einem wütenden Blick und riss die Lenkstange so heftig zur Seite, dass Luis um ein Haar gestürzt wäre. Dann riss er am Gasgriff und jagte davon.

Als der Junge fertig gewesen war, hatte er Josy zurückgestoßen und liegen lassen, ohne sie wieder zu fesseln. Er war aufgestanden, hatte den Reißverschluss seiner Jeans hochgezogen und war verschwunden.

Josy wunderte sich, wie ruhig sie war. Sie empfand keinen Abscheu, keine Wut und keine Angst. Sie war während der Vergewaltigung innerlich völlig unbeteiligt geblieben und hatte sich sogar bemüht, eine gewisse Bereitwilligkeit vorzutäuschen. Der Junge musste den Eindruck gehabt haben, er habe sie nicht vergewaltigt, sondern verführt. Die Tatsache, dass er sie nicht mehr gefesselt hatte, sollte wohl so eine Art Belohnung sein. Vielleicht wäre es ihm ohnehin das Liebste, sie würde abhauen und keine weiteren Probleme machen.

Sie reinigte sich und zog sich wieder an. Nicht einmal der Gedanke an AIDS machte ihr mehr Angst angesichts der Lage, in der sie sich befand.

Erschöpft rollte sie sich auf ihrem Lager zusammen und versuchte zu schlafen. Beunruhigende Bilder flackerten in ihrem Kopf auf und verloschen wieder, zu schnell, als dass sie eines hätte festhalten können. Ihr Körper schien zu vibrieren, als stünde er unter Strom. Immer wieder sah sie Miguel vor sich, dann schob sich das Gesicht des Jungen dazwischen. Sie fühlte sich schuldig, dass sie sich nicht gewehrt hatte, dass sie keinen Ekel empfunden hatte, stattdessen sogar eine gewisse Erregung.

Sie setzte sich wieder auf und stützte ihren schmerzenden Kopf zwischen die Hände. Hatte Miguel sie nicht mit dem zärtlichen Kosenamen Rosita begrüßt? Hatte er nicht versucht, sie in Sicherheit zu bringen? Sie war so entsetzlich begriffsstutzig gewesen, deshalb hatte er sie angeherrscht. Vielleicht war alles ganz anders gewesen, als es gewirkt hatte? Vielleicht war sie aber auch dabei, den Verstand zu verlieren.

Sie besann sich auf ihre alte Taktik, jeden einzelnen Moment wahrzunehmen und nicht an den nächsten zu denken. Jetzt. Jetzt. Jetzt. Immer ist gerade jetzt.

Carlos traf sich mit Benito in einem Café in der Nähe des Redaktionsgebäudes. Der Raum war türkisblau gestrichen und mit alten Werbetafeln geschmückt; die Gäste saßen an bunt bemalten Holztischen und lasen Zeitung. Hinter dem Tresen zischte die Kaffeemaschine, ein schlankes Mädchen in Jeans und einem knappen Oberteil trocknete Gläser ab.

Benito war einer von Carlos' früheren Lehrerkollegen, der auf Journalismus umgesattelt hatte. »So kann ich eher was an den bestehenden Verhältnissen ändern, als wenn ich aus Protest wochenlang auf dem Zócalo kampiere oder in Hungerstreik trete«, hatte er erklärt.

Carlos bewunderte ihn für seine Entscheidung. In Mexiko Journalist zu sein, war keine ungefährliche Sache; hier wurden, nach Kolumbien, weltweit die meisten Journalisten umgebracht, und das nicht nur, wenn sie sich in die Geschäfte der Drogenbarone einmischten.

Die beiden Männer umarmten sich zur Begrüßung und bestellten Milchkaffee. Benito zündete sich eine Zigarette an und blies den Rauch in die Luft, wo er von einem Ventilator verwirbelt wurde.

»Hast du was von dem Mädchen gehört?«, fragte er.

Carlos schüttelte den Kopf. »In deinem Artikel hast du den Verdacht nahegelegt, sie könnte die verschleppte Frau sein. Hast du irgendwelche Hinweise in dieser Richtung?«

Benito wiegte den Kopf. »Es spricht einiges dafür, nicht wahr?«

Carlos nickte mit düsterem Gesichtsausdruck. »Ja, leider. Offen gestanden bin ich inzwischen überzeugt, dass sie es ist. Deshalb muss ich unbedingt mit den beiden Männern sprechen, die gleichzeitig mit ihr festgenommen worden sind. Kannst du mir einen Kontakt machen?«

»Das wird nicht einfach sein. Sie wollen mit niemandem reden. Die Gründe dafür sind dir bekannt.«

Carlos erinnerte sich nur allzu genau an die Drohungen, mit denen man ihn zum Schweigen gebracht hatte. Auch er würde es sich genau überlegen, bevor er irgendjemandem von den Ereignissen jener Nacht erzählte, die er in Polizeigewahrsam zugebracht hatte. Benito war einer der wenigen, die er eingeweiht hatte. Er besaß eine Tonbandaufnahme, auf der Carlos schilderte, was damals vorgefallen war. Sie lag in einem Safe.

»Die beiden sind die einzige Spur, die wir haben«, sagte Carlos eindringlich. »Mach ihnen klar, dass ich einer von ihnen bin, dass sie nichts von mir zu befürchten haben.

Und dass sie mit ihrer Aussage vielleicht ein Leben retten können.«

Benito überlegte. »Ich versuche es. Vielleicht kann ich wenigstens einen von ihnen überzeugen.«

Die Bedienung kam hinter dem Tresen hervor, ging mit wiegenden Schritten auf sie zu und stellte ihre leeren Tassen auf ein Tablett, während sie den linken Ellbogen in die Hüfte stemmte, um die Balance zu halten.

»Wünschen Sie noch etwas?«

Benito bestellte einen weiteren Kaffee, Carlos nur ein Wasser.

»In deinem Artikel ist die Rede von Zeugen, die das Ganze beobachtet haben. Wer sind sie?«

»Freunde von mir, die dort waren.«

»Was haben sie genau gesehen?«

Benito wand sich. »Ehrlich gesagt, nicht so viel, weil sie ziemlich weit entfernt waren. Nur, dass Schwarzgekleidete mit Schlagstöcken die Leute auf der Hidalgo mit einem Pick-up gejagt und ein paar von ihnen rausgezogen haben.«

»Mehr nicht?«

»Nein. Aber eine anonyme Anruferin hat uns erzählt, dass es zwei Männer und eine Frau waren, die sie mitgenommen haben.«

»Eine anonyme Anruferin? Ist das für dich eine Zeugin?«

»Die Leute haben Angst, man muss froh sein, wenn überhaupt jemand was erzählt! Dabei fällt mir ein ...«, Benito schlug sich mit der Hand gegen die Stirn, »sie hat nochmal angerufen, nachdem der Artikel erschienen war. Meine Sekretärin hat den Anruf entgegengenommen, sie wollte mir das Protokoll geben. Offenbar hat sie es vergessen.« Er nahm sein Handy und wählte eine Nummer.

»Clara, hier Benito. Was hat diese anonyme Anruferin gesagt? Ich meine, bei ihrem zweiten Anruf? Ja, ich warte.«

Offenbar musste Clara erst nach dem Protokoll suchen. Während er wartete, zog Benito heftig an seiner Zigarette. Carlos musterte ihn voller Sympathie und fragte sich insgeheim, ob sein Freund nicht doch besser Lehrer geblieben wäre. Männer wie er waren selten, und die Kinder hatten ihn geliebt.

»Ah, endlich!« Benito stieß seine Zigarette in den Aschenbecher, griff nach einem Stift und notierte einige Stichworte. »Danke, Clara. Nächstes Mal will ich so was gleich auf den Tisch, verstanden? Ja, ja, schon gut. Reg dich nicht auf.«

Er würgte den Redeschwall ab, mit dem Clara sich offenbar zu rechtfertigen versuchte, indem er das Handy einfach ausschaltete. Dann wandte er sich zu Carlos.

»Hier haben wir den Beweis. Die Anruferin gab eine genaue Beschreibung der verschleppten Frau. Nicht sehr groß, zierliche Figur, dunkle Locken, Umhängetasche aus Stoff.«

»Diese Beschreibung trifft auf Millionen Mexikanerinnen zwischen fünfzehn und fünfunddreißig zu.«

Benito ließ sich nicht beirren. »Und dann sagte sie noch, es sei keine Mexikanerin gewesen.«

Carlos horchte auf. »Woher wusste sie das?«

»Das hat Clara auch gefragt. Und da hat sie gesagt, sie sei eine Kollegin von ihr. Dann hat sie aufgelegt.«

Carlos blickte mit gerunzelter Stirn vor sich auf den Tisch. Wenn »keine Mexikanerin« bedeutete: »eine Deutsche«, dann handelte es sich um Josy. Und wenn sie es war, die auf dem Pick-up verschleppt worden war, dann war die Anruferin ...

»Ich muss los«, sagte er und sprang auf. »Nächstes Mal zahle ich.«

Er klopfte seinem Freund im Vorbeigehen auf die Schulter und eilte aus dem Café.

Zurück im Zentrum befahl er Loreta in schroffem Ton, in sein Büro zu kommen.

»Jetzt sofort?«

»Ja, jetzt sofort.«

Loreta folgte ihm widerspruchslos. In seinem Büro blieb sie stehen, verschränkte die Arme vor der Brust und senkte den Blick.

Carlos hatte sich auf seinen Schreibtischstuhl gesetzt und musterte sie. Ihr Äußeres war nicht sehr einnehmend; sie hatte einen massigen Körper mit breiten Schultern und ein flächiges Gesicht, das sehr freundlich aussehen konnte, aber auch sehr finster. Er kannte sie, seit sie auf der Welt war, sie war immer verlässlich und ehrlich gewesen. Er fragte sich, was in die junge Frau gefahren war.

»Du weißt, warum ich dich gerufen habe?«

»Nein.«

»Du kannst es dir auch nicht denken?«

Sie zuckte die Schultern und blieb stumm. Mit schuldbewusstem Ausdruck senkte sie den Kopf, als wollte sie seinem Blick ausweichen, dabei fiel ihr glattes, schwarzes Haar halb über ihr Gesicht.

Er sprang von seinem Stuhl auf und packte sie an den Oberarmen.

»Schämst du dich gar nicht? Du siehst mit eigenen Augen, wie Josy von einem Schlägertrupp verschleppt wird, und sagst kein Wort? Sitzt hier, spielst die Betroffene und sagst: ›Sie wird schon wieder auftauchen‹.« Er äffte ihre Sprechweise nach.

Loreta presste die Lippen zusammen. Dann sagte sie leise: »Ich habe ja bei der Zeitung angerufen.«

»Nachdem Josy schon drei Tage verschwunden war!«, rief Carlos empört.

Loreta sank auf einen Stuhl und begann zu weinen. »Es war falsch, ich weiß. Ich habe es ja auch bereut und ein zweites Mal bei der Zeitung angerufen. Dabei habe ich Josy genau beschrieben und gehofft, dass sie es veröffentlichen, aber sie haben es nicht getan.«

»Weil eine dämliche Sekretärin vergessen hat, es weiterzugeben«, sagte Carlos finster. Dann ging er vor Loreta in die Hocke, um ihr in die Augen sehen zu können.

»Sag mir nur eines: Warum hast du das getan? Warum hasst du Josy so?«

»Ich hasse sie nicht«, schluchzte Loreta. »Ich ... ich liebe Luis, schon seit wir Kinder sind, du weißt doch ... wir haben immer ›Hochzeit‹ gespielt, und ich ... habe gedacht, Luis gehört zu mir. Als er nun für ein ganzes Jahr zurückgekommen ist, dachte ich ... er kommt meinetwegen, aber in Wirklichkeit interessiert er sich gar nicht für mich, weil er nur Augen für Josy hat. Immer nur Josy!« Sie wurde von einem Weinkrampf geschüttelt.

Hilflos stand Carlos diesem Gefühlsausbruch gegenüber. Schließlich wandte er sich ab und ging zurück zu seinem Stuhl. Er setzte sich und wartete, bis Loreta sich etwas beruhigt hatte.

»Es ... tut ... mir so ... leid, ehrlich!«, sagte sie stockend. »Ich mache mir solche Vorwürfe. Ich wünschte ... ich könnte es ungeschehen machen.«

»Das wirst du dir vor allem wünschen, falls Josy etwas zustößt«, sagte Carlos mit gepresster Stimme.

»O, bitte nicht!«, flehte Loreta und verbarg ihr Gesicht in den Händen.

Beide schwiegen eine Weile. Aus der Ferne hörte man die fröhlichen Stimmen der Kinder. Eine Uhr schlug zwölf.

Loreta hob ihr tränennasses Gesicht. »Bestimmt ... wirfst ... du mich ... jetzt raus, oder?«

Carlos blickte sie ernst an. »Ich muss darüber nachdenken. Geh jetzt.«

Loreta stand auf und huschte aus dem Raum. Carlos setzte sich wieder an den Schreibtisch und starrte vor sich hin, einen abwesenden Ausdruck im Gesicht.

Dann griff er nach dem Telefon.

Freda wusste nicht, wie sie die Zeit seit dem Anruf von Luis überstanden hatte.

Nur mit Hilfe eines Beruhigungsmittels, das ihr der Arzt nach Alex' Verschwinden verschrieben und von dem sie noch eine Packung aufbewahrt hatte, schleppte sie sich durch die Tage. Tanja war voller Anteilnahme und Verständnis gewesen, und so hatte sie sich freinehmen können. Sie wollte niemanden sehen, mit niemandem reden. Nicht einmal mit Arno, dem sie erzählt hatte, sie sei krank und würde sich melden, wenn es ihr besser ginge.

Nur Johann Krummbaur ließ sie zu sich, er kam mindestens einmal am Tag und rief mehrmals täglich an, um über den Fortgang der amtlichen Ermittlungen zu berichten. Obwohl Freda verzweifelt war über die Langsamkeit des Amtsweges und mehrfach kurz davor stand, einfach einen Flug zu buchen, schaffte er es immer wieder, sie davon abzuhalten. Er war der Einzige, dem sie vertraute, an ihm hing ihre ganze Hoffnung.

Aber nun hatte Carlos angerufen und ihr mitgeteilt, dass es konkrete Hinweise gebe, Josy sei nach der Demonstration festgenommen und entführt worden, von »Leuten, die nicht direkt zur Polizei gehören, aber mit ihr in Verbindung stehen«.

Freda hatte nicht genau verstanden, was das bedeutete. Die Erwähnung der Polizei hatte im ersten Moment beruhigend auf sie gewirkt, bis sie sich klarmachte, dass die mexikanischen Polizisten vermutlich wenig mit ihren deutschen Kollegen vom Schlage eines Johann Krummbaur gemein hatten.

Kaum hatte Carlos das Gespräch beendet, saß Freda bereits am Computer und suchte im Internet Flüge nach Oaxaca. Der einzige Flug, der am nächsten Tag ging, kostete ein Vermögen. Sie buchte ihn. Er wäre günstiger gewesen, wenn sie einen Rückflug mitgebucht hätte, aber da sie überhaupt nicht wusste, wie lange sie in Mexiko bleiben würde, verzichtete sie darauf.

Sie war gerade dabei, ihren Koffer zu packen, als es an der Tür klingelte. Das war bestimmt Johann Krummbaur, der versuchen würde, sie von ihrem Plan abzubringen. Sie beschloss, nicht zu öffnen. Das Klingeln hielt an, gleich darauf klopfte jemand heftig gegen die Tür und rief ihren Namen.

Freda schlich den Flur entlang und lauschte. Es war Arnos Stimme.

»Freda, mach auf! Ich weiß, dass du da bist!«

»Ich kann nicht, Arno, ich bin krank«, rief sie. »Bitte geh wieder!«

»Ich denke nicht daran«, rief er. »Ich bleibe so lange hier, bis du aufmachst.«

Schließlich hielt sie es nicht mehr aus und öffnete die Tür.

»Freda!«, stieß Arno erleichtert hervor und schloss sie in die Arme. »Was ist denn los mit dir? Warum behauptest du, du seist krank? Warum willst du mich nicht sehen?«

Freda presste sich an ihn, klammerte sich geradezu an ihm fest. »Es tut mir leid, ich ... es ist etwas Furchtbares passiert ... ich hatte einfach nicht die Kraft ...«

»Aber ich bin doch dein Freund, vertraust du mir nicht?«

»Doch, natürlich«, schluchzte Freda auf, »ich bin so froh, dass du da bist.« Sie zog ihn in die Wohnung.

»Willst du mir nicht endlich sagen, was passiert ist?« Erst jetzt bemerkte er, wie eingefallen und blass ihr Gesicht war. Ihre Augen wirkten unnatürlich groß.

»Josy ...«, begann sie und schluckte, »Josy ... ist seit Freitag verschwunden. Gerade habe ich erfahren, dass sie wahrscheinlich nach einer Demo festgenommen und ... verschleppt worden ist. Niemand weiß, wer dahintersteckt und wo sie jetzt ist. Und ... ob sie noch lebt.« Sie brach in Tränen aus, Arno nahm sie erneut in die Arme und hielt sie fest.

Sie hob den Kopf von seiner Schulter. »Ich ... fliege morgen nach Oaxaca.«

»Ich komme mit«, sagte er, ohne nachzudenken.

»Nein, bitte nicht«, sagte Freda.

»Warum nicht?«

Sie schüttelte den Kopf. »Das ist zu viel ... ich will das nicht. Du kennst Josy nicht mal.«

»Aber ich kenne dich. Und ... ich liebe dich.«

Es war das erste Mal, dass einer von ihnen diesen Satz ausgesprochen hatte. Bislang hatten sie ihn beide vermieden, aus Angst, er könnte falsch oder abgedroschen klingen. Bei keinem anderen Satz war diese Gefahr so groß, das wussten sie beide. Aber nun hatte Arno ihn ausgesprochen, und er hatte sich gar nicht falsch oder abgedroschen angehört, sondern natürlich und richtig.

Einen Moment blieb es still. Dann brachte Freda ein Lächeln zustande.

»Ich ... liebe dich auch, Arno. Und ich verspreche, dass ich zu dir zurückkomme. Aber jetzt muss ich mein Kind suchen, verstehst du? Das ist im Moment das Wichtigste.«

Arno nickte. »Natürlich verstehe ich das. Darf ich dich morgen zum Flughafen bringen?«

»Gern«, sagte sie und schmiegte ihr Gesicht an seine Wange.

Er blieb einfach da, bereitete ein Abendessen zu, während sie weiter packte, war in ihrer Nähe, unaufdringlich und selbstverständlich. Trotz ihres Zustands spürte sie, wie gut ihr seine Anwesenheit tat, und bedauerte fast, dass sie sein Angebot abgelehnt hatte. Andererseits wusste sie, dass sie diesen Weg alleine gehen musste, dass sie sich durch nichts von ihrem Ziel ablenken lassen durfte.

Sie musste Josy finden. Sie würde Josy finden. Einen anderen Gedanken ließ sie nicht zu.

17

Benito hatte es geschafft, einen der beiden Männer, die zusammen mit Josy festgenommen worden waren, zu einem Treffen mit Carlos zu überreden. Die Angst des Mannes war so groß, dass er eine Reihe von Sicherheitsmaßnahmen verlangt hatte, die ihn schützen sollten.

So wollte er Carlos erst nach Einbruch der Dunkelheit treffen, an einem Ort, den er ihm unmittelbar zuvor mitteilen würde. Außerdem würde er eine Maskierung benutzen, so dass man ihn nicht erkennen könnte. Schließlich würde er höchstens fünfzehn Minuten lang Fragen beantworten, und auch nur solche, die seine Identität nicht verrieten.

Carlos hatte sich auf alle Bedingungen eingelassen. Ihn interessierte nicht, wer der Mann war, er wollte nur erfahren, was an dem Abend genau geschehen war.

Er wartete zu Hause neben dem Telefon, während Luis nervös herumwanderte, eine Angewohnheit, die er seit frühester Kindheit nicht abgelegt hatte.

»Soll ich nicht doch lieber mitkommen?«, fragte er zum wiederholten Mal.

»Nein«, sagte Carlos entschieden. »Der Mann ist völlig paranoid. Wenn er sieht, dass ich nicht allein bin, haut er womöglich ab.«

»Aber wer sagt dir, dass der Typ nicht gefährlich ist?«

»Mein Instinkt. Und jetzt tu mir den Gefallen und hör mit diesem Herumgerenne auf.«

Folgsam setzte Luis sich auf einen Küchenstuhl, wo es ihn aber nur wenige Sekunden hielt. Gleich darauf setzte er seine Wanderung fort.

Das Telefon klingelte. Vater und Sohn tauschten einen Blick. Carlos hob ab.

»Sí?«

Der Informant bestellte Carlos auf das Gelände einer Autowerkstatt an der Periférico, die um diese Zeit natürlich geschlossen war.

»Das Tor ist angelehnt, Sie müssen es nur aufdrücken«, sagte die Stimme. »Keine Angst, der Hund ist harmlos. Er wird Sie anbellen, beschnüffeln und dann in Ruhe lassen.«

Carlos sah auf die Uhr und schätzte die Entfernung. »Ich bin in einer halben Stunde da«, sagte er und legte auf.

»Viel Glück«, wünschte Luis und sah seinem Vater nach, bis er in der Dunkelheit verschwunden war.

Carlos ging zügig die Straßen entlang. Wenn der Bus vorbeikommen sollte, könnte er einsteigen, er würde es aber auch zu Fuß rechtzeitig schaffen. Der Bus passierte ihn, als er genau zwischen zwei Haltestellen war.

Nach exakt einer halben Stunde erreichte er den Treffpunkt. Das Gelände lag etwas zurückgesetzt von der Straße und wurde von zwei Laternen trüb erleuchtet. Als Carlos das Tor aufdrückte, kam wie aus dem Nichts ein Hund auf ihn zugesprungen und bellte laut. Carlos erlitt fast eine Herzattacke. Den verdammten Köter hatte er völlig vergessen! Er hielt sich an die Anweisung, blieb stehen, ließ den Hund an sich herumschnüffeln, und tatsächlich, nach einem abschließenden Knurren, das ihm einen weiteren Schauder über den Rücken jagte, trollte sich das Tier. Toller Wachhund, dachte Carlos.

Er ließ seinen Blick über den Hof schweifen, auf dem Autos und Autoteile herumstanden, manche neu und glänzend, andere alt und zerbeult.

Aus dem Augenwinkel nahm er eine Bewegung wahr und drehte sich schnell um. An einen Reifenstapel gelehnt stand ein Mann in Jeans und Lederjacke mit einer Skimütze über dem Kopf, in die Löcher für Augen, Mund und Nase geschnitten waren. Er sah aus wie ein Bankräuber im Kino. Carlos ging mit ruhigen Schritten auf ihn zu und grüßte.

»Hallo, guten Abend. Danke, dass Sie gekommen sind.«

Der Mann hob grüßend die Hand und murmelte etwas. Carlos machte ein paar Schritte auf ihn zu und blieb in ungefähr anderthalb Metern Entfernung stehen. Die Augen des Mannes blitzten im Licht der Laternen für einen Moment auf.

»Was wollen Sie von mir?«, fragte er. Nach der Stimme zu schließen war er um die vierzig. Seine Haltung verriet die Anspannung, unter der er stand.

Carlos hob beruhigend die Hände und zeigte seine offenen Handflächen. »Sie haben nichts von mir zu befürchten«, sagte er. »Ich möchte nur wissen, was sich am letzten Freitag genau abgespielt hat. Die junge Frau, die mit Ihnen weggebracht wurde, ist sehr wahrscheinlich eine Deutsche, die ihr soziales Jahr bei mir absolviert. Wie Sie vielleicht aus der Zeitung wissen, ist sie noch immer verschwunden, und wir machen uns große Sorgen. Vielleicht können Sie mir etwas sagen, das helfen kann, sie zu finden.«

Der Mann schien sich ein bisschen zu entspannen. Er beschrieb, wie er mit seinem Freund die Demonstration besucht hatte, wie sie vor dem Tränengas geflüchtet und die Hidalgo entlanggerannt waren.

»Plötzlich hörten wir hinter uns ein Auto in großem Tempo herankommen. Die Leute schrien, sprangen zur Seite. Mein Freund riss mich von der Straße, ich geriet ins Straucheln und stürzte. Neben mir stürzte ein junges Mädchen. Mein Freund wollte mich hochziehen, aber es war schon zu spät. Der Pick-up hielt neben uns, mehrere Männer mit Schlagstöcken sprangen herab und prügelten auf uns ein. Dann packten sie mich, meinen Freund und das Mädchen und warfen uns auf die Ladefläche. Sie schmissen Decken über uns, drückten uns nach unten und rasten los.«

»Können Sie das Mädchen beschreiben?«

Er zögerte. »Nicht genau, ich habe sie ja nur Sekundenbruchteile gesehen. Sie sah aus wie viele. Dunkle Haare, gelockt. Nicht sehr groß.«

»Sonst ist Ihnen nichts aufgefallen?«

»Doch, als sie auf der Ladefläche aufkam, sagte sie ›Aua‹. Ich glaube, das ist deutsch.«

Carlos erstarrte. Wenn er noch irgendwelche Zweifel gehabt hätte, dann wären sie jetzt dahin. Es konnte sich nur um Josy handeln.

»Was passierte danach?«

»Wir fuhren noch eine Weile, eine halbe oder Dreiviertelstunde. Die Kerle brüllten herum, fragten uns nach unseren Namen und Adressen.«

»Was hat das Mädchen geantwortet?«

»Das habe ich nicht verstanden. Der Motor war laut, und sie sprach sehr leise, außerdem hatten wir die Decken über dem Kopf. Irgendwann haben sie angehalten und meinen Freund und mich von der Ladefläche getrieben. Wir waren außerhalb der Stadt, an einem Bauernhof. Sie haben uns in einen Stall gesperrt, zu den Schafen. Wissen Sie, wie Schafe stinken?« Der Mann schüttelte sich angeekelt bei der Erinnerung.

»Was passierte mit dem Mädchen?«

»Sie sind mit ihr weggefahren. Ich weiß nicht, wohin. Uns haben sie dann die ganze Nacht verhört und immer wieder geschlagen. Den ganzen nächsten Tag und die nächste Nacht hielten sie uns gefangen, ohne Nahrung und ohne Wasser.«

»Hatten Sie den Eindruck, dass die Männer auf Anweisung gehandelt haben?«

Der Mann schnaubte. »Ich hatte den Eindruck, das waren wild gewordene Bauernlümmel, die sich für ein paar Pesos haben kaufen lassen und ihr Mütchen an uns gekühlt haben. Dahinter war kein Plan, keine Strategie. Sie wollten uns nur triezen und einschüchtern.«

»Und das haben sie geschafft«, stellte Carlos fest. »Hat man Ihnen Sanktionen angedroht, für den Fall, dass Sie darüber sprechen sollten?«

Der Mann trat einen Schritt zurück. »Warum fragen Sie das?«, sagte er, plötzlich misstrauisch geworden.

»Deshalb«, sagte Carlos, drehte sich um und zog sein Hemd ein Stück hoch. »Ich weiß, wovon Sie reden.«

»Tut mir leid«, sagte der Mann. »Ja, sie haben uns gedroht. Sie sagten, sie würden unsere Frauen und Kinder umbringen, wenn wir einer Menschenseele davon erzählten. Deshalb haben wir geschwiegen.«

»Und warum sprechen Sie jetzt mit mir?«

Der Mann stand einen Moment ganz still. »Weil man es irgendjemandem erzählen muss!«, brach es dann aus ihm heraus. Er riss sich die Mütze vom Kopf und starrte Carlos aus geröteten Augen an. »Man fühlt sich so beschissen, so gedemütigt! Hier, sehen Sie mich an, eine Witzfigur, einen Versager, der in der Schafscheiße gelegen und um sein Leben gewinselt hat.«

Er war ein sympathisch aussehender Mann, Künstler vielleicht, Fotograf oder ... Journalist. Natürlich, wie sonst hätte Benito so schnell Kontakt zu ihm aufnehmen können! Es musste einer seiner Kollegen sein.

Der Mann wirkte völlig verstört, Carlos hatte den Impuls, zu ihm zu gehen und tröstend den Arm um ihn zu legen, aber er ließ es bleiben.

»Ich weiß, wie Sie sich fühlen«, sagte er. »Glauben Sie mir, es wird besser. Anfangs denkt man, mit dieser Demütigung kann man nicht weiterleben. Aber Sie werden feststellen, dass Sie es können. Und dass Sie für Ihre Peiniger nicht mal mehr Hass aufbringen. Nur Verachtung.«

Der Mann hörte ihm zu, Hoffnung im Blick. »Danke«, sagte er. »Kann ich Ihnen noch irgendwie weiterhelfen?«

»Können Sie mir sagen, in welche Richtung Sie die Stadt verlassen haben?«

»Schwer zu sagen. Erst ging es eine ganze Weile geradeaus, die Hidalgo entlang Richtung Osten, dann wurde es kurvig, und ich habe die Orientierung verloren.«

»Können Sie den Bauernhof genauer beschreiben?«

Der Mann fuhr sich mit der Hand durch die wirren Haare, versuchte, sie zu glätten. »Ein Bauernhof eben«, sagte er hilflos. »Links war das Wohnhaus, daneben die Ställe. Die Landschaft war hügelig, aber wir waren noch ziemlich weit unten im Tal.«

»Haben Sie die Bewohner des Bauernhofs gesehen?«

»Nein, niemanden. Aber die Kerle schienen sich auszukennen, die waren nicht fremd dort, das steht fest.«

Carlos nickte nachdenklich. »Das waren schon wertvolle Hinweise«, sagte er, »vielen Dank. Kann ich Sie irgendwie erreichen, wenn mir noch eine Frage einfällt?«

Wieder blickte der Mann für einen kurzen Moment misstrauisch zu ihm rüber, dann zog er einen Notizblock und einen Stift aus der Tasche seiner Lederjacke und kritzelte eine Telefonnummer darauf. Er reichte ihm den Zettel.

»Ich gehe jetzt«, sagte er. »Bitte warten Sie ein paar Minuten, bevor Sie mir folgen.«

»Claro«, sagte Carlos und lächelte ihn an.

Endlich war Freda unterwegs. Sie war von München nach Madrid geflogen und saß nun in der Maschine nach Mexico City, wo sie noch einmal umsteigen musste, um nach Oaxaca zu kommen. Über zwölf Stunden Flug lagen vor ihr, und allein bei diesem Gedanken drehte sie fast durch. Zwölf Stunden still sitzen! Zwölf Stunden den marternden Gedanken in ihrem Kopf ausgeliefert sein! Sie glaubte, das nicht ertragen zu können, und suchte die Schachtel mit den Beruhigungspillen in ihrer Handtasche. Es waren noch sechs Stück; normalerweise nahm sie zwei auf einmal, nun schluckte sie vier und spülte mit einem Gin Tonic nach. Fünfzehn Minuten später merkte sie, wie ihr Körper schwer wurde und sich allmählich entspannte. Sie stellte ihre Rückenlehne so weit nach hinten, wie es möglich war, und dämmerte die nächsten Stunden dahin;

kein Gedanke schaffte es, bis in ihr Bewusstsein vorzu-
dringen.

Immer wieder ging die Stewardess vorbei und bedachte
sie mit besorgten Blicken, weil Freda ihr Essen abgelehnt
und auch sonst keinerlei Wünsche geäußert hatte. Einmal
beugte sie sich zu ihr und fragte flüsternd: »Ist alles in Ordnung?«

Freda nickte. »Ich bin nur müde.«

Irgendwann ließ die Wirkung der Tabletten nach, aber je
näher sie ihrem Ziel kam, desto besser fühlte sie sich. Endlich würde sie etwas unternehmen können, was immer es
auch sein mochte. Die Warterei der letzten Tage hatte sie
völlig fertiggemacht, trotz des Beistands von Krummbaur.

Als sie ihm telefonisch mitgeteilt hatte, dass sie nun
doch nach Mexiko reisen würde, war er geradezu persönlich beleidigt gewesen.

»Sie vertrauen mir also nicht«, hatte er gesagt.

»Darum geht es doch gar nicht«, hatte Freda erwidert.
»Es gibt Hinweise auf den Verbleib von Josy, und ich glaube,
dass ich vor Ort mehr erreichen kann, als wenn ich hier he-
rumsitze und warte.«

»Ich verstehe Sie nicht, Freda. Ich habe doch alles getan,
was möglich ist.«

»Das haben Sie, Johann, und ich weiß das zu schätzen.
Aber beim letzten Mal habe ich zwei Jahre gewartet und
dann erfahren, dass mein Mann tot ist.«

Krummbaur war stumm geblieben. Dann hatte er sich
geräuspert und förmlich gesagt: »Ich wünsche Ihnen viel
Glück.« Damit hatte er aufgelegt.

Die Maschine begann ihren Anflug auf Mexico City. Noch
knapp vier Stunden, dann wäre sie in Oaxaca.

Am Flughafen wartete Luis mit seinem Vater. Carlos' Stirn lag in tiefen Sorgenfalten. Luis kämpfte mit den Tränen, als er Freda auf sich zukommen sah.

Sie umarmte beide in einer spontanen Aufwallung und sagte: »Ihr müsst euch nicht schuldig fühlen. Es war Josys Entscheidung, hierherzukommen. Keiner von euch trägt die Verantwortung für das, was passiert ist.«

Luis wischte sich verstohlen die Augen. Er hatte solche Angst vor der Begegnung mit ihr gehabt, denn natürlich fühlte er sich schuldig. Dass Freda nun so freundlich zu ihm war und ihm nicht den geringsten Vorwurf machte, erleichterte und beschämte ihn zugleich.

Sie bestiegen den Bus Richtung Zentrum. Freda nahm kaum wahr, was um sie her geschah. Sie bemerkte nicht die bunt gekleidete Indiofrau, deren Kinder sich zwischen den Falten ihres Rocks versteckten und sie neugierig beäugten. Sie sah nicht die Landschaft und die Richtung Stadt dichter werdende Besiedelung, die bemalten Häuser und das Gewimmel von Menschen und Fahrzeugen in den Straßen. Sie hatte nur einen einzigen Gedanken, der sich unablässig in ihrem Kopf bewegte.

»Gibt es denn irgendetwas Neues?«, fragte sie endlich.

Beide Männer schüttelten den Kopf.

»Und was können wir jetzt tun?«

»Wir gehen gemeinsam zur Polizei«, erklärte Carlos. »Ich war zwar schon dort und habe Josy als vermisst gemeldet, aber wenn Sie als Ausländerin auftauchen und Druck machen, hat das eine ganz andere Wirkung.«

»Wie soll das gehen?«

»Sie müssen sagen, dass Sie das Auswärtige Amt eingeschaltet haben, dass die Deutsche Botschaft in Mexico

City informiert ist und dass mit erheblichen Unannehmlichkeiten zu rechnen ist, wenn nicht endlich etwas unternommen wird. Diese Leute denken hierarchisch, sie reagieren nur auf Druck von oben, am besten politischen Druck.«

Freda nickte nachdenklich. »Haben Sie denn eine Ahnung, wer die Leute sind, die Josy ... in ihrer Gewalt haben?«

»Vermutlich Männer einer gedungenen Schlägertruppe, die bei Demonstrationen und ähnlichen Gelegenheiten zur Verstärkung eingesetzt werden. Wir wissen allerdings nicht, wie eng ihre Verbindungen zur Polizei sind. Im besten Fall haben sie auf deren Anweisung gehandelt, dann wäre es möglich, dass wir etwas ausrichten können. Es wäre aber auch möglich, dass sie eigenmächtig tätig waren. Dann ist die Sache sehr viel schwieriger.«

»Soll ich mir vielleicht einen Anwalt nehmen?«, fragte Freda.

Carlos überlegte. »Das ist keine schlechte Idee. Es gibt da jemanden, der auf Fälle dieser Art spezialisiert ist. Ich werde ihn fragen.«

Josy balancierte auf einem Haufen aufgeschichteter Ziegel und stocherte mit einer Stange im Dachstuhl. Schweiß lief ihr übers Gesicht und in die Augen, so groß war die Anstrengung, das Gleichgewicht zu halten und dabei genügend Kraft aufzubringen, um mögliche brüchige Stellen in der Dachverkleidung zu finden.

Gleichzeitig lauschte sie nach draußen; sobald sie das Auto ihrer Entführer hören würde, müsste sie den Ziegelhaufen umstoßen und die Steine schnell verstecken. Aber noch war alles ruhig. Es war früh am Morgen, und vor dem späten Vormittag war noch nie jemand hier aufgetaucht.

Sie wusste, dass die Zeit drängte. Jeder Tag, den die Kerle sie festhielten, brachte sie in größere Gefahr. Es war offensichtlich, dass die beiden keinen Plan hatten und nicht wussten, was sie mit ihr anfangen sollten.

Sie glaubte nicht, dass sie Polizisten waren. Sie glaubte vielmehr, dass sie einer Art privater Verstärkungsgruppe angehörten, die von der Polizei für die Demo engagiert worden war. Im Internet hatte sie mal etwas über solche Gruppen gelesen.

Wenn sie wenigstens wüsste, was Carlos inzwischen unternommen hätte, um sie zu finden. Ob er ihre Mutter informiert hätte. Und was die von Deutschland aus überhaupt unternehmen könnte.

Sie erinnerte sich an die Geiselnahmen von Deutschen im Ausland, über die sie in den letzten Jahren gelesen hatte. Es waren immer Wochen, manchmal Monate vergangen, bis die Leute »nach zähen Verhandlungen«, wie es hieß, freigekommen waren. Manche waren auch nicht freigekommen, aber daran wollte sie lieber nicht denken.

Auch nicht daran, was die Nachricht von ihrem Verschwinden bei Freda auslösen würde. Sie konnte sich die panische Angst, die Hilflosigkeit und Verzweiflung ihrer Mutter nur allzu gut vorstellen. Sie war sicher, dass es für Freda schlimmer war als für sie selbst.

Das Problem war, dass sie sich nicht in der Hand von Kriminellen befand, die es auf Geld abgesehen hatten. Dann hätten sie längst ein Foto von ihr gemacht und Lösegeld gefordert. Dann gäbe es eine konkrete Spur, und bestimmt würde bereits nach ihr gesucht werden.

Ihre Entführung aber war, wie sie die Sache einschätzte, ein bedauerlicher Irrtum, und ihre Entführer zwei naive Idioten, denen die Sache über den Kopf zu wachsen drohte. Das machte sie nicht weniger gefährlich. Im Gegenteil.

Wie sie die Sache drehte und wendete, sie kam zum immer gleichen Ergebnis: Sie musste hier raus!

Mit aller Kraft stieß sie nach oben – und wäre fast von ihrem Ziegelturm gestürzt. Die Stange traf nicht auf Widerstand, das Dach war an dieser Stelle morsch und brüchig. Vorsichtig prüfte sie ringsherum das Holz, überall fühlte es sich weich an.

Jetzt musste es schnell gehen. Sie sprang auf den Boden und suchte nach mehr Steinen, um den Turm verbreitern und höher bauen zu können. Sie musste so hoch kommen, dass sie einen der Dachbalken erreichen, sich an ihm festhalten und hochziehen könnte – vorausgesetzt, sie schaffte es, ein Loch in die Decke zu schlagen.

Sie arbeitete wie besessen. Es war ein Wettlauf gegen die Zeit: Je besser sie vorwärtskäme, desto schwieriger würde es sein, die Spuren ihres Ausbruchsversuchs zu verdecken. War erst ein Loch in der Decke, müsste sie es schaffen, zu entkommen, bevor die beiden hier wären.

Josy hatte das Gefühl, ihr wüchsen ungeahnte Kräfte zu. All ihre Angst, das Gefühl von Hilflosigkeit und Demütigung bündelten sich zu einer Energie, die sie noch nie in sich gespürt hatte.

Nach einer knappen Stunde hatte sie es geschafft, eine Öffnung in die Holzdecke zu schlagen. Die Sonne stand bereits hoch am Himmel und schien zu ihr herein wie ein Zeichen der Hoffnung. Aber das Loch war noch nicht groß genug, außerdem stachen lauter Holzsplitter hervor, an denen sie sich beim Hinausklettern verletzen würde. Ohne Pause arbeitete sie weiter, vergrößerte Zentimeter für Zentimeter den Durchbruch, bis sie glaubte, dass sie es schaffen könnte. Sie stieg von ihrem Turm herab, griff nach einer Wasserflasche und trank sie in einem Zug leer, eine zweite steckte sie in ihren Stoffbeutel. In diesem Moment hörte sie ein Auto, das sich schnell näherte.

18

Martín Gómez Suárez war Anwalt und engagierter Kämpfer für Menschenrechte und gegen Korruption. Entsprechend unbeliebt war er bei bestimmten Mitgliedern der Regierung und der Verwaltung von Oaxaca. Da er aber bereits mehrere Auszeichnungen, auch aus dem Ausland, erhalten hatte, ließ man ihn notgedrungen gewähren.

Carlos hatte lange überlegt, ob Suárez der Richtige wäre oder ob sein Ruf eher schädlich sein könnte. Er war zu dem Schluss gekommen, dass zu diesem Zeitpunkt – Josy war nun über eine Woche in den Händen ihrer Entführer – nur noch offensives Handeln helfen könnte. Die Popularität des Anwalts würde den Druck verstärken, und das war gut so.

Über Benito, der mit Suárez bekannt war, verschaffte Carlos sich kurzfristig einen Termin. Normalerweise wartete man mindestens zwei Wochen.

Nun saß er bereits am frühen Morgen dem berühmten Anwalt in seinem kleinen, mit Akten vollgestopften Büro gegenüber und schilderte, was vorgefallen war. Suárez, ein Mittfünfziger mit fleischigem Gesicht, grauem, lockigem Haar und einer runden Brille, hörte schweigend zu und machte sich Notizen. Dann hob er den Kopf und blickte Carlos vorwurfsvoll an. »Warum sind Sie nicht früher gekommen?«

Carlos wand sich verlegen. »Ich ... ich kann mir Ihre Arbeit nicht leisten, Herr Rechtsanwalt. Die Mutter der Entführten ist inzwischen in Oaxaca eingetroffen, sie ist in der Lage, Sie mit einem Mandat zu betrauen.«

Suárez sah ihn an, seine Augen blitzten. »Merken Sie sich eines, mein Freund, wenn es um ein Menschenleben geht, darf Geld keine Rolle spielen. Verstanden?«

Carlos nickte. »Dann nehmen Sie das Mandat also an?«

»Selbstverständlich.«

»Nein, bitte nicht!« Loreta sah Carlos flehend an. »Das kannst du nicht von mir verlangen!« Sie stand vor ihm und rang die Hände, ihr ganzer Körper bebte vor Erregung.

Carlos blieb scheinbar ungerührt. »Und ob ich das kann. Hast du nicht gesagt, es tut dir leid und du würdest es gerne ungeschehen machen? Das kannst du leider nicht, aber du kannst wenigstens versuchen, Josy zu helfen. Also wirst du heute Nachmittag bei der Polizei aussagen.«

»Aber ich habe Angst! Du weißt genau, dass ich Schwierigkeiten bekommen kann!«

»Schwierigkeiten bekommst du so oder so, du kannst dir nur noch aussuchen, welche.«

Loretas Blick flatterte. Mit einer nervösen Bewegung strich sie sich die Haare aus dem Gesicht. »Was willst du damit sagen?«

»Dass ich dich aus dem Zentrum werfe, wenn du dich weigerst.«

Es fiel Carlos schwer, so hart zu sein. Loreta war ja nicht bösartig, sie war nur ein eifersüchtiges, dummes Mädchen. Aber sie musste für ihr Verhalten die Verantwortung übernehmen. Außerdem brauchte er ihre Aussage.

Er blickte sie ernst an. »Jeder macht Fehler, Loreta. Entscheidend ist, wie man damit umgeht. Dein Verhalten war gemein und feige. Jetzt hast du die Möglichkeit, Anstand und Mut zu beweisen. Ich an deiner Stelle würde diese Chance nutzen.«

Er ließ ihr keine Zeit für eine Erwiderung und verließ den Raum.

Zielstrebig näherten sich am selben Nachmittag fünf Personen dem Polizeipräsidium. Vorneweg ging Suárez mit energischen Schritten, eine Aktenmappe unter den rechten Arm geklemmt. Es folgten Carlos, Freda, Kristin und Loreta. Luis war im Zentrum geblieben.

Suárez hatte zwar einen Termin vereinbart, allen war jedoch klar, dass diese Tatsache nicht unbedingt einen Einfluss auf die Wartezeit haben würde. Sie meldeten sich an der Pforte, dann gingen sie in den zweiten Stock und setzten sich nebeneinander auf eine Bank im Flur. Suárez klopfte an die Tür des Vorzimmers und trat ein; Carlos sah durch den Spalt, dass dieselbe Frau darin saß wie bei seinem letzten Besuch.

Diesmal dauerte es nur etwa fünfzehn Minuten, bis sie aufgerufen wurden. Sie betraten den Raum, in dem Carlos die Vermisstenanzeige aufgegeben hatte. Und natürlich saß wieder Comandante Cortez hinter dem Schreibtisch, der diese Anzeige vermutlich unbearbeitet abgelegt oder vernichtet hatte. Er musterte die Gruppe, die sein Büro betrat, und begrüßte Suárez mit einem knappen Nicken. Als sein Blick auf Carlos fiel, verzog sich sein Gesicht.

»Sie schon wieder«, sagte er.

Carlos hatte Mühe, sich eine heftige Entgegnung zu verkneifen. Aber er war ja hier, weil sein erster Besuch gänzlich wirkungslos geblieben war, also nahm er sich zusammen.

Es gab nur vier Sitzgelegenheiten, deshalb blieb Loreta im Hintergrund an der Wand stehen, so weit weg vom Geschehen wie möglich. Die anderen setzten sich, Suárez ergriff das Wort und bat um Verständnis dafür, dass Carlos für Freda ins Deutsche übersetzte. Der Polizeioffizier brummte etwas Zustimmendes.

Der Anwalt fasste die Ereignisse von dem Moment an, in dem Kristin und Josy sich in der Nähe des Zócalo verabschiedet hatten, bis zur Ankunft von Freda zusammen. Er erwähnte die Zeitungsmeldung, die anonyme Zeugenaussage und zog die Schlussfolgerung, dass es sich bei der Verschleppten mit an Sicherheit grenzender Wahrscheinlichkeit um die vermisste Josefine März handele.

Der Mann hörte mit gesenktem Blick zu. Dann fixierte er Kristin. »Woher wissen Sie überhaupt, dass Ihre Kollegin zur Demo gegangen ist?«

»Weil sie dort mit ihrem Freund verabredet war. Und weil sie sich auch von mir nicht davon abbringen lassen wollte, hinzugehen.«

»Warum wollten Sie Ihre Freundin davon abhalten?«

»Weil ich Angst hatte, dass die Situation eskalieren könnte. Und weil ich weiß«, fügte sie schnell hinzu, »dass Ausländer sich nicht politisch betätigen sollen.«

»Exakt«, stellte der Beamte mit schneidender Stimme fest. »Ihre Freundin hat sich nicht an dieses Verbot gehalten, nun muss sie mit den Konsequenzen leben.«

Suárez beugte sich nach vorne. »Aber die Konsequenz aus diesem Fehlverhalten kann ja nicht sein, dass sie verschleppt und illegal festgehalten wird«, sagte er mit verbindlichem Lächeln.

»Wollen Sie damit sagen, die Polizei bediene sich illegaler Methoden?«, fragte Cortez und betonte jedes Wort einzeln.

»Das habe ich nicht gesagt. Aber irgendjemand hält das Mädchen fest, und da bislang keine Lösegeldforderung eingegangen ist, müssen wir davon ausgehen, dass es sich nicht um einen kriminellen Hintergrund handelt, sondern um das Vorgehen gewisser Kräfte, die möglicherweise ihre Anordnungen zumindest ursprünglich aus dem Bereich der hiesigen Ordnungsmacht erhalten haben.«

Freda, die dem Gespräch durch Carlos' Übersetzung einigermaßen folgen konnte, war beeindruckt von Suárez' Formulierungskunst. Außerdem schien er überhaupt keine Angst zu haben, was auf die anderen in der Gruppe keineswegs zutraf. Sie spürte, wie angespannt Carlos war und wie verängstigt Loreta. Einzig Kristin wirkte einigermaßen ruhig und selbstbewusst.

»Diese Unterstellung ist absurd«, erklärte der Beamte, »aber das ist Ihnen vermutlich selbst klar. Was ist mit dem Freund der Vermissten, wie heißt er?«

»Das habe ich Ihnen bereits bei meinem letzten Besuch gesagt«, schaltete sich Carlos ein, »der Junge heißt Miguel Sánchez Martínez.«

Er bemerkte, dass der Mann bei der Erwähnung des Namens kurz stutzte und sich eine Notiz machte.

»Hat die Vermisste ihn getroffen? Haben Sie mit ihm gesprochen? Vielleicht weiß er ja, wo das Mädchen ist?«

Carlos berichtete, dass Miguel und Josy sich zwar getroffen, wegen einer Meinungsverschiedenheit aber schnell wieder getrennt hätten. Danach habe der Junge sie nicht mehr gesehen.

»Und was ist mit dieser anonymen Anruferin? Was will sie genau gesehen haben?«

Suárez bedeutete Loreta, vorzutreten.

Zögernd ging sie einige Schritte auf den Schreibtisch zu. »Das war ich ... ich habe bei der Zeitung angerufen.«

Der Comandante musterte sie mit undurchdringlichem Gesicht. »Sie waren also ebenfalls bei der Versammlung.«

Loreta nickte mit gesenktem Kopf.

»Waren Sie gemeinsam mit Ihrer Kollegin dort?«

»Nein, wir trafen uns später, als wir ... wegliefen. Ich habe meine Kollegin in der Menge gesehen, sie ... sie bekam keine Luft. Da war doch das Tränengas. Ich wollte ihr helfen und habe ihr Cola auf ihr T-Shirt geschüttet, das wirkt wie ein Atemfilter ...«

»Cola?«, unterbrach der Polizist, »Sie meinen Coca-Cola?«

Loreta nickte.

Um seine Mundwinkel spielte ein spöttisches Lächeln. »Für die Revolution sein, aber mit den Mitteln des Klassenfeindes operieren«, sagte er verächtlich. »Weiter!«

»Jedenfalls ... wir sind dann eine Weile nebeneinanderher gelaufen, und dann habe ich gesehen, wie meine Kollegin gestürzt ist. Sie wurde von zwei Männern aufgegriffen und auf die Ladefläche einer Art Lieferwagen geworfen.«

»Können Sie die Männer beschreiben?«

»Sie waren schwarz gekleidet und hatten Schlagstöcke. Einer war ... maskiert, er trug ein Tuch vor dem Gesicht.«

»Was geschah dann?«

»Der Wagen fuhr mit hoher Geschwindigkeit davon.«

Carlos warf Loreta ein Lächeln zu. Sie war also über ihren Schatten gesprungen. Er konnte stolz auf sie sein.

Die Miene des Ermittlers blieb unbewegt. »Aufgrund der Ausschreitungen im Rahmen der nicht genehmigten Demonstration waren die Ordnungshüter gezwungen, einige Festnahmen durchzuführen. Sofern kein nachweisbares Delikt vorlag, wurden alle Betroffenen noch in derselben Nacht, spätestens aber am nächsten Tag, auf freien Fuß gesetzt.«

Seine Worte klangen wie eine amtliche Verlautbarung, gestanzt und auswendig gelernt. Im Übrigen, bemerkte Carlos, entsprach die Formulierung weitgehend der ersten Zeitungsmeldung. Wut stieg in ihm hoch. Der Kerl hatte eine perfide Art, sich vermeintlich korrekt und dem Gesetz entsprechend zu geben und in Wirklichkeit auf nichts von dem einzugehen, was gesagt wurde.

»Warum haben Sie ein zweites Mal beim ›Diario‹ angerufen?«, setzte Cortez Loretas Befragung fort.

»Weil ... ich meiner Kollegin helfen wollte.«

»Und warum sind Sie nicht einfach hierhergekommen und haben eine Aussage gemacht?«, donnerte er.

Loreta zuckte zusammen.

»Vielleicht, weil sie sich gefürchtet hat?«, schaltete Suárez sich ein. »Ihre Vernehmungsmethoden würden dazu durchaus Anlass geben.«

Die Augen des Comandante verengten sich. Er wandte sich Freda zu, die unruhig auf ihrem Stuhl herumrutschte. Man konnte ihr ansehen, dass sie große Anstrengungen aufbringen musste, sich zu beherrschen.

»Und Sie lassen Ihre Tochter ins Ausland gehen, wo sie gegen die Regeln verstößt, und dann kommen Sie her und wollen sich beschweren?«

Freda schnappte nach Luft. Suárez sandte ihr einen warnenden Blick, und sie besann sich auf die zuvor besprochene Strategie.

»Ich will mich nicht beschweren, ich will nur meine Tochter finden«, begann sie so ruhig wie möglich, und Carlos übersetzte. »Haben Sie Kinder? Können Sie auch nur im Entferntesten ahnen, was ich durchmache?«

Der Polizeioffizier machte eine unwillige Handbewegung. »Kommen Sie mir nicht mit Sentimentalitäten. Sie hätten Ihrer Tochter besser beigebracht, sich an die Gesetze zu halten, dann hätten Sie jetzt kein Problem.«

»Wenn Sie nicht alles tun, um sie endlich zu finden, dann haben Sie bald ein Problem!«, sagte Freda energisch. »Das Auswärtige Amt in Berlin ist bereits informiert, die Botschaft in Mexico City ebenso. Man hat dort wenig Verständnis für den Vorfall, insbesondere nachdem vor kurzem erst vier spanische Staatsbürger aus Oaxaca verschleppt und mehrere Tage widerrechtlich festgehalten und misshandelt worden sind. Wenn Ihnen am internationalen Ansehen Ihres Landes und Ihrer Stadt gelegen ist, sollten Sie schnellstens tätig werden.«

Carlos brach der Schweiß aus. Er hatte beim Übersetzen immer schneller und leiser gesprochen, aber natürlich hatte Cortez trotzdem alles genau verstanden. Er erwartete einen Wutausbruch, doch stattdessen lehnte der Polizist sich zurück und setzte ein arrogantes Lächeln auf.

»Ihr seid doch alle gleich«, sagte er. »Gringos, Europäer, alle glaubt ihr, uns beibringen zu müssen, wie wir unser Land regieren sollen. Uns, den faulen, korrupten Mexikanern, die den ganzen Tag mit dem Sombrero auf dem Kopf und der

Tequila-Flasche in der Hand in der Hängematte liegen, wenn wir nicht gerade unsere politischen Gegner jagen und dabei die Menschenrechte verletzen. Das ist wie mit den angeblichen Menschenopfern der Azteken, die sind auch erfunden, trotzdem glauben alle daran.«

Freda war jetzt kurz davor, die Nerven zu verlieren. »Also, was ist, suchen Sie nach meiner Tochter, oder nicht?«

Das Lächeln des Comandante verstärkte sich. »Natürlich suchen wir nach Ihrer Tochter, wir leben hier schließlich in einem Rechtsstaat«, erklärte er mit sanfter Stimme. Dann blickte er sie an, und das Lächeln verschwand schlagartig aus seinem Gesicht. »Aber was immer Ihrer Tochter zugestoßen ist, hat sie sich selbst zuzuschreiben. Wir sind fertig, Sie können draußen warten. Herr Rechtsanwalt, bleiben Sie bitte noch einen Moment hier.«

Alle, bis auf Suárez, erhoben sich und verließen den Raum. Draußen sank Freda auf die Bank und begann zu weinen.

»Wir hätten genauso gut gegen eine Wand reden können«, schluchzte sie, »das hätte die gleiche Wirkung gehabt.«

Carlos legte den Arm um ihre Schultern. »Das stimmt nicht, Freda. Es war gut, dass wir hier waren. Jetzt wissen sie, dass nach Josy gesucht wird, dass Anfragen kommen werden, dass diplomatische Verwicklungen drohen. Auch wenn der Kerl es nicht zugegeben hat, er weiß jetzt, dass er handeln muss.«

»Aber das dauert alles so lange! Die Vorstellung, dass Josy seit acht Tagen irgendwo eingesperrt ist, dass sie vielleicht misshandelt wird, das ist einfach ... unerträglich!« Die Stimme versagte ihr.

Carlos drückte sie tröstend an sich. Kristin und Loreta standen hilflos dabei.

Nach einigen Minuten kam der Anwalt zu ihnen. Sein Gesicht war ernst, eine Zornesfalte stand steil auf seiner Stirn.

»Was wollte er?«, fragte Carlos, und Freda blickte auf.

Suárez schnaubte. »Mich einschüchtern. Ich solle dafür sorgen, dass die Mutter keinen Wind mache. Je mehr Aufsehen wir erregten, desto negativer könne sich das für das Mädchen auswirken. Als ich ihn fragte, woher er das wisse, wenn die Polizei nichts mit ihrem Verschwinden zu tun habe, ist er natürlich ausgewichen. Das sei eine grundsätzliche Erfahrung, behauptete er.«

Verzweifelt schüttelte Freda den Kopf.

Das Motorengeräusch war schnell näher gekommen, und Josy hatte gewusst, dass es nun darauf ankäme, dass dies ihre einzige Chance war.

Sie hatte sich ihren Beutel geschnappt, war auf den Turm aus Ziegeln geklettert und hatte nach dem Dachbalken über sich gegriffen. Angespannt hatte sie nach draußen gelauscht. Zu früh dürfte sie nicht rausklettern, sonst würde man sie von außen sehen. Zöge sie sich aber zu spät hoch, würden die Männer sie beim Betreten des Schuppens entdecken. Es käme also darauf an, genau den richtigen Moment zu erwischen.

Die Autotüren waren zugefallen, erst eine, dann die zweite. Sie hatte versucht, sich die Entfernung zwischen Auto und Schuppen zu vergegenwärtigen. Eins, zwei, drei, vier, hatte sie lautlos gezählt, dann alle Kraft zusammengenommen und sich hochgezogen. Sie hatte gespürt, wie das gesplitterte Holz sich in ihre Handflächen drückte, wie die Haut riss. Trotz des Schmerzes hatte sie sich weiter festgeklammert, wobei das Holz sich immer tiefer in ihr Fleisch grub.

Im nächsten Moment war der Riegel zurückgeschoben worden. Sie hatte das rechte Bein nach oben geschwungen, den Fuß gegen den Rand der Öffnung gepresst und das Gewicht ihres Körpers weiter hochgeschoben, bis sie das zweite Bein nachziehen und ihren Oberkörper durch die Öffnung hatte drücken können. In der Sekunde, in der unten die Tür aufschwang, hatte sie ihren linken Fuß hochgezogen. Es dauerte nur Sekunden, bis von unten eine brüllende Männerstimme zu hören war. Sie nutzte den Moment, um den letzten halben Meter bis zum Rand des Dachs zu robben und sich fallen zu lassen. Es tat ziemlich weh, als sie aufkam, aber sie blieb unverletzt. Schnell rappelte sie sich hoch und lief los, immer den Hügel abwärts. Erst, als sie ein ganzes Stück vom Schuppen entfernt war, sah sie sich um. Zu ihrer Überraschung war niemand hinter ihr her gerannt. Offenbar hatten die Männer geglaubt, sie wäre in die andere Richtung gelaufen, und versuchten sie mit dem Wagen zu verfolgen.

Nun war sie ungefähr auf halber Höhe zwischen dem Schuppen und dem Tal angekommen. Um sie herum gab es nur trockenes Gras, halbhohe Büsche und knorrige Bäume, darüber die sengend heiße Sonne. Sie fürchtete, sie könnte in die Wildnis geraten und sich verirren, wenn sie nicht bald auf einen richtigen Weg stieße. Dabei musste sie sich äußerst vorsichtig vorwärtsbewegen, denn es war nicht auszuschließen, dass die Männer irgendwo auf der Lauer lagen.

Sie ging weiter querfeldein Richtung Tal, aber es dauerte nicht lange, bis sie zwischen den höher werdenden Büschen und Bäumen die Orientierung verloren hatte. Nun rächte sich, dass sie bei den Wanderungen mit ihrem Vater nichts von dem hatte lernen wollen, was er ihr gern beigebracht hätte; wie man zum Beispiel Wegmarkierungen macht, mit denen man sich in fremdem Gelände zurechtfindet. Es hatte Josy nicht interessiert, sie war einfach nur mitgelaufen und hatte ihn dafür bewundert, dass er sich so gut auskannte.

Vielleicht war es das, was ihr am meisten fehlte: jemand, der ihr den Weg zeigte. Seit ihr Vater weg war, hatte ihr ganzes Leben etwas von dieser Orientierungslosigkeit bekommen. Jetzt, genau in diesem Moment, begriff sie, warum sie lernen musste, sich alleine zurechtzufinden.

Sie blieb stehen und sah sich konzentriert um. Dort, diese Baumgruppe, hatte sie die nicht vorhin schon gesehen? Der verkrüppelte Strauch, die schief stehende Agave? Da war sie aber von der anderen Seite gekommen, also musste sie sich jetzt wieder rechts halten und den kleinen Hügel überqueren, der vor ihr lag.

Als sie über die Kuppe kam, atmete sie auf: Ein Weg schlängelte sich in einiger Entfernung von ihr durchs Gelände. Sie wollte schon loslaufen, dann hielt sie inne, ließ sich auf die Knie nieder und schob sich vorsichtig ein Stück weiter, bis sie den Weg besser übersehen konnte. Im nächsten Augenblick zuckte sie zurück: Hinter einigen Büschen, ein Stück seitlich des Weges, blitzte die Kühlerhaube des Jeeps auf.

Mist! Damit war ihr der Weg versperrt. Sie müsste sich verstecken und warten. Irgendwann würden die Männer die Suche nach ihr ja hoffentlich aufgeben. Sie kehrte hinter den schützenden Hügel zurück, kauerte sich mit klopfendem Herzen zwischen die Zweige eines großen Busches und trank Wasser aus der Flasche, die sie die ganze Zeit in ihrem Beutel mit sich herumgeschleppt hatte. Ein wenig davon schüttete sie über ihre Handflächen, um die Verletzungen notdürftig zu reinigen. Sie brauchte bald ein Desinfektionsmittel, sonst würden die Wunden sich entzünden.

Sie lehnte sich zurück und atmete auf. Zum zweiten Mal hatte sie es geschafft, sich zu befreien. Und diesmal würde sie sich nicht wieder einfangen lassen!

Die Stunden vergingen mit quälender Langsamkeit, die Hitze war schier unerträglich. Ihr Trinkwasser ging zur Neige, lange würde sie es nicht mehr ohne Nachschub aushalten können.

Immer wieder spähte Josy über die Hügelkuppe, und jedes Mal stand der Wagen noch an derselben Stelle. Sie fürchtete, die Männer könnten das Gelände zu Fuß durchsuchen, deshalb kontrollierte sie ständig, ob sich etwas bewegte.

Endlich war der Wagen weg. Misstrauisch blickte sie sich um, ob er nur den Standort gewechselt hatte, aber er war nirgendwo mehr zu sehen.

Erleichtert verließ sie ihr Versteck und ging weiter bergab. Sie fand den Weg und folgte ihm für etwa eine Stunde, bis sie in einiger Entfernung vor sich einen Bauernhof liegen sah. Dann beschleunigte sie ihren Schritt, begann zu laufen, bis sie atemlos dort angekommen war.

Sie sah sich um. Ein einfaches Wohnhaus, ein paar Ställe und Nebengebäude. Auf dem Hof pickten Hühner, im Schatten eines altersschwachen Lieferwagens döste eine Katze. Zwei kleine Jungen in kurzen Hosen und schmutzigen Unterhemden hockten am Boden und schoben kleine Holzstücke herum, als wären es Spielzeugautos. Dazu machten sie brummende Geräusche. Josy lächelte ihnen zu und sagte »hola«, die Jungen sahen sie neugierig an, reagierten aber nicht.

Vom Hof führten Leitungen weg, es bestand also die Möglichkeit, dass es ein Telefon gab. Josy ging auf das Wohnhaus zu, ein einfaches Steingebäude, vom dem der schmutzig weiße Putz abblätterte. Die Türen und Läden hingen schief in den Angeln,

Sie klopfte. Nichts geschah. Die beiden Jungen waren aufgestanden und kamen auf sie zu. Der Größere öffnete die Haustür und rief: »Mama, Mama!«

Innen erschien eine Frau, mit langem Rock und Schürze bekleidet, über dem Haar ein geblümtes Tuch. Sie war jung, höchstens sechsundzwanzig oder siebenundzwanzig, aber ihr Gesicht wirkte deutlich älter, wie frühzeitig abgenutzt.

Die Frau schien nicht weiter erstaunt über das Auftauchen einer Fremden und winkte sie herein.

Josy trat in den Flur. »Entschuldigen Sie, haben Sie Telefon?«

»Telefon, ja, nur im Moment ...«, sie zeichnete eine wellenförmige Linie in die Luft, die wohl eine Telefonleitung darstellen sollte. Dann machte sie mit der anderen Hand die Bewegung einer Schere, die etwas durchschneidet.

Es gab also ein Telefon, aber es war kaputt. Josy überlegte.

Die Frau winkte erneut. »Komm rein, trink etwas. Ich habe frischen Guavensaft.« Der Gedanke an ein kühles Getränk war verlockend, Josy beschloss, der Einladung zu folgen. Danach würde sie weitergehen und sicher eine Straße finden.

Sie ging mit der Frau in die Küche und setzte sich auf einen wackeligen Holzstuhl. Die beiden Jungen standen bald in einiger Entfernung vor Josy und betrachteten sie stumm. Fliegen umschwirrten sie, aber sie schienen es nicht einmal zu merken. Josy schlug um sich, aber gegen diese Plage war sie machtlos.

Die Frau mischte etwas in einer Tonkaraffe, die sie neben Josy auf den Tisch stellte, dazu einen Plastikbecher. Josy bedankte sich, schenkte die weißlich-trübe Flüssigkeit in den Becher und trank durstig. Es schmeckte säuerlich und erfrischend, sie trank einen zweiten Becher.

Die Frau zeigte auf die Verletzungen an Josys Händen und sagte: »Warte!«

Sie kam mit einem Desinfektionsmittel, dessen Haltbarkeitsdatum seit zwei Jahren abgelaufen war, und einem zerknitterten Papiertaschentuch wieder. Josy bezweifelte, dass es viel bringen würde, ließ sich aber dennoch die Wunden abtupfen. Dann fragte sie: »Haben Sie ...«, aber das Wort für »Pflaster« fiel ihr nicht ein. Die Frau verstand ihre pantomimische Darstellung und schüttelte bedauernd den Kopf. Sie drückte ihr ein weiteres Papiertaschentuch in die Hand.

»Hast du Hunger?«

Josy hatte den Gedanken an Essen den ganzen Tag verdrängt. Jetzt kam ihr zu Bewusstsein, dass sie seit den zwei Brotscheiben am Morgen nichts mehr zu sich genommen hatte. Sie nickte schüchtern.

Die Frau stellte einen Teller mit Tortillas und eine Schale mit grüner Soße auf den Tisch. Josy fühlte sich leicht schwindelig. Das musste der Hunger sein. Sie tropfte Soße auf einen Tortillafladen, rollte ihn zusammen und aß. Das war das Beste, was sie seit langem gegessen hatte, dachte sie, bevor sie bewusstlos vom Stuhl rutschte.

19

Freda saß in Josys kleinem WG-Zimmer auf dem Bett. Sie stellte sich vor, wie ihre Tochter bis vor wenigen Tagen hier gelebt und geatmet hatte, fühlte sich ihr ganz nahe und wusste doch, dass sie unerreichbar weit weg war.

Neben dem Bett, auf einem hölzernen Hocker, stand Josys Wecker, daneben lag ein T-Shirt, das sie zusammen in München gekauft hatten. Vor dem Bett entdeckte sie ein Paar pinkfarbene Flipflops mit Glitzersteinen, die sie ihr geschenkt hatte. Wenn sie die nicht trug, musste sie ihre Turnschuhe anhaben, überlegte Freda. Der Gedanke, dass Josy – egal, wo sie jetzt war – wenigstens feste Schuhe an den Füßen hatte, tröstete sie für einen Moment. Es kam ihr vor, als wäre ihr Kind dadurch weniger verletzlich.

Sie stand auf und ging zu der Holzplatte, die am Regal befestigt war und als Schreibtisch diente. Auch dort herrschte das gewohnte Josy-Durcheinander.

Freda griff nach einigen Papieren, die lose herumlagen. Texte von deutschen Liedern, aus dem Internet runtergeladen, daneben die handschriftliche Übersetzung ins Spanische. Eine Kinderzeichnung mit zwei Blumen, eine verwelkt und eine frisch. Darunter stand in krakeligen Buchstaben »feo« und »no feo«, daneben das Wort »Lomasi«.

Fredas Blick fiel auf Josys kleine Digitalkamera, die weit hinten im Regal stand. Die war wohl kaum benutzt worden. Sie nahm sie in die Hand und schaltete sie ein. Immerhin, einige Bilder waren drauf. Zwei ältere Leute vor einem ärmlichen Häuschen, in der Mitte Luis. Das waren bestimmt seine Großeltern in Mexico City. Ein paar eindrucksvolle Landschaftsbilder, wahrscheinlich von der Busfahrt nach Oaxaca. Zwei Vulkane, erst aus der Ferne, dann von näher. War der eine nicht der Popocatépetl? Und wie hieß der andere noch?

Es folgten einige Fotos aus dem Kinderzentrum, das Freda bereits kannte. Dann wieder Landschaft und am Ende nur noch indianisch aussehende Kinder und ein Holzhaus in verschiedenen Baustadien. Das letzte Bild zeigte die Kinder vor dem fertigen Haus, sie lachten und winkten fröhlich in die Kamera.

Kristin kam rein. »Darf ich?«

»Klar.« Freda hielt ihr die Kamera hin. »Wo ist das aufgenommen?«

Kristin betrachtete das Bild. »Auf unserem Außeneinsatz in einem Indiodorf in den Bergen. Es hat Josy dort sehr gefallen.«

»Kann sie gut mit Kindern umgehen?«

Kristin nickte. »Ich finde schon. Sie hat so eine unkomplizierte Art und liebt es, ihnen irgendwas beizubringen. Die Kinder dort mochten sie sehr.«

»Wie kommt sie im Zentrum zurecht?«

»Am Anfang war es nicht leicht«, erinnerte sich Kristin, »aber dann wurde es immer besser. Sie hat sich durchgebissen.«

Freda lächelte. »Das kenne ich gar nicht von ihr. Bisher ist sie Schwierigkeiten lieber aus dem Weg gegangen.«

Kristin blickte erstaunt. »Ich habe sie ganz anders erlebt. Richtig kämpferisch. Sie wird es schaffen, Freda, sie wird zurückkommen!«

Fredas Unterlippe begann zu zittern. Kristin nahm sie in die Arme, gleich darauf weinten beide. Fredas Handy klingelte. Sie nahm das Gespräch an.

»Ja?«

»Hier Krummbaur.«

»Johann«, sagte Freda schniefend, »wie geht es Ihnen?«

»Danke, gut. Und Ihnen? Haben Sie schon was herausgefunden?«

»Ich habe mir einen Anwalt genommen, und wir waren heute auf der Polizei. Viel ist dabei nicht herausgekommen.«

»Ich wollte Ihnen nur sagen, dass die Deutsche Botschaft inzwischen eine offizielle Anfrage nach Oaxaca geschickt hat. Die Behörden dort kriegen jetzt richtig Druck. Vielleicht hilft es ja.«

»Danke, Johann«, sagte Freda, »das können wir nur hoffen.«

»Ich melde mich wieder«, sagte Krummbaur. »Auf Wiederhören.«

Freda drückte den Aus-Knopf und sah Kristin an. »Weißt du, was das Schlimmste ist? Diese verdammte Untätigkeit! Immer nur warten, warten, warten. Ich muss irgendwas unternehmen, sonst werde ich verrückt.«

Kristin nickte nachdenklich. »Vielleicht habe ich da eine Idee …«

Als Josy aufwachte, bemerkte sie als Erstes einen widerlichen Gestank. Sie richtete sich ein Stück auf und stellte fest, dass sie auf einer Lage Stroh am Boden eines Holzverschlags lag, der rundum geschlossen war. Um sie her scharrte und schnaufte es, hie und da ertönte ein kräftiges »Bähääh!«

Sie war wieder gefangen.

Fassungslos fiel sie auf ihr Strohlager zurück. Wie war das möglich? Die Frau war so freundlich gewesen! Außerdem war sie doch ganz zufällig in diesem Bauernhof gelandet, niemand hatte sie hergelockt. Sie konnte sich nicht erklären, wie sie in diese Falle geraten war.

Lähmende Verzweiflung überkam sie. Zum ersten Mal seit dem Beginn ihrer Gefangenschaft ergriff der Gedanke von ihr Besitz, dass hier, zwischen blökenden, stinkenden Schafen, Endstation wäre. Irgendwann würden ihre Entführer kurzen Prozess machen. Komisch war eigentlich nur, dass sie es bisher nicht getan hatten.

Sie war so müde. Nicht einmal die Kraft zum Aufstehen hatte sie, sofern sie in dem Verschlag hätte stehen können. Und die Energie, herauszufinden, ob es eine Chance gäbe, aus ihrem neuen Gefängnis zu entkommen, hatte sie schon gar nicht. Sie wollte nur schlafen. Schlafen, bis dieser Alptraum vorbei wäre. Wenn es nur nicht so widerlich stinken würde!

Nach einer Weile wurde sie geweckt. Über ihrem Verschlag tauchte ein bekanntes Gesicht auf, der ältere der beiden Entführer. Josy schloss die Augen und drehte sich weg.

»So hast du dir das vorgestellt, du kleines Miststück. Zu dumm, dass in dieser Gegend nur ein einziger Bauernhof ist und dass der zufällig meiner Familie gehört. Und dass der Weg zur Straße in jedem Fall hier vorbeiführt. Eigentlich mussten wir nur warten, bis du kommst.«

Sie reagierte nicht.

»Hier bist du wenigstens in Gesellschaft! Magst du Schafe? Meine Frau wird dich versorgen, bis entschieden wird, was mit dir geschieht.«

Bei diesen Worten war Josy plötzlich wieder hellwach. Was wollte er damit sagen? Sollte sie das als Hoffnungsschimmer deuten? Oder war es ihr Todesurteil?

Die Menschentraube auf dem Zócalo wurde immer größer. Die Leute blieben rings um den kleinen Stand stehen, den Freda aufgebaut hatte, und lasen die Plakate, die daran befestigt waren: *Meine einzige Tochter wurde nach der politischen Kundgebung am 5. Oktober von Sicherheitskräften aus Oaxaca verschleppt. Sie ist seit 9 Tagen in der Gewalt ihrer Entführer. Bitte helfen Sie mir, sie zu finden!* Daneben hing ein Bild von Josy, darunter stand: *Freiheit für Josefine März!*

Hauptsächlich Frauen scharten sich um Freda, einige klopften ihr aufmunternd auf die Schulter, andere umarmten sie kurzerhand und versuchten, sie mit ein paar freundlichen Sätzen zu trösten. Freda verteilte Handzettel mit Telefonnummern: ihrer eigenen, der von Carlos und natürlich der von Rechtsanwalt Suárez.

Der Anwalt war von ihrer Aktion nicht begeistert, er fürchtete, die Obrigkeit könnte sich provoziert fühlen. Aber Freda war inzwischen so verzweifelt, dass sie für Argumente, die sie in ihrem Aktionismus bremsen sollten, nicht mehr zugänglich war.

Luis und Kristin wechselten sich am Stand ab; sie beantworteten Fragen und übersetzten für Freda. In ihrem Bestreben, zu helfen, erzählten die Leute ihnen unglaubliche Geschichten von verschwundenen Familienmitgliedern, die wieder aufgetaucht waren. So berichtete eine Frau, ihr zwanzigjähriger Sohn sei einmal für zwei Wochen unauffindbar gewesen, und sie habe schon geglaubt, dass er tot sei. »Eines Morgens hat er wieder am Frühstückstisch gesessen, als wäre er niemals weg gewesen. Auf meine Frage, wo um alles in der Welt er denn gewesen ist, hat er geantwortet, dass er auf einer Party eine seltsame Droge genommen hat, die einen Gedächtnisverlust auslöste. Er hat nicht mehr gewusst, wer er ist und wo er wohnt. Er ist dann einfach in dem Partykeller geblieben, der Gastgeber hat ihn heimlich versorgt, und an diesem Morgen war er aufgewacht und seine Erinnerung war plötzlich wieder da.«

Eine andere Geschichte handelte von einer alten Frau, die solche Sehnsucht nach ihrem Geburtsort gehabt hatte, dass sie zweihundertfünfzig Kilometer zu Fuß zurücklegte, um noch einmal ihr Elternhaus zu sehen. Damit niemand sie von ihrem Plan abbringen könnte, hatte sie keinem davon erzählt. Ihre Familie war über zwölf Tage in heller Aufregung gewesen, weil sie sich das plötzliche Verschwinden der alten Dame nicht hatte erklären können.

Keine der Geschichten war geeignet, ihr auch nur im Geringsten zu helfen, trotzdem war Freda gerührt von der Anteilnahme und Solidarität. Es schien, als wollten die Menschen es wiedergutmachen, dass dem Mädchen in ihrer Stadt so etwas Furchtbares zugestoßen war. Gastfreundschaft war für sie ein hohes Gut; dass sie verletzt worden war, beschämte sie alle. Keiner wagte allerdings, auszusprechen, was die meisten von ihnen dachten: Die ganze Sache überrascht niemanden.

Benito kam gemeinsam mit einem Fotografen, um Freda ein paar Fragen zu stellen und Bilder zu machen, die am nächsten Tag im »Diario« erscheinen sollten.

»Ihre Tochter ist seit neun Tagen vermisst, wie geht es Ihnen?«, fragte er und schaltete sein kleines Aufnahmegerät ein.

Freda schluckte vor Aufregung und versuchte, möglichst ruhig zu bleiben.

»Ich bin verzweifelt und habe nur den einen Wunsch: dass meine Tochter wohlbehalten zu mir zurückkehrt.«

»Werden Sie von den Behörden bei Ihrer Suche unterstützt?«

Luis, der das Interview übersetzte, blickte sie warnend an. Zögernd sagte Freda: »Ich habe den Eindruck, die Behörden haben den Ernst der Lage erkannt und handeln entsprechend.«

»Ihre Tochter hat sich hier in Oaxaca sozial engagiert, war aber nicht politisch aktiv. Sind Sie verbittert über das, was ihr zugestoßen ist?«

»Ich denke, meine Tochter ist das Opfer eines Irrtums, und ich kann nur hoffen, dass die Verantwortlichen diesen Irrtum so schnell wie möglich korrigieren.«

»Letzte Frage«, sagte Benito, »wenn Sie einen direkten Appell an die Entführer richten könnten, was würden Sie ihnen sagen?«

Wieder einmal musste Freda gegen die aufsteigenden Tränen kämpfen. »Ich ... würde ihnen sagen: Bitte lassen Sie meine Tochter frei! Ich garantiere Ihnen, dass von unserer Seite keine Konsequenzen drohen, dass wir nichts unternehmen werden. Es geht mir einzig und allein um das Leben meiner Tochter.«

Benito schaltete das Gerät aus und drückte Freda die Hand. »Ich danke Ihnen, Frau März. Alles Gute und viel Glück.«

Später am Nachmittag spazierte eine Gruppe Studenten vorbei. Die jungen Männer und Frauen blieben stehen und lasen die Plakate. Einer sagte zu den anderen: »Die habe ich mal gesehen, auf einer Party. Sie kam mit Pablos Bruder, ist aber nicht lange geblieben. Für Politik hat sie sich jedenfalls nicht interessiert.« Seine Freundin sagte: »Aber für Pablos Bruder.« Sie lachten und wollten weitergehen, Luis hielt sie auf.

»Wisst ihr sonst noch was? Hat einer von euch Josy danach nochmal gesehen? Hatte sie irgendwelche Kontakte, die wichtig sein könnten?«

Die Studenten sahen sich an, zuckten die Schultern und schüttelten die Köpfe.

Fredas Stand erregte nicht nur Interesse bei den Passanten. In regelmäßigen Abständen schlenderten schon seit Stunden Polizisten in der Nähe vorbei, immer zu zweit und immer mit einem demonstrativen Ausdruck von Gleichgültigkeit im Gesicht. Aus irgendeinem Grund ließen sie Freda gewähren, die das als Zeichen der Hoffnung sah.

»Vielleicht haben sie kapiert, dass sie es nicht überreizen dürfen. Wenn sie mich gewaltsam hier wegschaffen, würde es Aufsehen erregen. Und das wollen sie bestimmt vermeiden.«

Carlos, der gekommen war, um ihr etwas zu essen zu bringen, blickte skeptisch. »Darauf würde ich mich nicht verlassen«, sagte er.

Abends wurde es immer voller, die Menschen flanierten gruppenweise über den Platz, blieben da und dort stehen, unterhielten sich mit Bekannten, gingen weiter. Die Restaurants waren gefüllt, die fliegenden Händler machten ihre Geschäfte, die Luft war voller Lachen und Musik.

Trotz ihres Kummers und ihrer Erschöpfung nahm Freda die heitere Stimmung wahr, was ihre Traurigkeit aber nur verstärkte. So eine schöne Stadt, so freundliche Menschen. Aber hinter der Fassade lauerten Willkür und Gewalt.

Ihr Blick fiel auf einen jungen Mann mit schmalem Gesicht und indianischen Zügen, der seit einiger Zeit an einen Baum gelehnt stand und immer wieder zu ihr hinüberblickte. Er trug ein Tuch, das zum Stirnband gerollt war, und eine auffällige Kette, die aussah, als wäre sie aus Tierzähnen gearbeitet. Als er bemerkte, dass sie ihn wahrgenommen hatte, trat er einen Schritt zurück, und sein Gesicht verschwand im Schatten.

Ihr Stand war nun regelrecht umlagert, die Leute diskutierten lebhaft. Hin und wieder wurde Kritik an der Regierung laut, im Schutz der Menge wurden die Menschen immer mutiger. Irgendwann fiel der Begriff »Polizeistaat«, jemand protestierte dagegen, es wurde unruhig. Wenig später hatten sich mehrere Grüppchen gebildet, die lautstark stritten.

Als hätten sie nur darauf gewartet, griffen die Polizisten ein. Je zwei Uniformierte schritten aus verschiedenen Richtungen auf Freda zu, die einen begannen, die Leute zu vertreiben, die anderen bauten sich breitbeinig auf und verlangten von ihr, den Stand zu entfernen.

Freda verschränkte die Arme vor der Brust. »Ich gehe hier nicht weg«, sagte sie, »da müssen Sie mich schon wegtragen.« Carlos übersetzte.

Einer der Polizisten sagte: »Es handelt sich um eine nicht genehmigte Aktion.«

Freda lachte höhnisch auf und sah zu Carlos. »Sagen Sie ihnen, dass ich gerne eine Genehmigung eingeholt hätte, aber stark bezweifle, dass ich eine erhalten hätte.«

Die beiden Polizisten berieten sich. Dann trat der eine vor und sagte: »Wenn Sie diesen Stand nicht freiwillig entfernen, müssen wir es tun.«

Freda machte eine einladende Handbewegung. »Bitte schön.«

Sie setzte sich auf ihren Stuhl und sah zu, wie die Polizisten den Stand abbauten.

Sie sammelten die Handzettel ein, dann rissen sie die Plakate ab und klappten den Tapeziertisch zusammen.

Die Umstehenden protestierten. »Diese Frau tut nichts Unrechtes«, riefen sie, »warum lasst ihr sie nicht in Ruhe?«

Einer der beiden Polizisten fasste demonstrativ an seinen Schlagstock und näherte sich der Menge, die sich daraufhin schnell zerstreute. Der andere forderte Freda erneut auf, sich zu entfernen und alles mitzunehmen. Dann schlenderten die beiden weiter, als wäre nichts geschehen.

Freda kämpfte mit sich, aber Carlos legte ihr sanft eine Hand auf die Schulter.

»Lassen Sie es gut sein«, riet er, »es nutzt Josy nichts, wenn Sie wegen Widerstandes gegen die Staatsgewalt in Arrest kommen.«

Seufzend stand sie auf und sah im gleichen Moment, dass der Junge mit dem Indianergesicht in einen heftigen Disput mit den zwei Polizisten verwickelt war. Als der eine den Arm ausstreckte, offenbar, um ihn festzuhalten, sprang er zur Seite und rannte los, direkt auf sie zu.

Als er sie erreicht hatte, bremste er ab. Er griff in seine Hosentasche und holte etwas hervor, das er ihr entgegenstreckte. Reflexartig griff Freda zu und hielt einen zusammengeknüllten Zettel in der Hand. Gleich darauf sah sie den Jungen weglaufen, verfolgt von den zwei Uniformierten.

»Miguel!«, rief Carlos. »Warte!« Aber da war der Junge schon verschwunden.

»Wer war das?«, fragte Freda verwundert.

»Das war Miguel, Josys Freund«, sagte Carlos.

Freda sah auf das Papier in ihrer Hand. »Das hat er mir gegeben.«

»Zeigen Sie mal!« Carlos nahm den Zettel und faltete ihn auf. Eine Mobilfunknummer stand darauf, und darunter: *Morgen früh, 7 Uhr.*

»Was hat das zu bedeuten?«, fragte Freda.

Carlos schüttelte den Kopf. »Ehrlich gesagt, habe ich keine Ahnung.«

Josy war in einen Zustand völliger Agonie gefallen. Sie lag einfach nur da, die Augen geschlossen, und versuchte zu schlafen oder sich wegzuträumen. Ihre ganze Kraft, ihr Lebenswille, ihr Kampfgeist hatten sie verlassen. Es war ihr egal, was mit ihr passierte, wenn nur endlich etwas passierte.

Die Bäuerin war am Abend gekommen und hatte ihr etwas zu essen, eine Wasserflasche und einen Eimer gebracht. Es kam Josy vor, als wäre der Frau das Ganze selbst unangenehm, als würde sie nur einen Befehl befolgen.

Josy hatte nichts von dem Essen angerührt. Ihre Verweigerung war kein Protest, keine Form von Hungerstreik, lediglich Ausdruck ihrer vollständigen Kraftlosigkeit.

Kurze Zeit später hatte sie erregte Stimmen auf dem Hof gehört, zwei Frauen stritten, ohne dass sie verstehen konnte, was gesagt wurde, eine Tür wurde zugeknallt, dann war es wieder ruhig.

Sie lauschte auf die Geräusche der Schafe, die sich weniger bewegten und seltener blökten, seit es dunkel geworden war. Hatten Tiere auch eine innere Uhr? Früher hatten sie mal eine Katze gehabt und sich immer gewundert, dass sie jeden Abend Punkt sechs anfing zu maunzen und nach ihrem Futter zu verlangen. Jedes Mal, wenn die Uhr auf Sommer- oder Winterzeit umgestellt wurde, gab es wochenlang Theater, bis die Katze sich an ihre neue Fütterungszeit gewöhnt hatte.

Wie lange das zurücklag. Eine Ewigkeit.

An ihrem dreizehnten Geburtstag hatte Naomi sie gefragt, was sie am Ende ihres Lebens gerne über ihr Leben sagen würde.

»Dass ich es voll und ganz ausgeschöpft habe«, hatte sie geantwortet.

Könnte sie das zum jetzigen Zeitpunkt sagen? Könnte sie überhaupt schon Bilanz ziehen? Nein, entschied sie, davon ist noch lange keine Rede. Das alles war ein riesiger Betrug. Ihr Leben lag doch zum großen Teil noch vor ihr.

Gerade erst hatte sie begonnen, zu ahnen, welche Möglichkeiten es bot; welche Erfahrungen, Erfolge und Niederlagen, welche Begegnungen, Lieben und Leiden. Einen Beruf, der ihr Spaß machte, eine Familie, Kinder. Und später, wenn sie alt wäre, Enkel. All das würde sie nicht erleben. Was für eine verdammte, gemeine Ungerechtigkeit.

Von Selbstmitleid überwältigt, begann sie zu weinen und gab sich keine Mühe, leise zu sein. Als wollten sie ihr Mitgefühl zeigen, blökten mehrere Schafe gleichzeitig los.

Freda lag schlaflos in ihrem Zimmer bei Carlos und Luis. Außer dem Bett befand sich hier nichts als ihr halb ausgepackter Koffer, aus dem sie einfach herauszog, was sie brauchte.

Der Zettel, den Miguel ihr gegeben hatte, ging ihr nicht aus dem Kopf.

Morgen früh, 7 Uhr.

Was war morgen früh um sieben? Was würden sie erfahren, wenn sie die angegebene Telefonnummer wählten?

Sie hoffte verzweifelt, es würde eine Nachricht von Josy sein, gleichzeitig fragte sie sich, was der Junge mit alldem zu tun haben sollte.

Sie sah ihn vor sich, schmächtig und dunkel, mit seinen schräg geschnittenen Augen und dem Indianerprofil. Ein schöner Junge, zweifellos. Josy hatte Geschmack. Aber welche Rolle spielte er? Warum hatte er nicht mit ihnen gesprochen? Und warum war er von den Polizisten verfolgt worden?

Carlos hatte ihr erzählt, dass Miguels Bruder in der verbotenen Protestbewegung APPO aktiv war. Luis hatte Andeutungen gemacht, Miguel könnte ein Überläufer sein oder ein doppeltes Spiel spielen. Was er damit genau meinte, hatte sie nicht verstanden. Sie konnte sich das Ganze auch nicht selbst zusammenreimen, dazu wusste sie zu wenig von den Verhältnissen hier. Sie fühlte sich fremd und ausgeschlossen, und das Gefühl von Hilflosigkeit, das sie schon die ganze Zeit begleitet hatte, wurde immer stärker.

Josy, wo bist du?, dachte sie verzweifelt. Wenn ich wüsste, wo du bist, würde ich dich befreien, egal wie. Und wenn es mein eigenes Leben kosten würde.

Weinend presste sie ihr Gesicht ins Kissen.

In diesem Moment piepte ihr Handy, sie hatte eine Nachricht erhalten.

Was immer geschieht, ich bin für dich da. Arno

20

Um halb sechs saß Freda bereits am Küchentisch und trank Kaffee. Irgendwann war sie eingeschlafen, aber nach weniger als drei Stunden wieder aufgewacht. Leise hatte sie sich angezogen und war in die Küche gegangen.

Kurz nach ihr erschien Carlos, der die Nacht ebenfalls überwiegend schlaflos verbracht hatte, und schließlich Luis. Schweigend saßen sie da, alle drei in ihre Gedanken vertieft, und hofften auf ein Wunder.

Irgendwann hielt Freda die Spannung nicht mehr aus.

»Warum hat es Ihnen eigentlich in Deutschland nicht gefallen?«, fragte sie unvermittelt.

Carlos sah überrascht auf. »Oh, ich war gern in Deutschland, aber irgendwann war mir klar, dass ich hier gebraucht werde.«

»Und Ihre Frau?«

»Sie hat das verstanden. Wir waren zu diesem Zeitpunkt schon mehr wie … gute Freunde. Und das sind wir zum Glück geblieben.«

»Woran scheitern Ehen Ihrer Meinung nach häufiger«, fragte Freda, »an zu viel Nähe oder zu viel Distanz?«

Carlos überlegte lange, dann sagte er: »Das ist eine schwierige Frage. Vermutlich eher an zu viel Nähe.«

»Tatsächlich?«, fragte Freda.

»Wenn man Distanz zueinander hat, kann man immer wieder auf den anderen zugehen. Wenn man sich zu nahe ist, kann man sich nur von ihm wegbewegen.«

»Ich möchte nicht indiskret sein«, sagte Freda, »aber woran, glauben Sie, ist Ihre Ehe gescheitert?«

Luis sah aufmerksam zwischen ihnen hin und her. Noch nie hatte er seinen Vater über so persönliche Dinge sprechen hören – und das mit einer ihm fast unbekannten Frau.

»Ich empfinde meine Ehe nicht als gescheitert, sondern als beendet«, sagte Carlos, »das ist ein großer Unterschied. Wir hatten eine sehr gute Zeit zusammen, aber irgendwann war es vorbei. Nicht alles ist für die Ewigkeit.«

Freda nickte nachdenklich. *Nicht alles ist für die Ewigkeit.* Dann sah sie zum wiederholten Mal auf die Uhr.

»Schon halb sieben«, sagte sie.

Jemand rüttelte leicht an ihrem Holzverschlag. Josy schlug die Augen auf. Im grauen Licht der Morgendämmerung glaubte sie, es wäre die Bäuerin. Dann erkannte sie, dass es eine andere Frau war, eigentlich fast noch ein Mädchen.

»Was ist?«, fragte Josy.

Das Mädchen legte den Finger an die Lippen und sah sie beschwörend an.

Josy setzte sich auf, hörte, wie an der Verriegelung hantiert wurde, bis das Holzgitter sich öffnete. Ein leises »Bähää« war die Folge, und ein dumpfes Geräusch, wohl der Tritt eines Hufs gegen die Stallwand.

»Gebt Ruhe, ihr blöden Viecher!«, murmelte das Mädchen und winkte Josy, zu ihr zu kommen.

Josy griff nach ihrem Beutel, krabbelte aus dem Verschlag und stand auf. Ihr Körper schmerzte vom zusammengekrümmten Liegen auf dem harten Boden.

Mit steifen Schritten ging sie nach draußen. Die Sonne war schon aufgegangen, goldenes Morgenlicht ergoss sich über die Hügel; der Hof lag noch im Schatten. Alles war ruhig, die Bewohner schliefen offenbar noch.

Ungefähr dreißig Meter weiter, zwischen zwei Büschen, war ein Moped versteckt. Das Mädchen setzte einen Helm auf, gab ihr einen zweiten und bedeutete ihr, hinten aufzusteigen. Josy folgte ihr wie in Trance, noch immer hatte sie nicht ganz begriffen, wie ihr geschah.

Beim Start machte das Moped einen ohrenbetäubenden Lärm, panisch drehte Josy sich um, aber niemand war zu sehen. Sie fuhren auf dem kurvigen Weg, erreichten eine Schotterpiste und schließlich die asphaltierte Straße unten im Tal. Dort tobte schon der Verkehr; Lkw, Lieferwagen, Autos und Motorräder strebten in Richtung Stadt, bevor die große Hitze begann.

Josy konnte nicht glauben, wie normal alles aussah. Als wäre nichts geschehen. Als hätte die Zeit nicht stillgestanden in den vergangenen zehn Tagen. Sie war aus der Welt gefallen, und die Welt hatte sich einfach weitergedreht.

An das Mädchen geklammert, fühlte sie den kühlen Fahrtwind im Gesicht. Sie fragte sich nicht, wer ihre Retterin war und wer sie geschickt hatte. Sie gab sich einfach dem überwältigenden Glücksgefühl hin, wieder frei zu sein.

Eine halbe Stunde später bremste die Fahrerin ab und bog auf das Gelände einer Tankstelle ein. Sie parkte das

Moped hinter einer Art Kiosk, nahm den Helm ab und sagte: »Wir sind da.« Sie zog ein Handy aus der Tasche, sah auf die Uhr und wartete.

Josy nahm ebenfalls ihren Helm ab, setzte sich auf ein Mäuerchen und beobachtete sie. Irgendwie kam ihr das Gesicht bekannt vor, aber sie wusste nicht, woher.

»Wie spät ist es?«, fragte Josy.

»Kurz vor sieben.«

»Was machen wir hier?«

»Das wirst du gleich sehen.«

»Wer bist du?« Josy erhielt keine Antwort.

»Warum hast du mich befreit?«

Das Mädchen sah sie an und sagte: »Je weniger du fragst, desto besser. Klar?«

Josy nickte. In diesem Moment klingelte das Handy. Das Mädchen meldete sich, wechselte einige Worte mit dem Anrufer und gab dann eine Wegbeschreibung, die zu ihrem Standort führte. Sie klappte das Handy zu und steckte es ein.

»Ich gehe jetzt«, sagte sie und setzte den Helm auf.

Josy wurde panisch. »Und was passiert mit mir?«

»Keine Angst. In einer halben Stunde wirst du abgeholt.«

»Und wieder eingesperrt? Nein, so blöd bin ich nicht«, sagte Josy und wollte auf die Straße rennen. Das Mädchen hielt sie auf.

»Hör zu«, sagte sie und sah ihr in die Augen. »Du kannst mir vertrauen.«

Sie griff in die Tasche ihrer Jeans, holte etwas hervor, das wie ein kleiner Briefumschlag aussah, mehrfach gefaltet und ziemlich zerdrückt, und gab es ihr.

Josy entfaltete den Umschlag und öffnete ihn. Sie zog ein Stück Papier heraus. Zwei unbeholfen mit Bleistift gezeichnete Vulkane waren darauf zu sehen, darunter stand *Rosita und Gregorio.*

»Was soll das, wohin fahren wir?«, fragte Freda aufgeregt.

Nachdem Carlos die Handynummer gewählt hatte, war ihm offenbar eine längere Wegbeschreibung diktiert worden. Er hatte mitgeschrieben, dann aufgelegt und gesagt: »Wir brauchen sofort ein Taxi.«

Luis blickte ihn überrascht an. Normalerweise fuhren sie Bus oder gingen zu Fuß.

Carlos stürmte bereits aus dem Haus, Luis und Freda folgten ihm. Freda hatte noch die Geistesgegenwart, im Vorbeigehen nach ihrer Tasche mit Geld und Handy zu greifen.

Auf der Straße stellte Carlos sich breitbeinig hin und legte den Verkehr lahm, bis er ein Taxi angehalten hatte.

»Ich bin vorbestellt«, sagte der Fahrer.

»Egal«, sagte Carlos, »das ist ein Notfall.« Er hielt die hintere Tür auf, bis Luis und Freda eingestiegen waren, und setzte sich auf den Beifahrersitz.

»Das kostet Sie aber was extra«, maulte der Fahrer. Carlos ging nicht darauf ein, er holte die Beschreibung hervor und diktierte den Weg.

»Nun sagen Sie schon, Carlos, wohin fahren wir?«, wiederholte Freda.

»Zu einer Tankstelle, ein Stück außerhalb von Oaxaca.«

»Zu einer Tankstelle? Wieso denn das?«

»Warten wir's ab.«

»Wer war der Anrufer? Was hat er gesagt?«

»Es war eine Frau. Sie sagte nur, dass wir zu dieser Tankstelle kommen sollen, dort würden wir finden, was wir suchen.«

»Ich habe kein gutes Gefühl bei der Sache«, schaltete Luis sich ein. »Dahinter steckt Miguel, und der hat bisher nur Ärger gemacht.«

»Was soll schon passieren?«, sagte Carlos. »Im schlimmsten Fall erlaubt sich jemand einen Scherz mit uns.«

Nein, dachte Freda. Im schlimmsten Fall geschieht, was man immer im Fernsehen sieht: Ein Kofferraum wird geöffnet, und darin liegt eine Leiche.

Bei diesem Gedanken schluchzte sie auf.

Erschrocken beugte Luis sich zu ihr. »Was ist?«

Freda schüttelte nur den Kopf.

Josy lief unruhig auf dem Gelände der Tankstelle auf und ab. Sie hatte das Gefühl, keine Minute länger warten zu können. Immer wieder war sie kurz davor, auf die Straße zu laufen und ein Auto anzuhalten, das sie in die Stadt bringen könnte. Aber dann zwang sie sich wieder zur Ruhe. Das Mädchen hatte gesagt, sie solle sich nicht von der Stelle rühren. Und das Mädchen war von Miguel geschickt worden.

Jetzt war Josy auch klargeworden, woher sie ihre Retterin kannte: Sie gehörte zu Miguels Clique, Josy hatte sie ein-, zweimal mit den anderen gesehen.

Wie hing das alles zusammen? Woher wusste Miguel, wo sie war?

Nervös trat sie von einem Bein aufs andere. Wie viel Zeit war vergangen? War es schon eine halbe Stunde? Mit dem Handy hatten die Entführer ihr auch die Uhr weggenommen. In den vergangenen zehn Tagen hatte sie immer nur geschätzt, wie spät es war. Jetzt erschien es ihr plötzlich lebenswichtig, die Uhrzeit zu kennen.

Sie nahm sich vor, bis hundert zu zählen. Wenn bis dahin nichts passierte, würde sie nach Oaxaca trampen.

»Wie weit ist es noch?«, fragte Freda.

»Wir müssten gleich da sein«, erwiderte Carlos und setzte seine Diskussion mit dem Fahrer fort. Sie suchten ein Fabrikgebäude mit einer großen Corona-Werbung, danach sollte eine Kreuzung kommen, an der sie links abbiegen müssten. Nach hundert Metern würde auf der rechten Seite die Tankstelle auftauchen.

»Da vorne«, sagte Luis aufgeregt und deutete mit dem Finger, »da ist die Werbetafel!«

Der Fahrer gab Gas, passierte das Gebäude und bog an der nächsten Kreuzung links ab. Dann fuhr er langsamer.

»Hier ist es«, sagte Carlos.

Freda sah angespannt aus dem Fenster. »Wo?«

»Da vorne, die Tankstelle.«

Der Fahrer blinkte und bog ab. Zwei Autos und ein Lieferwagen standen an den Zapfsäulen, dahinter lag der Verkaufsraum, nicht größer als ein Kiosk.

Das Taxi hielt an. Sie stiegen aus, blickten sich um. Nichts. Ratlos sahen sie einander an.

»Hier ist nichts«, sagte Luis. »Lasst uns lieber wieder verschwinden.«

»Warte«, befahl Carlos, »ich frage den Tankwart, ob er jemanden gesehen hat.«

In diesem Moment kam eine Gestalt hinter dem Kiosk hervor.

»Josy!«, schrie Freda und rannte los.

»Mama«, sagte Josy mit erstickter Stimme, und in der nächsten Sekunde lagen sich Mutter und Tochter weinend in den Armen.

Freda presste Josy an sich, küsste ihr Gesicht, berührte mit beiden Händen ihr Haar, ihre Schultern und Arme, als müsse sie sich vergewissern, dass ihre Tochter wirklich da war. Plötzlich überkam sie dasselbe verrückte Bedürfnis wie damals, nach der Geburt: Am liebsten hätte sie ihrem Kind mit der Zunge übers Gesicht geleckt, wie eine Katzenmutter.

»Josy, mein Gott, bin ich froh!«, stammelte sie.

»Und ich erst, Mama!«, murmelte Josy dumpf, das Gesicht an Fredas Hals geschmiegt. Sie hob den Kopf. »Wieso bist du überhaupt hier?«

»Weil ich immer schon Urlaub in Mexiko machen wollte, Dummchen.« Sie musterte Josy. »Du bist ja ganz abgemagert, dein Gesicht ist so schmal! Und was ist mit deinen Händen passiert? Und, sag mal ...«, sie schnupperte in Josys Haar, »... nach was riechst du bloß?«

»Nach Schaf«, sagte Josy.

»Nach Schaf?«

Carlos und Luis kamen zu ihnen, Josy löste sich von Freda und umarmte nacheinander die beiden Männer.

»Danke«, sagte sie, »danke, dass ihr da seid!«

Carlos sagte mit Tränen in den Augen: »Ich danke Gott, dass du lebst! Wenn dir etwas zugestoßen wäre ... ich hätte es mir nie verziehen.«

»Ich mir auch nicht«, sagte Luis, schluchzte auf und presste Josy an sich.

»Mir geht's gut, wirklich«, sagte sie und klopfte ihm beruhigend auf den Rücken, »alles in Ordnung.«

Der Taxifahrer hatte die Szene interessiert verfolgt, nun stieg er aus dem Wagen und fragte: »Ich will ja nicht stören, aber kriege ich jetzt mein Geld?«

»Wir fahren wieder zurück«, sagte Carlos.

»Noch besser«, sagte der Fahrer zufrieden.

Sie stiegen ein, Freda und Josy setzten sich eng umschlungen auf die Rückbank. Diesen Augenblick, dachte Freda, werde ich mein Leben lang nicht vergessen.

Josy hatte nur einen Wunsch: Sie wollte duschen und frische Sachen anziehen. Während sie im Bad war, besorgte Carlos mit Hackfleisch gefüllte Tortillas, Tomaten und weißen Oaxaca-Käse, den Josy besonders mochte. Zur Feier des Tages kaufte er sogar eine Flasche Sekt.

Sie stießen an, dann stürzte sich Josy auf das Essen. »Und nachher fahren wir ins Kinderzentrum«, bat sie zwischen zwei Bissen.

»Sollen wir dich nicht erstmal zu einem Arzt bringen?«, fragte Carlos, aber sie schüttelte energisch den Kopf. »Mir fehlt nichts, ehrlich. Ich will, dass alles so schnell wie möglich wieder ... normal wird.«

Carlos und Freda wechselten einen Blick. Nichts würde für Josy schnell wieder normal werden. Wer weiß, was sie erlebt hatte. Welche Erinnerungen sie in nächster Zeit quälen würden. Man würde abwarten müssen.

»Aber deine Hände müssen wir versorgen«, sagte Freda, »habt ihr Verbandszeug?«

»In der linken Küchenschublade.«

Freda suchte in der Schublade und fand einen Verbandskasten. Sie sprühte Desinfektionsspray auf Josys Handflächen und klebte vorsichtig mehrere Pflaster darauf. »Wie ist denn das passiert?«

»Als ich abgehauen bin«, sagte Josy. Freda wartete, aber mehr wollte ihre Tochter offenbar nicht erzählen. Als ihre Wunden versorgt waren, lächelte sie ihre Mutter an.

»Danke, Mama.«

Freda zog sie an sich, hielt sie fest und wollte sie gar nicht mehr loslassen.

»Mama, ich kriege keine Luft!«, beschwerte Josy sich lachend.

Widerstrebend gab Freda sie frei. »Entschuldige. Ich bin nur so froh ... dass ich dich wiederhabe.« Sie stand auf. »Ich muss mal telefonieren.«

Vom anderen Zimmer aus rief sie Johann Krummbaur an und bat ihn, das Auswärtige Amt und die Deutsche Botschaft zu informieren.

»Versuchen Sie, es so aussehen zu lassen, als wäre es eine private Geschichte gewesen«, bat Freda. »Ich will nicht, dass Ermittlungen aufgenommen werden. Von mir aus können die Kerle ungeschoren davonkommen. Hauptsache, meine Tochter ist wieder da.«

Krummbaur schwieg einen Moment. »Ich weiß nicht, ob ich das kann.«

»Bitte, Johann.«

»Ich melde mich wieder.«

Dann rief sie Arno an. »Wir haben Josy gefunden! Es geht ihr gut, sie ist gesund!«

Arno atmete hörbar auf. Er fragte sie aus, wollte mehr Einzelheiten wissen, aber die kannte Freda ja selbst noch nicht.

»Ich erzähl dir alles, wenn ich zurück bin.«

»Ich kann's kaum erwarten«, sagte er mit warmer Stimme.

»Danke, Arno.«

»Wofür?«

»Dass du da bist.« Lächelnd legte sie auf.

Nach dem Essen fuhren sie ins Zentrum. Um ihre plötzliche Abwesenheit zu erklären, hatte Carlos den Kindern erzählt, Josy sei krank. Nun liefen die Kleinen auf sie zu und bestürmten sie mit Fragen.

»Hast du auch eine Spritze bekommen? Warst du im Krankenhaus? Was ist mit deinen Händen passiert?«, riefen sie durcheinander.

Josy behauptete, sie hätte ein Stachelschwein gestreichelt, und die Kinder lachten. Dann erzählte sie, dass sie Husten und Fieber gehabt hätte und wie langweilig es zu Hause im Bett gewesen sei. »Deshalb bin ich sehr froh, dass ich wieder bei euch sein kann!«

»Wir sind auch sehr froh!«, sagte José, der kleine Junge, der am ersten Tag gesagt hatte, sie sei dumm. Gerührt drückte sie ihn an sich.

Als sie aufblickte, fiel ihr Blick auf Loreta, die stumm, mit gesenktem Blick, an der Tür lehnte. Josy stand auf, ging zu ihr und küsste sie rechts und links auf die Wangen. »Danke, dass du mir mit der Cola geholfen hast, das ist echt ein guter Trick!«

Loreta unterdrückte ihre aufsteigenden Tränen. »Ich bin so froh, dass dir nichts passiert ist!«, murmelte sie. »Und es tut mir leid, dass ich die ganze Zeit so unfreundlich zu dir gewesen bin.«

»Schon okay«, sagte Josy, »längst vergessen.«

Hinter ihr tauchte Kristin auf und flog ihr in die Arme. »Du bist wieder da! Ist alles in Ordnung? Wo warst du denn bloß?«

Alle Augen richteten sich auf Josy. Jeder wollte wissen, was mit ihr passiert war, aber keiner hatte sich getraut, zu fragen.

Carlos bugsierte die Gruppe aus dem Zimmer, weg von den Kindern. Sie gingen in die Küche, wo sie ungestört waren.

»Also, erzähl schon«, forderte Kristin sie ungeduldig auf.

Josys Gesicht wurde ernst. »Es war bei der Demo ... ich wollte abhauen, aber sie haben mich geschnappt und mit zwei anderen Typen aus der Stadt rausgebracht. Die beiden waren irgendwann weg, keine Ahnung, was aus ihnen geworden ist. Mich haben sie in einem Schuppen gefangen gehalten, irgendwo in der Pampa. Ich konnte zweimal abhauen, aber beide Male haben sie mich erwischt.«

»Wer waren ›sie‹?«, fragte Carlos.

»Zwei Männer, ein älterer und ein jüngerer.«

»Polizisten?«

»Nein, ich glaube nicht. Sie hatten keine Uniformen an, nur schwarze Hosen und schwarze T-Shirts. Aber sie waren bewaffnet.«

»Hast du verstanden, warum sie dich festgehalten haben?«

Josy überlegte. »Nicht genau. Sie haben einen ziemlichen Schrecken gekriegt, als sie merkten, dass ich Deutsche bin. Der Ältere hat den Jüngeren dafür beschimpft, dass er mich mitgenommen hat, dann haben sie mich erstmal eingesperrt. Was in den Tagen danach los war, ist mir nicht ganz klar, jedenfalls hatte ich eine Scheißpanik, dass sie mich ... na ja, dass sie mich irgendwann endgültig wegschaffen würden.«

Freda sah aus, als würde sie gleich die Fassung verlieren. »Wie ... haben sie dich behandelt?«, fragte sie leise.

»Na ja«, sagte Josy mit einem gezwungenen Lächeln, »immerhin haben sie mich nicht umgebracht.«

»Aber?«

Ihr Gesicht nahm einen gequälten Ausdruck an. »Ich erzähl es euch später«, bat sie, »ich ... mir ist das im Moment zu viel.«

Alle im Raum schwiegen bestürzt.

»Ich würde den Kindern jetzt gern was vorlesen«, sagte Josy mit beherrschter Stimme. Sie stand auf und ging in den Kindergartenraum.

Freda zog mit ihrem Koffer in die Wohnung von Kristin und Josy. Das dritte Zimmer war gerade frei, und die Vermieterin hatte ihr angeboten, für die Dauer ihres Aufenthalts hierbleiben zu können.

Während sie auspackte und versuchte, es sich ein bisschen wohnlich zu machen, musste sie unablässig daran denken, was Josy erzählt hatte. Vor allem aber daran, was sie nicht erzählt hatte. Es brachte sie fast um den Verstand, sich vorzustellen, welche Ängste ihre Tochter ausgestanden hatte, wie einsam sie sich gefühlt haben musste. Und dass sie, ihre Mutter, nichts hatte tun können, um dieses Drama zu verhindern.

Sie ging ins Nebenzimmer. Josy lag auf dem Bett und starrte an die Decke. Sie drehte den Kopf zu ihr und lächelte. »Hallo, Mama.«

»Hallo, meine Süße.« Freda setzte sich auf die Bettkante und strich ihrer Tochter übers Haar. »Wie geht's dir?«

»In meinem Kopf ist so ein Durcheinander ... es kommt mir vor, als wäre das Ganze ein Film, den ich gesehen habe, nicht etwas, was ich wirklich erlebt habe.«

Freda nickte. »Ich hab mal gelesen, dass es in traumatischen Situationen zu einer Abspaltung des Bewusstseins kommen kann. Man zieht sich sozusagen innerlich aus der Situation raus und erlebt alles, als würde es jemand anderem zustoßen.«

Josy nickte lebhaft. »Ja. So habe ich es mehrmals empfunden. Und jetzt auch wieder.«

»Ich glaube, man nennt das Dissoziation«, sagte Freda, als könnte dieser Fachausdruck irgendetwas erklären. »Sag mal, Josy«, fuhr sie zögernd fort, »was ist noch passiert, was verschweigst du uns?«

Josy biss mit abwesendem Blick an der Nagelhaut ihres rechten Ringfingers herum und antwortete nicht.

Fredas Handy klingelte, unwillig nahm sie das Gespräch an. »Ja, Johann?«

»Ich habe mit allen maßgeblichen Stellen gesprochen. So schnell gibt man sich dort natürlich nicht zufrieden. Man erwartet eine offizielle Stellungnahme von den Behörden in Oaxaca. Sie müssten also auf jeden Fall nochmal zur Polizei und erklären, dass Josy zurück ist ...«

»... und dass wir keine Ermittlungen wollen, da es sich um eine private Angelegenheit gehandelt hat«, ergänzte Freda.

Josy richtet sich auf. »Was sagst du da?«, fragte sie.

Freda gab ihr ein Zeichen, sich zu gedulden.

»Danke, Johann. Dann machen wir es so und hoffen, dass die Sache damit erledigt ist.« Sie beendete das Gespräch.

Josy starrte sie an. »Erledigt? Keine Ermittlungen? Private Angelegenheit?«, sagte sie ungläubig. »Das kannst du doch wohl nicht ernst meinen! Diese Typen haben mich behandelt wie Dreck, sie haben mich gedemütigt und in Todesangst versetzt!« Nach einer kurzen Pause fuhr sie mit brüchiger Stimme fort. »Und wenn du es unbedingt wissen willst: Der eine hat mich vergewaltigt. Und da willst du auf Ermittlungen verzichten?«

Freda erschrak und wollte eine Hand auf Josys Arm legen.

Josy schlug sie weg. »Außerdem kannst du das nicht einfach über meinen Kopf hinweg entscheiden!«, schrie sie. »Ich habe die schlimmste Zeit meines Lebens hinter mir, und ich werde diese Kerle anzeigen, verlass dich drauf!«

Von krampfhaftem Schluchzen geschüttelt, brach sie auf dem Bett zusammen.

Kristin tauchte mit erschrockenem Gesicht in der Tür auf.

»Was ist los?«, formte sie mit den Lippen.

Freda machte eine beschwichtigende Handbewegung, und Kristin zog sich zurück.

Es dauerte fast eine halbe Stunde, bis Josy sich einigermaßen beruhigt hatte. Ihr Atem kam immer noch stoßweise, unterbrochen von gelegentlichem Aufschluchzen. Sie ließ es zu, dass Freda ihren Rücken streichelte, und langsam entspannte sie sich.

Irgendwann bemerkte Freda, dass ihre Tochter eingeschlafen war. Sie blieb noch eine Weile sitzen und betrachtete ihr Kind. Es kam ihr unendlich zart und zerbrechlich vor; ein Engel, der durch die Hölle gegangen war.

21

Wieder führte Rechtsanwalt Suárez die kleine Gruppe an, die für den Vormittag im Polizeipräsidium angemeldet war. Diesmal hatte er nur Carlos und Freda mitgenommen, und natürlich Josy, die er gebeten hatte, einfach nur auszusagen. Alles Weitere solle sie ihm überlassen.

Josy hatte zugestimmt. Sie wirkte müde und in sich gekehrt; Freda hoffte, sie würde sich die Anzeige ausreden lassen, damit sie so schnell wie möglich nach Hause fliegen könnten.

Comandante Cortez gab sich diesmal leutselig. Er begrüßte sie, als wäre er höchstpersönlich für Josys Freilassung verantwortlich.

»Na, was habe ich Ihnen gesagt? Wir leisten hier gute Arbeit, nicht wahr?« Er bot ihnen Sitzplätze an, dann wandte er sich in onkelhaftem Ton an Josy: »So, mein Kind, dann erzähl uns mal, was vorgefallen ist.«

Freda spürte Josys Ärger und flüsterte: »Denk an das, was wir besprochen haben!«

Josy warf ihr einen Blick zu. Dann holte sie Luft und begann mit ihrer Aussage. Der Comandante stellte Zwischenfragen, und sie musste immer wieder Pausen machen, um Carlos Gelegenheit zum Übersetzen zu geben. Sie achtete darauf, dass nicht gleichzeitig gesprochen wurde; das Bandgerät in Suárez' Jacketttasche sollte eine möglichst saubere Aufnahme liefern.

Zum ersten Mal erzählte Josy, wie sie aus ihrem Gefängnis entkommen, aber wieder geschnappt worden war. Wie sie zuletzt auf dem Boden des Schafstalles kauern musste, weil sie in dem niedrigen Verschlag nicht hätte stehen können. Und wie sie schließlich von einer ihr unbekannten jungen Frau befreit und zu der Tankstelle gebracht worden war.

Sie erzählte alles, nur ein winziges Detail sparte sie aus: das Briefchen mit der Zeichnung von Rosita und Gregorio. Sie machte ihre Sache gut, blieb sachlich und unemotional. Freda war, bei aller Erschütterung über das Gehörte, erleichtert.

Der Mann hinter dem Schreibtisch notierte sich ein paar Stichpunkte. Als Josy fertig war, stand er auf und gab allen die Hand.

»Dann können wir ja zufrieden sein, dass alles gut ausgegangen ist«, sagte er jovial. »Bitte kommen Sie morgen nochmal für eine Unterschrift vorbei.«

Gleich darauf standen sie wieder vor dem Präsidium. Suárez griff in seine Tasche, holte das Gerät heraus und schaltete es aus.

»Und nun können Sie in Ruhe überlegen, was Sie machen wollen«, sagte er lächelnd zu Freda, »bis dahin liegt dieses Band sicher in meinem Safe. Sollten Sie meine Dienste weiter benötigen, lassen Sie es mich wissen.«

»Entschuldigung, aber ich verstehe nicht ganz«, sagte Josy, »warum haben wir diese Aufnahme gemacht?«

»Weil die Aussage, die du morgen unterschreiben wirst – sofern du das überhaupt tun willst –, aller Voraussicht nach nicht viel mit dem zu tun haben wird, was du gerade ausgesagt hast. Mit diesem Band hast du einen Gegenbeweis in der Hand. Ob du ihn verwenden oder die Sache auf sich beruhen lassen willst, bleibt dir überlassen.«

»In welcher Weise könnte ich das Band denn verwenden?«

Suárez wiegte den Kopf. »Nun, du könntest damit erreichen, dass Ermittlungen aufgenommen werden. Du könntest damit auch an die Presse gehen. Wenn du Glück hast, könntest du unseren Freund im Präsidium um seinen Job bringen.«

»Darüber muss ich erstmal nachdenken«, sagte Josy verwirrt.

Der Anwalt verabschiedete sich lächelnd und ging davon, die Aktentasche unter den rechten Arm geklemmt.

Carlos musste ins Zentrum zurück, bestand aber darauf, dass Josy den Nachmittag mit ihrer Mutter verbrachte. »Zeig ihr die Stadt«, forderte er sie auf, »sie soll auch die schönen Seiten von Oaxaca kennenlernen.«

So bummelten Freda und Josy Arm in Arm durch die Straßen und über die Plätze, kauften bunte Baumwolltücher und handgemachte Ketten aus gefärbten Kernen von den Indiofrauen und, mit schlechtem Gewissen, Süßigkeiten von den Kindern. Sie besuchten das Museo Rufino Tamayo und das Museo de las Culturas de Oaxaca, schließlich setzten sie sich in ein Restaurant am Zócalo, um ein typisches Gericht der Gegend, Hähnchenbrust mit Mole negro, zu essen. Die dicke Soße aus Schokolade und Gewürzen schmeckte ungewohnt, aber beide fanden den Geschmack interessant.

Als sie fertig waren und Freda Kaffee bestellt hatte, sagte Josy: »Da drüben ist ein Internetcafé, ich gehe mal eben meine Mails checken.«

Freda blickte ihr lächelnd nach, überglücklich und voller Dankbarkeit. Das Schicksal war gnädig mit ihr gewesen, diesmal. Es war, als hätte irgendeine höhere Macht ein Einsehen gehabt und beschlossen, dass man ihr nach dem Mann nicht auch noch die Tochter nehmen könnte. Dass eine bestimmte Menge Leid genug wäre für einen Menschen.

Sie hoffte, Josy würde die traumatische Erfahrung allmählich verarbeiten, und nahm sich vor, jederzeit für ihre Tochter da zu sein, wenn sie über das Erlebte sprechen wollte. Immer wieder las man ja von Entführungsopfern, die sich darüber beklagten, dass irgendwann niemand mehr ihre Geschichte hören will. Das sollte Josy nicht passieren.

Sie betrachtete das bunte Treiben um sich herum. Wie schnell sich alles ändern konnte. Noch gestern früh befand sie sich in einem Alptraum aus Angst und Verzweiflung, und heute saß sie hier wie eine ganz normale Touristin. Das Beunruhigende war nur, dass die Dinge sich auch jederzeit wieder verändern konnten. Auf nichts war Verlass, das hatte sie schmerzhaft erfahren. Aber daran wollte sie jetzt nicht denken.

Für einen Moment schloss sie die Augen und lauschte auf die Geräusche. Stimmen, Lachen, Kindergeschrei. In der Nähe lief ein Radio, jemand hupte. Die Luft war erfüllt von geschäftigem Summen, das keinen eindeutigen Ursprung hatte. Es kam ihr vor, als wäre es der Klang des Lebens an sich.

»Ich habe also wirklich einen kleinen Bruder?«, hörte sie plötzlich Josys Stimme neben sich.

Freda zuckte zusammen. »Ach, du lieber Gott, meine letzte E-Mail! Die hab ich in der Aufregung total vergessen!«

Josy ließ sich auf ihren Stuhl fallen, ihre Wangen waren gerötet, die Augen glänzten. »Das ist ja ... unglaublich. Ich weiß gar nicht, was ich denken soll. Dass Papa dich betrogen hat, finde ich total beschissen. Aber ein kleiner Bruder ... du weißt ja, dass ich mir immer Geschwister gewünscht habe ...« Verträumt sah sie vor sich hin. »Wie sieht er aus? Hast du ein Foto von ihm?«

»Na klar!« Freda nahm ihr Handy und suchte im Menü. Bei einem ihrer Spaziergänge hatte sie ein paar Aufnahmen von Luca gemacht.

»Ist der süß!«, sagte Josy. »Kann er schon reden?«

»Ein bisschen. Das Erste, was er zu mir gesagt hat, war ›Tante Ball pielen‹. Bis wir zurück sind, hat er sicher eine Menge neuer Wörter gelernt.«

Josy war schon wieder in den Anblick der Bilder vertieft. »Du hast Recht, er sieht Papa ähnlich. Ich glaube, ich werde ihn sehr gern haben.«

»Und ... was sagst du zu der zweiten Neuigkeit?«

Josy sah auf. »Dass du verliebt bist? Na, das ist ... einfach toll! Erzähl mir von ihm.«

Und Freda erzählte von der Begegnung mit Arno, von all den Missverständnissen und Hindernissen und wie am Ende alles gut ausgegangen war, im Märchen von der späten Liebe.

Als Freda gerade mit ihrer Erzählung fertig war, klingelte ihr Handy. Eine Frauenstimme verlangte Josy zu sprechen.

Überrascht nahm Josy das Telefon entgegen und drückte es ans Ohr. »Ja, wer ist da?«

»Hallo, wie geht's? Hat alles geklappt gestern?«

»Ach, du bist es!«, sagte Josy aufgeregt. »Ich hatte gar keine Gelegenheit, dir zu danken!«

»Schon okay, ich hab's gern getan. Hör zu, jemand will dich treffen.«

»Jemand?«

»Jemand, der dir eine Erklärung schuldet. Ich kann dich zu ihm bringen, wenn du willst.«

Josys Herz begann heftig zu klopfen. »Wann?«

»Heute Abend?«

»Okay. Um neun bei den Marimbaspielern.«

»Wer war das?«, fragte Freda.

»Eine Freundin. Sie hat gehört, dass ich wieder da bin, und möchte mich gern treffen.«

Freda verzog missbilligend das Gesicht. »Findest du nicht, dass du dich lieber ein bisschen schonen solltest?«

»Ach, Mama«, sagte Josy mit nachsichtigem Lächeln.

Einige Minuten vor neun traf Josy bei den Marimbaspielern ein. Die Musiker bauten gerade ihre Instrumente auf, sie lachten und machten Scherze. Aufgeregt sah sie sich um, konnte aber niemanden entdecken. Natürlich, es war ja auch viel zu früh. Nach der mexikanischen Auffassung von Pünktlichkeit konnte es durchaus halb zehn oder später werden, bis das Mädchen käme.

Als das erste Musikstück erklang, brauste hinter Josy auf der Trujano ein Moped heran und bremste. Die Fahrerin winkte ihr zu, sie überquerte die Straße und stieg auf.

»Hallo, wie geht's?«

Das Mädchen hob grüßend die Hand. »Alles klar. Hier, setz den Helm auf.«

Sie fuhren durch die abendliche Stadt, verließen das Zentrum Richtung Westen und fuhren am Alten Markt und am Busbahnhof vorbei. In einer Straße mit Autowerkstätten, ärmlichen Läden und Videoverleihern in niedrigen Gebäuden bremste das Mädchen.

»Da oben.« Sie deutete auf ein beleuchtetes Fenster im Obergeschoss eines Hauses.

Josy stieg ab. »Vielen Dank ... Willst du mir nicht wenigstens deinen Namen sagen?«

»Namen tun nichts zur Sache.«

»Bitte!«

»Also gut ... Clarissa.«

»Clarissa«, wiederholte Josy, »schön. Kannst du mir noch sagen, wie ich nachher zurückkomme?«

»Da vorne fährt der Bus. Er bringt dich direkt ins Zentrum.«

Josy nahm den Helm ab. Clarissa befestigte ihn am Lenker.

»Also dann, mach's gut«, sagte Josy, »und nochmal danke für alles.«

Das Mädchen tippte sich an den Helm. »Hasta la vista.«

Josy drehte sich um und betrat den dunklen Hauseingang. Sie spürte Panik in sich aufsteigen. Wenn das wieder eine Falle wäre? Kein Mensch wusste, wo sie war. Niemand würde nach ihr suchen können. Um ein Haar wäre sie umgekehrt und zur Bushaltestelle gerannt. Aber etwas hielt sie zurück.

Sie tastete nach dem Lichtschalter, eine gelbliche Lampe flammte auf. Vorsichtig ging sie die Treppe hinauf, bereit, sofort abzuhauen, wenn es nötig sein sollte.

Hinter der Wohnungstür im ersten Stock spielte leise Musik, Josy erkannte einen beliebten Bossa nova. Sie klopfte. Von innen fragte eine flüsternde Stimme: »Wer ist da?«

Statt einer Antwort schob sie die Zeichnung mit den beiden Vulkanen unter der Tür durch. Nach ein paar Sekunden wurde geöffnet.

Zu den Reimen, die Josy seit ihrer Kindheit auswendig konnte, gehörte auch die Ballade von den Königskindern. Sie hatte das Lied immer als furchtbar traurig empfunden, und gerade deshalb als furchtbar schön. Wenn sie später an diesen Abend zurückdachte, kam es ihr unweigerlich in den Sinn.

Es waren zwei Königskinder
Die hatten einander so lieb
Sie konnten zusammen nicht kommen
Das Wasser war viel zu tief

Miguel schloss die Tür und zog Josy in seine Arme. Lange sprachen sie nicht, hielten sich nur fest. Irgendwann murmelte sie: »Dann bist du also nicht der Scheißkerl, für den ich dich gehalten habe?«

»Ich hoffe, nicht.« Er legte den Arm um ihre Schultern und zog sie in den einzigen Raum der Wohnung, in dem sich nur das Nötigste befand: eine Matratze, ein Stuhl, ein paar Kisten. Am Boden lagen ein Rucksack und eine Reisetasche, aus denen Kleidung quoll.

Herzliebster, kannst du nicht schwimmen?
Herzlieb, schwimm herüber zu mir!

Zwei Kerzen will ich anzünden
Und die sollen leuchten dir

Eng umschlungen fielen sie auf die Matratze, küssten sich, hielten sich fest, klammerten sich aneinander. Josy wollte nicht nachdenken, nicht zweifeln. Sie wollte nur fühlen, schmecken, zerfließen. Plötzlich brach sie in Tränen aus.

»Was ist?«, fragte Miguel erschrocken. »Habe ich was falsch gemacht?«

»Nein«, schluchzte Josy und krümmte sich zusammen, »es ist nur ... ich kann nicht.«

Sie sah plötzlich wieder das Gesicht des Jungen, spürte seine groben Berührungen, hörte die vulgären Worte, die er keuchend in ihr Ohr stieß.

Und sosehr sie sich nach Miguels Nähe sehnte, sie konnte die Erinnerung daran nicht wegschieben.

Leise weinend blieb sie liegen, während Miguel ihr sanft den Rücken streichelte.

Das hört eine falsche Norne
Die tat, als ob sie schlief
Sie tat die Lichter auslöschen
Der Jüngling ertrank so tief

Irgendwann wurde sie ruhiger.

»Geht's wieder?«, fragte er, und sie nickte. Dann setzte sie sich auf und sah sich um. »Wohnst du jetzt hier?«

»Nur vorübergehend«, sagte Miguel.

»Hast du was zu trinken?«

Er stand auf und ging nackt durchs Zimmer, seine kupferbraune Haut schimmerte im schwachen Licht. Aus einem kleinen Kühlschrank, nicht größer als eine Minibar, holte er zwei Dosen Bier.

Er reichte Josy eine. Sie strich mit dem Finger über die Haut an seinem Unterarm.

»Es tut mir leid«, flüsterte sie.

»Schon gut«, sagte er sanft, »das macht nichts.«

Es zischte, als sie die Dose öffnete, etwas Bier lief über den Rand, sie fing es mit den Lippen auf.

Miguel küsste ihr zärtlich den Schaum von der Nase.

Es war an ei'm Sonntagmorgen
Die Leut' waren alle so froh
Bis auf die Königstochter
Sie weinte die Äuglein rot.

Ach Mutter, herzliebste Mutter
Der Kopf tut mir so weh
Ich möcht so gern spazieren
Wohl an die grüne See

Sie saßen nebeneinander, den Rücken an die kahle Wand gelehnt.

Josy knibbelte mit den Zähnen an ihrem linken Ringfinger. »Darf ich dich was fragen?« Miguel nickte.

»Wer ist Clarissa?«

»Clarissa?«

»Das Mädchen, das mich hergefahren hat.«

Miguel lachte auf. »Sie heißt nicht Clarissa, sie heißt Simona und ist die Freundin von Pablo. Sie liebt Versteckspiele.«

»Du offenbar auch«, sagte Josy. »Ich habe immer noch nicht verstanden, was eigentlich passiert ist. Warum warst du bei der Demo so wütend? Warum hast du mich weggeschickt?«

Miguel erklärte ihr, er habe kurz zuvor erfahren, dass der Platz gestürmt und Tränengas eingesetzt werden sollte. Er wollte nur, dass sie sich in Sicherheit brachte. Nie hätte er sie sonst weggeschickt.

»Woher hattest du diese Information?« Josy fixierte ihn. Sie wollte wissen, wo er stand. Und ob Luis mit seinen Verdächtigungen Recht hatte.

»Ich habe gute Kontakte«, sagte er ausweichend.

»Zur Polizei?«

»Auch. Ich bin ein bisschen zwischen den Fronten gewandert, wenn du verstehst, was ich meine.«

»Willst du damit sagen, du hast Informationen weitergegeben, als eine Art ... Doppelagent?«

»Ich habe die Bullen in dem Glauben gelassen, dass ich für sie in der Szene spioniere, aber in Wirklichkeit war ich immer auf der Seite der Revolution! Immer!« Er sprang von der Matratze auf. »Ich bin kein Verräter!«

Josy blickte ihn zweifelnd an. »Woher hast du gewusst, dass ich auf diesem Bauernhof war?«

Er ließ sich wieder auf die Matratze fallen und nahm ihre Hände in seine.

»Zuerst habe ich nicht mal gewusst, dass du verschwunden bist! Ich dachte, du meldest dich schon wieder, wenn du aufgehört hast, sauer auf mich zu sein. Aber dann hat Luis es mir gesagt, und ich hatte sofort ... gewisse Vermutungen. Ich habe meine Kontakte spielenlassen, und bald war mir klar, wer wahrscheinlich hinter der Sache steckt. Oaxaca ist ziemlich klein, weißt du.«

»Was hat Clarissa ... ich meine, Simona damit zu tun?«

»Sie stammt aus der Gegend, in der ich die Entführer vermutet habe, und sollte sich dort etwas umhören. Dann hat sie herausgekriegt, dass du auf diesem Bauernhof eingesperrt bist und dass ausgerechnet ihr Onkel und ihr Cousin es sind, die dich dort festhalten. Diese Idioten ... sie hatten einen Riesenfehler gemacht, und sie wussten es. Ich bekam große Angst, dass sie ... dir etwas antun könnten.«

»Frag mich mal«, sagte Josy.

»Ich habe Simona angefleht, dich sofort da rauszuholen. Sie konnte sich ja auf dem Hof sehen lassen, ohne Verdacht zu erregen. Trotzdem war es keine einfache Sache für sie. Immerhin sind es Mitglieder ihrer Familie.«

Josy überlegte. »Wenn ich ihr nur richtig danken könnte! Wahrscheinlich hat sie mir das Leben gerettet.«

»Es gibt etwas, das du tun kannst«, sagte Miguel zögernd.

»Ja?«

»Du ... könntest auf eine Anzeige verzichten.«

Sie schluckte und sah ihn groß an. »Du meinst, den zwei Scheißkerlen soll nichts passieren? Sie sollen einfach so davonkommen?«

Miguel zuckte die Schultern. »Sie würden wahrscheinlich sowieso davonkommen. Es gibt Leute bei der Polizei, die ihre Hand über sie halten.«

Ach Fischer, liebster Fischer
Willst du verdienen großen Lohn?
So wirf dein Netz ins Wasser
Und fisch mir den Königssohn!

Er warf das Netz ins Wasser
Es ging bis auf den Grund

Er fischte und fischte so lange
Bis er den Königssohn fand

Er griff nach einem Handy, das neben der Matratze auf dem Boden lag, und sah nach der Uhrzeit. Dann stand er auf. »Josy, es tut mir leid, ich muss mich fertig machen. Ich werde gleich abgeholt.«

»Abgeholt? Wieso?«

»Ich ... gehe weg. Hier ist mir das Pflaster ... zu heiß geworden.«

Josy sah ihn erschrocken an. »Wohin gehst du denn?«

»Nach San Cristóbal. Pablo ist schon dort.«

»Du willst nach Chiapas? Da ist es ja noch gefährlicher als hier!«

Bestürzt sah sie zu, wie er sich anzog, seine Sachen in die Reisetasche stopfte, den Rucksack packte.

»San Cristóbal«, wiederholte sie. »Und ... was wollt ihr da machen?«

Das vertraute Grinsen erschien auf seinem Gesicht. »Revolution, was sonst?«

Sie schloss ihn in ihre Arme
Und küsst' seinen bleichen Mund
Ach, Mündlein, könntest du sprechen
So wär mein jung Herz gesund

Wie betäubt saß Josy im Bus. Nachdem Miguel alles zusammengepackt hatte, waren sie gemeinsam auf die Straße gegangen. Wenige Minuten später hatte ein Auto vor ihnen gehalten, Miguel hatte den Kofferraum geöffnet und sein Gepäck verstaut. Dann hatte er sie kurz an sich gedrückt und war eingestiegen.

»Sehen wir uns wieder?«, hatte Josy gerufen. »Kann ich dich irgendwie erreichen?«

»Ich finde dich immer«, sagte er, »das weißt du doch.«

Er zog die Beifahrertür zu, und das Auto fuhr weg.

Sie schwang um sich ihren Mantel
Und sprang wohl in die See
Gut' Nacht, mein Vater und Mutter
Ihr seht mich nimmermeh'!

Freda und Josy standen nebeneinander und hielten lächelnd eines der »Freiheit für Josefine März«-Poster hoch, während ein Pressefotograf des »Diario de Oaxaca« sie von allen Seiten ablichtete. Benito näherte sich mit seinem Aufnahmegerät; Carlos stand daneben, um zu übersetzen.

Als der Fotograf zufrieden war, ließen die beiden Frauen das Plakat sinken.

»Fast wäre mir der Arm abgefallen«, sagte Freda, »der hat so viele Bilder gemacht, dass man die ganze Stadt damit tapezieren könnte.«

Benito lachte. »Mein Freund nimmt seinen Job sehr ernst. Er hat früher Hochzeitspaare fotografiert, und bis er fertig war, waren die meisten schon wieder geschieden.«

Er schaltete das Band ein und hielt es hoch. »Josy, du bist nach zehn Tagen Gefangenschaft freigekommen«, sagte er, »wie geht es dir inzwischen?«

»Ganz gut, aber ich bin sehr wütend auf die Männer, die mir das angetan haben.«

»Weißt du, wer deine Entführer waren und warum du festgehalten wurdest?«

»Ich habe gewisse Vermutungen«, sagte Josy, »aber im Moment möchte ich mich dazu nicht äußern.«

»Was willst du jetzt unternehmen? Willst du Anzeige erstatten?«

»Ich ... weiß es noch nicht«, sagte Josy ausweichend. »Auf jeden Fall will ich mich bei allen Menschen, die sich für meine Freilassung eingesetzt haben, ganz herzlich bedanken; besonders bei Carlos Fernández de León, bei seinem Sohn Luis und bei den Mitarbeitern des Kinderzentrums ›Haus der Hoffnung‹. Und natürlich bei meiner Mutter, die bestimmt die ganze Zeit schreckliche Angst um mich hatte. Das zu wissen, war eigentlich das Schlimmste für mich.«

Josy drückte ihre Mutter an sich.

Benito nickte mitfühlend und wandte sich an Freda. »Frau März, Sie hatten angekündigt, dass Sie nichts unternehmen wollen, wenn Ihre Tochter wohlbehalten zurückkommt. Bleiben Sie bei dieser Meinung?«

»Erstmal bin ich sehr dankbar, dass meine Tochter wieder bei mir ist und dass sie gesund ist. Sie hat eine sehr schlimme Zeit hinter sich, und ich denke, sie würde sie gern so schnell wie möglich vergessen.«

»Dann werden Sie wohl bald nach Deutschland zurückkehren?«

Freda nickte. »Ja. In ein paar Tagen werden wir bestimmt zurückfliegen.«

Josy drehte ihr den Kopf zu. »Wieso wir? Ich habe nie gesagt, dass ich zurückfliege.«

»Was?« Freda starrte ihre Tochter entgeistert an. »Du willst hierbleiben? Nach allem, was passiert ist?«

Carlos hatte aufgehört, zu übersetzen.

»Was ist los, worüber reden sie?«, wollte Benito wissen.

»Das ist ... eher privat«, sagte Carlos, »ich glaube, das Interview ist beendet. Danke für alles, mein Freund.«

Freda und Josy standen sich gegenüber, das Plakat war auf den Boden gefallen.

»Also nochmal«, sagte Freda, »habe ich das richtig verstanden, du willst nicht mit mir nach München zurück?«

Josy nickte. »Richtig.«

Freda ließ ihre Hände in einer hilflosen Geste fallen und schüttelte den Kopf. »Das glaube ich einfach nicht.«

»Ich bin für ein Jahr hierhergekommen«, sagte Josy ruhig, »und ich werde ein Jahr bleiben. Hast du mir nicht immer gesagt, ich solle zu Ende bringen, was ich angefangen habe?«

»Ja, schon, aber ...« Freda brach ab.

Josy legte einen Arm um ihre Mutter. »Schau, Mama, hier hatte ich zum ersten Mal in meinem Leben das Gefühl, etwas Sinnvolles zu tun. Und etwas, das mir Spaß macht! Ich will zurück in das Indianerdorf in den Bergen und dort die Kinder unterrichten. Und, wer weiß ... vielleicht mache ich danach in Deutschland die Schule fertig und werde Lehrerin!«

»Du willst zurück in das Dorf?«, schaltete Carlos sich ein. »Warum denn?«

»Weil ich es Lomasi versprochen habe«, sagte Josy lächelnd.

Einige Frauen mit Einkaufstaschen waren stehen geblieben, deuteten in ihre Richtung und tuschelten. Eine von ihnen kam näher. »Sie sind doch die Frau, die ihre Tochter gesucht hat? Ist sie das?«

Freda nickte und bemühte sich, zu lächeln. »Ja, das ist sie.«

Die Frau klatschte vor Freude in die Hände. »Das ist ja großartig!« Sie drehte sich zu ihren Freundinnen um. »Seht mal, das ist das Mädchen, das vermisst wurde. Sie ist gesund zurückgekommen!«

Die Frauen umringten Josy und Freda, umarmten sie abwechselnd und konnten sich gar nicht mehr beruhigen. »Die Menschen hier sind nicht böse, Oaxaca ist eine freundliche Stadt«, sagten sie immer wieder, und Freda und Josy konnten nur noch zustimmend nicken.

»Viel Glück, und kommen Sie bald wieder!«, riefen die Frauen und winkten zum Abschied.

Zwei Tage später war Freda auf dem Rückweg nach Deutschland. Trotz aller Bemühungen war es ihr nicht gelungen, Josy zur Heimkehr zu überreden. So saß sie alleine im Flugzeug und versuchte, die Ereignisse der vergangenen Tage zu verarbeiten.

In der einen Hand hielt sie ein in leuchtenden Farben bemaltes Gürteltier aus Holz, in der anderen ein von Josy beschriebenes Kärtchen.

Liebe Mama, ich danke dir so sehr, dass du gekommen bist! Ich weiß, dass du alles getan hättest, um mich zu retten, sogar dein Leben hättest du riskiert. Es ist ein wunderschönes Gefühl, so geliebt zu werden. Hab bitte keine Angst mehr um mich. Jetzt, wo ich diesen Horror überstanden habe, kann mir nichts mehr passieren. Ich fühle mich wie das Gürteltier: dick gepanzert und geschützt. Ich finde, wir können beide ziemlich stolz auf uns sein.

Ich liebe dich. Deine Josy

Freda ließ die Hand mit der Karte sinken und wischte sich verstohlen eine Träne aus dem Auge. Gleichzeitig war ein Lächeln in ihrem Gesicht. Sie hatte gewonnen und verloren zugleich. Josy hatte überlebt – aber nicht sie war es gewesen, die sie hatte retten können. Sie war als Mutter endgültig an ihre Grenzen gestoßen.

Sie seufzte tief, lehnte den Kopf an die Lehne ihres Sitzes und schloss die Augen. Ihre Gedanken rasten wieder zurück in die Vergangenheit, wieder zu dem Moment, in dem sie ihr Neugeborenes zum ersten Mal im Arm gehalten und es am liebsten abgeleckt hätte. Das verknautschte Gesicht des Babys stand ihr so deutlich vor Augen, als wäre es gestern gewesen. Sie sah die kleinen Fäuste in die Luft stoßen, hörte das zarte Greinen, roch den unbekannten Duft.

Wie gut, dachte sie, dass einem niemand sagt, was mit einem Kind auf einen zukommt. Mit welcher Wucht einen die Gefühle von nun an treffen werden; die Angst, die Erwartung, die Enttäuschung und, vor allem, die Liebe. Welch archaische Kraft einen packt, wenn man sein Liebstes in Gefahr wähnt, und dass man jeden zerfleischen würde, der ihm Schaden zufügen will.

Es sind Gefühle, die man sich nicht vorstellen kann, die einen überrollen, überfordern und dennoch glücklich machen wie nichts anderes im Leben.

Damals hatte Freda plötzlich verstanden, warum sie existierte. Nicht, um eine erfolgreiche Buchhändlerin zu werden, Geld zu verdienen oder Spaß zu haben. Es ging nicht darum, einen Sinn im Leben zu finden. Das Leben selbst war der Sinn.

Mit jedem Kilometer, den sie sich von Josy entfernte, wurde ihr deutlicher, dass ihre Mission erfüllt war. Sie hatte ihr Kind geboren, aufgezogen und ins Leben entlassen. Das war die Aufgabe gewesen. Mehr wurde nicht von ihr erwartet.

Ich finde, wir können beide ziemlich stolz auf uns sein.

Ja, sie war stolz. Unbändig stolz auf ihre Tochter. Und auch ein bisschen auf sich selbst.

Als sie in München aus der Maschine stieg, war der Himmel grau und es nieselte. Sie holte ihren Koffer, trat durch die Schiebetüre und blickte in zwei türkisblaue Augen. Da wusste sie, dass sie zu Hause war.

Liebe Leserinnen und Leser,

in meinem Buch sind, wie in jedem Roman, alle Personen und Ereignisse frei erfunden. Trotzdem habe ich eine realistische Geschichte erzählt, die sich so oder ähnlich hätte ereignen können.

Ich war im Februar 2008 zur Recherche in Oaxaca de Juárez, der Hauptstadt des Bundesstaates Oaxaca in Mexiko, und habe die Situation dort als ähnlich widersprüchlich empfunden wie Sie vielleicht meine Schilderungen: Man flaniert in angenehmer Atmosphäre durch eine hübsche, freundliche Stadt, sieht man aber genauer hin, entdeckt man große Armut und spürt die starken politischen Spannungen, mit denen die Menschen leben. Der Bundesstaat Oaxaca hat 3,51 Millionen Einwohner, die aus mindestens 16 Volksgruppen kommen. Ungefähr 30 Prozent von ihnen sind Analphabeten; der Anteil der indigenen Bevölkerung liegt bei fast 50 Prozent.

Die Unruhen in der Hauptstadt Oaxaca begannen mit Protesten von Lehrern für bessere Löhne und Arbeitsbedingungen. 2006 wurde nach einem Streik der Hauptplatz, der Zócalo, von Polizeikräften gewaltsam geräumt. Daraufhin formierte sich aus Solidarität mit den Lehrern die Volksbewegung APPO, die »Asamblea popular de los pueblos de Oaxaca« (Volksversammlung der Völker Oaxacas), die sich aus etwa 350 Einzelgruppen zusammensetzt. Dazu gehören Gewerkschaften, Bauern-, Studenten- und Indígenaorganisationen. Bald richteten sich die Proteste auch gegen die mangelhaften Bildungs- und Ausbildungsmöglichkeiten, gegen soziale Ungerechtigkeit und Korruption. Weitere Demonstrationen wurden zum Teil blutig niedergeschlagen; es gab viele Verletzte und mindestens neun Tote. Immer wieder wird über massive Übergriffe und Menschenrechtsverletzungen berichtet; ich habe lange mit einem Mann gesprochen, der bei einer Demonstration festgenommen, drei Monate gefangen gehalten und gefoltert wurde. Im letzten Sommer wurden vier spanische Menschenrechtsaktivisten für mehrere Tage verschleppt und schwer misshandelt.

Was meiner jungen Heldin Josy zustößt, entspringt also durchaus nicht nur meiner Fantasie.

Für das im Buch beschriebene Kinderzentrum »Haus der Hoffnung« gibt es reale Vorbilder: Die beiden Kinderhilfsprojekte »Calpulli« und »Canica de Oaxaca«. In beiden wird vorbildliche Arbeit geleistet, die das Leben vieler Kinder aus schwierigsten Verhältnissen erleichtert.

»Calpulli« geht auf die Initiative von Felipe Sánchez Rodriguez zurück, der gemeinsam mit seiner Frau Swantje Burmester im Elendsviertel Lomas de San Jacinto ein Zentrum mit Kindergarten, Mittagstisch und Hausaufgabenbetreuung gegründet hat und es seit inzwischen vierzehn Jahren unter großem persönlichem Einsatz betreibt. Hinter »Canica de Oaxaca« stehen mehrere Bürger und Geschäftsleute, diese Organisation kümmert sich in drei verschiedenen Zentren um minderjährige Straßenverkäufer und misshandelte Mädchen.

Die Begegnung mit so großer Not, die wir uns im vergleichsweise reichen Deutschland nicht annähernd vorstellen können, ist mir sehr nahegegangen. Ich versuche deshalb, im Rahmen meiner Möglichkeiten zu helfen.

Wenn auch Sie die Kinder von Oaxaca unterstützen wollen, so können Sie eine Spende an die Kinderhilfsorganisation »Children for a better World e.V.« richten, die in voller Höhe an die Hilfsprojekte weitergeleitet wird.

Konto-Nr.: 8080160
BLZ: 700 700 10
Deutsche Bank München
IBAN: DE55 700 700 100 8080160 00
SWIFT-BIC: DEUT DE MMXXX
Stichwort: Oaxaca

Selbstverständlich erhalten Sie, wenn Sie Ihre Adresse angeben, eine Spendenbescheinigung. Für Spenden bis 200 Euro gilt für das Finanzamt der Kontoauszug als Spendenbeleg.

Ich danke Ihnen ganz herzlich,
Ihre

Amelie Fried

München, im Frühjahr 2009

Für ihre Unterstützung bei der Entstehung dieses Buches möchte ich folgenden Menschen herzlich danken:

Swantje Burmester-Sánchez

Felipe Sánchez Rodriguez

Alejandro López de León

Hans-Günther Mattern, *Deutsche Botschaft, Mexico D. F.*

Patrocínio García Hernandez

Dieter Reithmeier

Teresa Avila

Kathrin Ebell

Andreas Ruch, *Pressestelle der Polizei, München*

Irene Kiefer, *Honorarkonsulat von Mexiko, München*

Martin Jäger, *Auswärtiges Amt, Berlin*

Hubert Jäger, *Auswärtiges Amt, Berlin*

Peter Burghardt, *Süddeutsche Zeitung*

Peter Probst

Ingrid Grimm

Sabrina Schicketanz